Einaudi Tascabili. Letteratura
629

Piccolo dono
al Patrizia.
aprile 2015.

Natalia Ginzburg
Lessico famigliare

Introduzione di Cesare Garboli

Einaudi

© 1963 e 1999 Giulio Einaudi editore s.p.a., Torino

Prima edizione «Supercoralli» 1963

www.einaudi.it

ISBN 88-06-15168-1

Introduzione

Come è noto ai moltissimi lettori di questo libro, piú volte ristampato anche in antologie e adottato come libro di lettura per le scuole, *Lessico famigliare* racconta la storia di una famiglia ebraica e antifascista, i Levi, trapiantata a Torino tra i primi anni Trenta e i primi Cinquanta. Vent'anni che trascorrono per buona parte sotto il fascismo, funestati dalle leggi razziali, dallo scoppio della guerra, dall'invasione tedesca in Europa, dai campi di sterminio, fino alla Resistenza e alla Liberazione. Il racconto nasce dal vero, non dall'immaginazione. È un insieme di ricordi promossi dal sopravvivere nella memoria di parole, espressioni, modi di dire, frasi sentite tante volte ripetere in famiglia, buttate là senza pensarci dai fratelli piú grandi e dai genitori, frasi e parole futili e senza peso, che di solito si perdono col tempo e si dimenticano una volta diventati adulti e usciti di casa. La fedeltà e l'amore per queste parole, che costituiscono il patrimonio grazie al quale un nucleo famigliare, una tribú, si riconosce e si distingue dagli altri, sollecitano nell'autrice del *Lessico* dei ricordi che non sanno morire, ricordi vivaci, tenaci, che generano per via di associazioni involontarie una storia, un disegno, o, se si preferisce, un romanzo dove si affollano persone e destini diversi. La narrazione è condotta in prima persona dall'ultima nata della famiglia, Natalia, la quale ripercorre da adulta il tempo della sua infanzia e la vita passata in casa dei genitori, fino al matrimonio e al suo ingresso nel mondo. La persona che dice «io» e racconta la storia coincide anagraficamente con l'autrice del libro, Natalia Ginzburg.

Un rapido sguardo gettato sui fatti letterari di maggior interesse coevi alla prima stampa del libro potrà forse tornare utile. Nel 1963, nello stesso anno della prima edizione del *Lessico*, videro la luce – non ricordo se subito prima o subito dopo – due libri che hanno lasciato un'impronta non certo superficiale nella nostra letteratura, due classici del Novecento: *La cognizione del dolore* di Gadda e *Rien va* di Landolfi. Non si potrebbe immaginare compagnia piú aliena. Due libri, come dicono i titoli, dolorosi e angosciati, quasi interamente presidiati dall'io che racconta (*Rien va*) o dal personaggio in cui l'autore si proietta (*La cognizione*), prima o terza persona entrambe nere e incombenti, simili a un luogo odioso dove non si è proprietari ma prigionieri, e dal quale è impossibile evadere. Un uomo incapace di volere e di agire tiene il diario di tutti i suoi fallimenti (rien va), pallidamente rallegrato dalla sorpresa di una paternità edificante e dai vezzi della neonata, ma afflitto da una sindrome depressiva, da quella fiacchezza d'animo, languore dello spirito, istinto della derisione e del gioco diagnosticati ad apertura di secolo – non mi stancherò mai di ripeterlo – dal grande Pascoli di *Sotto il velame*; e l'altro, l'imbranato Gonzalo della *Cognizione del dolore*, afflitto dal trauma dei traumi, l'ossessione matricida, afflitto dall'odio e dalla pietà nei confronti di una madre inconsapevolmente seviziatrice, povero fantasma crivellato dalle recriminazioni visionarie del figlio. Per una strana congiuntura, questi due libri cosí appaiati nella disperazione e nel gioco intrattengono con il libro antitetico della Ginzburg una relazione di affinità paradossale, fondata su tre elementi: il tema genitoriale; il piacere ironico e derisorio della parola; e la struttura ibrida, composita, mista di romanzo, saggio, divagazione, ricordo, autobiografia. È curioso come queste analogie scavino ancora piú profondamente, invece di colmarlo, il solco che divide il libro della Ginzburg dai due prodotti coevi.

Macroscopico elemento di discrimine, la presenza, nel libro della Ginzburg, della Storia, scenario del tutto vacante negli altri due. Non si sentono, nei libri di Landolfi e di Gadda, o si sentono fioche e importune, le voci del mondo, degli altri, il rumore e lo scalpicciare del prossimo. L'interesse si concentra sulle torturate anime dei protagonisti, i quali occupano tutta l'ampiezza del quadro. «La mia penna – imprecava Gadda – è al servizio della mia anima, e non è fante o domestica alla signora Cesira». Non essendoci la Storia, poco si sente passare il tempo. I fatti raccontati nella *Cognizione del dolore* risalgono al 1933, trent'anni prima del diario tenuto da Landolfi. Ma che importanza ha il calendario? Il tempo, nei due libri, è lo stesso, un tempo immobile. Il passo di Landolfi si distende ozioso e divagante, le carte del diario cadono annoiatamente sul tavolo a formare la figura del solitario; il passo di Gadda, dopo un agitato rodaggio goliardico ricco di virtuosismi da antologia, s'imbuca dentro un tunnel di orrore e di tenebra (le parole-chiave della *Cognizione*, conradiane, si direbbe), e fugge precipitoso verso un epilogo inesistente. Diverso il passo, ma uguale la fissità del tempo, la sua appartenenza alle profondità dei fatti psichici e agli oscuri cunicoli dell'anima. Non un tempo che trascorre, ma un presente carico di piombo, oppresso da un eterno passato ormai remoto e ingombrante.

Il fenomeno si spiega agevolmente. Nei libri di Landolfi e di Gadda si assiste al risucchio di esperienze novecentesche che risalgono molto indietro rispetto al 1963. Si assiste al riemergere di un male di vivere che sembrava morto e sepolto, che aveva la sua sede storica nel vuoto e nella depressione degli anni Trenta. Le devastazioni venute dopo, le lacerazioni prodotte dalla guerra, i grandi fatti sociali e politici, i cambiamenti vorticosi di scenario, le sciagure e i lutti collettivi hanno lasciato una traccia che era ancora visibile negli anni Cinquanta, ma già si poteva dire scomparsa poco piú oltre, all'epoca di *Rien va* e della stesura definitiva della *Cognizione*. In ogni secolo abita un mostro; questo mostro è sempre pronto a rinascere; e i grandi mutamenti storici hanno urtato, non modificato la radice del Novecento. Non hanno guarito una sindrome negativa, la resistenza di una malattia che giace ancora senza nome incistata nelle profondità invisibili del secolo. Finita la scossa, passato l'urto, le acque sepolte hanno ricominciato a borbottare nei sotterranei, a ribollire, a esalare vapori, fino a riesplodere con la violenza sulfurea di un fiume carsico.

Visti in questa prospettiva, si può dire oggi che i libri di Gadda e Landolfi riaprivano nel 1963 una lontana ferita tante volte suppurata, un eterno e angoscioso litigio, una disarmonia e un'inadattabilità al mondo che vengono prima e dopo i fatti raccontati dalla Ginzburg in *Lessico famigliare*. Sarebbe ingiusto fare di *Rien va* e della *Cognizione del dolore* la complicata notizia di due solitudini, o il tetro racconto di due casi patologici, da allineare al vecchio «no» montaliano pronunciato con tanta amarezza verso la vita. Ma non meno ingiusto sarebbe dimenticare la loro patologia. Rumorosamente o silenziosamente, Gadda e Landolfi partivano da molto lontano per guardare avanti, ritornavano lungo vecchi sentieri spinti dalla sensibilità e dall'interesse verso la mostruosità del futuro piuttosto che dal bisogno di rimestare nel passato. Al contrario, il libro della Ginzburg, che si presentava col passo leggero e freschissimo di chi è padrone della vita che deve ancora venire e la sente a portata di mano, può sembrare oggi una perla dallo scintillio solitario caduta nel buio del mondo, la testimonianza intensamente antifascista di un segmento di storia che già si era chiuso.

Si entra nei ricordi della Ginzburg – il lettore se ne accorgerà – col passo col quale dalla mattina alla sera e dalla sera alla mattina camminiamo in mezzo alla Storia indaffarati e disorientati, come passanti per le strade di una città sconosciuta. È uno dei misteri del *Lessico*. Si entra nella Storia *en plein air*, per quanto i ricordi della Ginzburg non si allontanino mai troppo dall'interno degli appartamenti abitati dalla famiglia Levi a Torino, in via Pastrengo, via Pallamaglio e corso re Umberto. Si entra nella Storia, per cosí dire, a quattro zampe, con gli occhi ancora ciechi dei gattini, come piccoli animali curiosi che si guardano intorno nel bosco. Un'impressione forse dovuta al ruolo modesto, al posto insignificante assegnato all'io che racconta, una bambina che cresce in fretta e diventa adulta distrattamente, senza mai recidere il cordone che la lega alla casa d'origine e alla vita dei genitori. L'io che racconta la vita famigliare dei Levi, la bambina che diventata adulta getterà uno sguardo pieno di humour sulla vita della tribú, si ritira in un angolo, si nasconde nella penombra, sta lontano dai grandi. Occupa poco posto. Ma col trascorrere del tempo, si accorgerà che in un angolo stanno tutti, anche i grandi. Saprà che tutti incrociamo i nostri sguardi insignificanti dal nostro piccolo angolo, tutti diventiamo grandi senza saperlo, tutti restiamo attaccati alla nostra tana e tutti ci dividiamo dalle nostre origini, tutti ci conosciamo e ci ignoriamo. Tutti occupiamo un piccolo, piccolissimo posto nella promiscuità del mondo pieno di rumori e di voci, nella promiscuità della Storia, simile a una piazza brulicante di passanti.

Nato dall'amore, il libro della Ginzburg nasconde una libido animale e aggressiva che non è facile sorprendere alla prima lettura. Bisogna resistere alla tentazione di leggere il *Lessico* come un libro edificante o agiografico. Il paradosso, o l'ambiguità, su cui si fonda il libro della Ginzburg è che a farsi carico di una rappresentazione famigliare vista con gli occhi di una bambina che cresce innamorata dei genitori è una Narratrice dalla doppia funzione e dal doppio ruolo, da una parte spettatrice insignificante, dall'altra regista assoluta. Come possono tenersi in equilibrio due tonalità cosí incompatibili? Un occhio sprovveduto e l'altro onnipotente? Come può un'ottica *d'en bas* coesistere con quella di chi fa muovere i burattini? Gli strumenti per tenersi in equilibrio non mancano: il falso candore, l'ironia affettuosa e quasi derisoria, la mano leggera e infantile, un po' empia e un po' misericordiosa, tesa a raccogliere tutto ciò che la vita lascia stupidamente cadere. Ma soprattutto la capacità di far vivere gli altri appiattendoli su una sola dimensione, inchiodandoli al proprio punto di vista, togliendoli alla loro totalità e integrità, togliendo loro l'illusione di essere come volevano e come credevano per condannarli alla verità invidiosa di un obbiettivo che li coglie sistematicamente di sorpresa. Ispirati dall'amore, i ricordi della Ginzburg nascono dal bisogno d'insediarsi al centro di uno spettacolo dal quale la Narratrice era e si sentiva esclusa. Se questi ricordi prendono la forma di un romanzo, non lo si deve all'amore ma a un oscuro bisogno di rivendicazione e di possesso.

Si può scendere nel pozzo del *Lessico* osservando il mulinello formato da due onde che si fronteggiano nel romanzo e non riescono mai a superarsi, il bisogno di uscire dalla tana e quello di non staccarsene mai. Queste onde sballottano la Narratrice e la immergono in quello stato d'incertezza nebbiosa, di sonnolenza, di letargo occhiuto e ottuso da cui nascono i ricordi. Da una parte il bisogno fisiologico d'incontrare e di occupare il mondo, il desiderio, e la paura, di diventare adulti. Dall'altra il trionfo della sindrome oblomoviana, la gioia di regredire e di spiare la vita dei grandi. Che cosa potrà mai succedere a noi di cosí importante nella vita da sostituire lo spettacolo della nostra famiglia e dei nostri genitori? Quello scenario pieno di luce e di buio dove abbiamo visto i genitori recitare e dettare legge? Essere adulti è una realtà sentita dalla Narratrice del *Lessico*, ultima di una famiglia numerosa, venuta a sedersi a tavola quando tutti i giochi erano già stati fatti, come un privilegio irraggiungibile. È la cellula da cui è nato il romanzo, il primo passo verso il bisogno, in qualche modo perverso, di raccontare non se stessi, ma di usurpare col proprio racconto la vita degli altri. Quale opportunità abbiamo d'insediarci al centro di uno spettacolo dal quale ci siamo sentiti esclusi se non di raccontarlo, di farlo esistere attraverso i propri occhi? È la strada aperta da Proust a tutta la letteratura del secolo. Diventare protagonisti di tutto ciò che abbiamo divorato con gli occhi! Surrogare con la forza dei propri ricordi la vita di chi è stato protagonista! Nel *Lessico famigliare* trionfano una protagonista vicaria e una forma di vita seconda, aggiunta, vittoriosa di ogni complesso e di ogni frustrazione.

La centralità del *Lessico*, a metà di un percorso letterario accidentato e sempre in formazione come quello della Ginzburg, conferma anche sotto il profilo diacronico quest'uso della memoria in funzione aggressiva e liberatoria. *Lessico famigliare* è uno di quei libri in cui si riassumono i nodi di una vita e si chiarisce il sorgere di una vocazione. È un libro di furente e censurato protagonismo. È un libro pieno di contraddizioni. Non si sa se scritto sui genitori o sui figli. I grandi sono da una parte delle immagini ritagliate, quando non addirittura delle caricature, dall'altra delle divinità dell'Olimpo. Ovunque si celebra la seduzione degli adulti, e ovunque si decreta la superiorità del punto di vista infantile su quello adulto. Si osserverà infine la rigorosa vacanza della scena genitrice di tutte le cose, la scena freudiana da cui tutti proveniamo. La soglia di questa scena non è neppure sfiorata, questa scena è tabú, mentre è il sale di tutto il libro, fonte evidentissima della rumorosa salute fisica e morale del professor Levi e della soave e ineffabile gioia di vivere della signora Lidia. In un libro scritto sui genitori, la Narratrice evita di farsi su di loro la piú piccola delle domande. Sulla loro intimità regna il buio. È il tocco piú magistrale di un libro i cui materiali sono fatti di amore, seduzione, fascinazione, insofferenza, rivalità, frustrazione, i materiali che presiedono a quel bisogno di strage che è l'irrecusabile volontà di ridurre i propri cari solo a come noi li vediamo. Se esistesse una sinopia del *Lessico*, sono certo che in essa si vedrebbero i segni di un pensiero evolutivo, che potrebbe essere partito da una fascinazione originaria per rovesciarsi nell'insofferenza, prima di approdare alla forma poi vittoriosa.

C'è un libro costruito su materiali storici, quanto nato dalla fantasia, al quale la memoria autobiografica della Ginzburg potrebbe dirsi in qualche modo debitrice. Un rapporto di stretta vicinanza cronologica e quasi di gemellarità collega i ricordi della Ginzburg a un famoso romanzo di tema ebraico e famigliare.

Ricordo il sogghigno di Bassani quando mi faceva osservare, nel 1963, che la Ginzburg non avrebbe mai potuto scrivere il *Lessico* senza il precedente immediato dei Finzi-Contini. Non si può dire che avesse torto. Ma avrebbe dovuto aggiungere che il *Giardino dei Finzi-Contini* era un anti-modello, l'antigrafo sul quale la Ginzburg aveva lavorato in evidente e consapevole opposizione. Anche nella Ginzburg, come in Bassani, il tema ebraico occupa lo scenario famigliare e campeggia in primo piano, ma viene trattato in termini che si direbbero rovesciati ad arte. Nei Finzi-Contini una famiglia di ebrei ricchi, cosí ricchi e cosí snob da simulare quella mancanza d'interessi e di desideri, quello stile esangue di vita, quello stile da foglie condannate a staccarsi dal ramo che sembra concesso solo a chi ha molti soldi, si arrende alla fatalità, rinuncia a lottare, si rassegna alla deportazione e alla morte. Come gli etruschi, come tutte le popolazioni sepolte dalla Storia e dimenticate, i Finzi-Contini aspirano non alla vita ma all'oblio. Bassani ribaltava nel romanzo i presupposti da cui erano nate le *Storie ferraresi*, e dava voce alla sua fobia piú intima. Colpevoli del loro sterminio erano in certa misura gli stessi ebrei, vittime di un attaccamento perverso alla loro diversità.

La diversità ebraica, nei Finzi-Contini, è insieme celebrata e amaramente compianta. È il presupposto stesso del romanzo, col suo malinconico e risentito passo da esequia. Gli ebrei sono morti, sono *i morti*. Morti, ma in primo piano. Tutto converge su di loro. Il giardino dei Finzi-Contini si erge murato e invalicabile come il parco di un castello, un santuario irraggiungibile, un cimitero di sepolti vivi, una città nella città. La Ginzburg, nel *Lessico famigliare*, ci mette sotto gli occhi ebrei piú comuni. *Less is more*. La diversità ebraica non esiste, o se esiste, è volutamente dimenticata, rimossa e confinata in secondo piano fino a non farsi piú né vedere né udire. Gli appartamenti di via Pastrengo e di via Pallamaglio sono pieni di vita, due porti di mare. Si sorvola sul fatto che le amicizie e le frequentazioni di casa Levi sono in massima parte ebraiche. L'ebraismo della famiglia Levi non viene mai negato, ma è un fatto accessorio, dichiarato solo quando è strettamente necessario. La famiglia Levi è una famiglia italiana come tutte le altre. È un altro dei misteri del *Lessico*. Come può una famiglia ebrea e antifascista, negli anni Trenta e Quaranta, durante le leggi razziali, durante la persecuzione, nel terrore quotidiano e nella quasi certezza della dispersione e dello sterminio, essere una famiglia italiana come tutte le altre? La Ginzburg è riuscita non si sa come a rendere credibile questo fenomeno. A differenza del romanzo di Bassani, *Lessico famigliare* ubbidiva a un richiamo, per cosí dire, comunista, a una volontà di riconciliazione e di assoluzione. Sotto questo aspetto, non è un romanzo ebraico ma un romanzo cristiano. Siamo tutti uguali, dice la Ginzburg, tutti italiani, tutti antifascisti, non è cosí? Non ha importanza se siamo ebrei o cristiani. Non parliamo la stessa lingua? Non c'è famiglia italiana che non si sia affrettata a riconoscersi, contro tutte le premesse, nella tribú del professor Levi, Pomodoro per gli amici, Pom, per via delle molte lentiggini e del pelo rosso.

A volte verrebbe fatto di chiedersi se l'oblio lasciato cadere sulle colpe dei persecutori e la pietà riversata dal *Lessico famigliare* non abbiano un'origine anagrafica. Di padre ebreo, la Ginzburg aveva madre cristiana. Ma è una supposizione riduttiva e infelice. Molto piú interessante mi sembra il rilievo di Giacomo Magrini, il piú autorevole a tutt'oggi dei lettori del *Lessico*, quando osserva che la Ginzburg ha affrontato il tema ebraico non direttamente, ma di frodo, attraverso uno scambio di nuclei famigliari, un transfert. Lo scambio si situa a circa due terzi del libro, in prossimità della conclusione. Sposata e appena uscita dalla casa dei genitori, la Narratrice soffre una momentanea crisi di spaesamento. Ritrova due vecchie amiche e riprende a frequentarle, due sorelle, una pigra e l'altra laboriosa, riproduzioni in tempi moderni di Lia e di Rachele. Tutto in casa delle due sorelle, le quali vivono con un padre che è l'esatto contrario del professor Levi, trasuda tradizioni ebraiche, e tutto vi è, al tempo stesso, povero, trascurato, trasgressivo, provvisorio, disordinato, e affidato al caso. Indifferenti alle leggi razziali, le due sorelle vivono «in aperto dissidio con la società». Con loro la Narratrice assapora il gusto amaro e forte del sentirsi poveri, e impara a frequentare luoghi e ritrovi squallidi, cinematografi sudici, latterie, caffé, giardini pubblici miserabili e desolati, «e ci sentivamo, al fondo di quelle squallide penombre o in quelle fredde panchine, come su una nave che abbia spezzato gli ormeggi e navighi alla deriva».

Ormeggi spezzati, navi alla deriva: l'ebraismo si configura qui in modo evidente come la metafora, e la spia, di una diversità e di un destino di dispersione, ribellione, originalità, autenticità, appartenenza al disordine, superiorità alle regole composte e omologate della vita borghese. La Narratrice approfitta delle due amiche ritrovate per dare sfogo a tutto ciò di cui l'ebraismo si faceva carico durante le leggi razziali, alla diversità ebraica rimossa dalla rappresentazione della propria famiglia. Nell'episodio s'istituisce un'equivalenza tra la vita famigliare delle due sorelle ebree, vissuta all'insegna della trasgressione, e la profusa visibilità delle tradizioni ebraiche, cosí come viene istituita un'equivalenza tra i valori e i principî d'ordine che regnano in casa Levi e il mediocre interesse portato dai famigliari della Narratrice alle proprie origini. Quanto piú i valori di casa Levi si uniformano ai principî d'ordine borghesi, tanto piú si allontanano dai modelli e dalle tradizioni ebraiche. La Ginzburg fa ammenda della rimozione ebraica, o, se si preferisce, dell'ebraismo in sordina di cui è fatto il *Lessico*, e piú ancora fa ammenda del pennello intinto d'ironia, leggero e sacrilego col quale ha dipinto certi ritratti di famiglia, riacciuffando in un episodio cifrato, con la fronte corrugata dalle domande, il rispetto per le proprie radici. Non è certo un caso che l'episodio delle due sorelle, che si conclude con lo spettacolo della loro casa distrutta, sia una digressione.

Non si dimentichi che l'ebraismo, come ha messo in evidenza

Magrini, viene introdotto ad apertura del *Lessico* in termini invertiti rispetto alla comune memoria, col ritratto amabilmente feroce della nonna paterna «che provava, per quelli che non erano ebrei, come lei, un ribrezzo, come per i gatti», dove il senso della persecuzione è apertamente ribaltato: non sono i cristiani a detestare gli ebrei fino alla persecuzione, ma viceversa.

Sarebbe dunque molto ingenuo pensare che la Ginzburg abbia sottovalutato i significati e le implicazioni culturali di cui era portatrice la diversità della sua famiglia. Il *Lessico* è fondato su questa diversità, a partire dal titolo. La *donnée* del *Lessico* contrasta con l'ispirazione e la conclusione conciliativa del libro. Non è vero che parliamo tutti la stessa lingua. Ogni tribú ne ha una, una lingua che appartiene a noi e solo a noi, che ci fa riconoscere in mezzo agli altri, e che ci divide dagli altri: pensiero che non è certo cristiano. Un recensore del *Lessico famigliare*, Paolo Milano, interessato a fare sfoggio di tutta la propria competenza contro gli strafalcioni della Ginzburg in materia ebraica, segnalava nel 1963 che il termine «negro», e il suo derivato «negrigura», riportati dalla Narratrice, senza altra spiegazione, come buffi esempi di lessico paterno, trovano il loro equivalente nel vernacolo ebreo-tedesco e ebreo-spagnolo, essendo il «negro», nella sua incapacità di destreggiarsi, il modello nemico, il modello da evitare per chi abbia bisogno, come l'ebreo, di sviluppare l'ingegno per sopravvivere. Con il che, il bravo recensore dimenticava che tutto il lessico sul quale è imbastito e cucito il libro della Ginzburg non fa che rinviare a una diversità piú profonda di quella rappresentata da un semplice vocabolario famigliare. Dietro il lessico c'è la tribú, e dietro la tribú le persecuzioni: *less is more*. Forse i Finzi-Contini potrebbero venire in aiuto a chi volesse identificare la fonte del nesso istituito *ex-silentio* dalla Ginzburg tra le sue origini ebraiche e l'uso strettamente famigliare di un frasario ricorrente, comprensibile dai soli iniziati. Nel romanzo di Bassani, Alberto e Micòl, fratello e sorella cosí legati dal sangue, parlano tra loro un linguaggio segreto e inventato, il «continico». Non è affatto escluso che sia stato proprio il continico il click che ha fatto scattare nella Ginzburg la prima idea del suo libro.

L'episodio delle due sorelle ci fa capire anche l'atteggiamento della Ginzburg nei confronti non solo della tragedia ebraica ma della sofferenza *tout court*. In molti passaggi del romanzo ci si aspetterebbe un grido di angoscia, una parola, un ricordo drammatico e disperato della persecuzione ebraica. Questo grido non lo si sente mai, questa parola non viene mai pronunciata. Si ascrive di solito questo velo gettato sui dolorosi fatti che coinvolgono in prima persona la Narratrice a quell'eccesso di pudore e di reticenza, cosí proverbiale nella Ginzburg, che Magrini ha chiamato «oltranza del riserbo», saggiamente considerandolo non tanto come un valore morale – anche se lo è – ma come il principio formale che presiede alla costruzione stessa del libro. Si pensi al «bollettino di dolore» (Magrini) che sintetizza in due righe la paura della persecuzione, e alla rapidità con cui si sorvola sulla fine dei genitori di Miranda, la moglie di uno dei fratelli della Narratrice, riluttanti a cambiare nome e a farsi rilasciare dei documenti falsi: «Cosí i tedeschi se li portarono via, lei la madre piccola, candida e ilare, malata di cuore, lui il padre grande, pesante e tranquillo». Tanto riserbo, che a volte può sembrare una forma crudele e dissimulata di empietà, ha un'origine che non può essere taciuta. Per la Ginzburg, la vita è una realtà felice, una fonte di felicità. La sofferenza è simile a una vergogna, non è fertile, non produce nulla di buono. Va tenuta nascosta, non va divisa con gli altri. Appartiene a noi e solo a noi, e deve morire con noi.

Come è costruito il *Lessico*? Ogni romanzo è una macchina, un ordigno dai meccanismi piú o meno complicati che si possono smontare. Ma smontare il libro della Ginzburg è impossibile. La macchina non c'è. Il libro vive di un potere ipnotico, incantatorio, che nasce da una grande capacità di sedurre il lettore ma anche dalla grande seduzione che la materia del racconto esercita proprio su chi scrive. Due seduzioni ne fanno una sola, irresisti-

bile. Ci si abbandona alla narrazione come alle onde, tutto fila come se la vita che ci è raccontata fosse la nostra, e nostra fosse stata quella famiglia cosí diversa. La seduzione passa da chi scrive a
chi legge senza incontrare ostacoli, grazie alla sovrana semplicità
dello stile e a un fraseggio fatto di tempi, ritmi, pause, misure, cadenze infallibili. Ci si lascia cullare dallo stile piano, dimesso,
«remissus et humilis», lo stile in cui si esprime, per dirla dante-
scamente, la lingua bassa, naturale, volgare «in qua et muliercu-
lae communicant» (la signora Cesira). Si tratta in realtà di uno
stile iper-letterario, strenuamente e accanitamente sorvegliato,
nutrito di ininterrotto contrappunto musicale. Diceva la Ginzburg che la musica, che lei non capiva e non amava, doveva essere andata a nascondersi in qualche angolo della sua natura. Nulla di piú vero. Il *Lessico* è una partitura, le parole escono dall'o-
recchio e passano sulla pagina come note sul pentagramma. Lo si
direbbe il regno dell'anacoluto (Mia madre, il far gite in montagna lo chiamava...»; «Mio padre, questa poesia...»), un flusso
ininterrotto di coscienza, o un libro scritto dal vento, non nel
senso della polvere storica sollevata da quei carrozzoni romanze-
schi che sbatacchiano le ruote di legno tra una battaglia e l'altra,
ma nel senso dell'impalpabilità della struttura. È un libro fatto di
onde che si sollevano, ricadono e si riformano spostandosi incessantemente di qua e di là senza una direzione precisa. È un libro
unico e originale filtrato da innumerevoli modelli, tanti quanti sono stati i romanzi letti dalla Ginzburg prima di scriverlo. Ma un
solo modello è veramente riconoscibile, quanto piú nascosto in
ogni frase e in ogni parola come un dio inafferrabile e onnipre-
sente, Proust. La coscienza romanzesca del *Lessico* è data da
Proust, ma la rivelazione proustiana è stata per la Ginzburg qualcosa di piú di un modello. È stata cosí decisiva da presidiare una
vocazione, da diventare una fede e quasi una seconda natura.

Che cosa vuol dire che i modelli di *Lessico famigliare* sono stati tutti i romanzi letti dalla Ginzburg prima di scrivere il suo? Mi
è scappato un enunciato che esige una chiosa. Bisogna partire dal

fatto che i romanzi che abbiamo letto, se messi tutti insieme, senza discrimine di lingua e di secolo, ma soprattutto i romanzi dal Sei all'Ottocento, dalla *Princesse de Clèves* a *Davide Copperfield*, fanno tutti insieme una musica. È una musica facilmente riconoscibile nel trascorrere del tempo, nella durata delle cose e nel loro fuggire, nei cambiamenti inaspettati, nelle morti che ci colgono impreparati, nelle metamorfosi delle persone, nel capovolgersi delle situazioni, nei rapporti tra la vita intima e i fatti collettivi e sociali, nei colpi di scena, nelle sorprese. Non è piú possibile organizzare i propri ricordi senza sacrificare a uno o piú schemi che i romanzi del passato hanno ormai codificato, non c'è adultera intelligente che non sappia che è la sua vita a imitare Anna Karenina e non viceversa. Che la Ginzburg abbia filtrato i propri ricordi dal colino d'innumerevoli romanzi già scritti non farà certo meraviglia. Sorprendente è la discrezione, la misura, il genio con cui ha selezionato tutto ciò che le serviva e le interessava. Ha fatto entrare e uscire di scena Filippo Turati sempre al momento giusto, e fa lavare e asciugare i capelli alla madre nel momento preciso e nel modo in cui andavano lavati e asciugati, sempre organizzando i propri ricordi in una forma romanzesca appena accennata, quasi accordata per gioco sugli archi e sui fiati lasciati per un istante incustoditi in fondo alla sala dai piú grandi orchestrali del passato. Un solo errore, la paginetta sugli scrittori del dopoguerra e i ritratti fuori misura di Balbo e di Pavese in prossimità della conclusione, ispirati a uno stile saggistico estraneo alla tonalità del libro. Ma i due ritratti si perdonano volentieri. A confondere e a tradire la Narratrice è stata l'amicizia.

Nella costruzione impalpabile del *Lessico* s'intravede, sotto il va e vieni delle onde, un principio compositivo che non posso fare a meno di segnalare. È la fugacità con la quale si passa dall'infanzia all'età adulta. Incontriamo la Narratrice bambina, e la frequentiamo da sposata che non ha ancora finito di giocare con le bambole, cosí come i fratelli sono già lontani per le vie del mondo quando ancora non hanno smesso di fare a pugni nella camera che dividono insieme. Il tempo vola e ritorna su se stesso, poi ricomincia a fuggire. In prossimità della fine, al secondo matrimonio della Narratrice, si ferma. Dapprincipio il tempo regna nel romanzo come una nebbia informe, che confonde il prima e il poi. Poi il quadro si fa piú limpido e i destini delle persone si precisano, senza però che l'infanzia smetta mai di durare o di essere in qualche modo vicina e presente. L'origine di questa fugacità, di questo rapidissimo e impercepibile trapasso dall'età infantile a quella adulta proviene dalla frequentazione di un modello altissimo. Nessun romanziere del passato ha costruito i suoi personaggi lavorandoli sulla compresenza della dimensione adulta e di quella infantile come il Tolstoj di *Guerra e pace*. I personaggi di questo romanzo cosí caro alla Ginzburg sembrano tutti adulti fatti di una sostanza infantile prodigiosamente cresciuta e ingigantita, siano essi dei vegliardi come il vecchio Bolkonskij o dei giovani appena giunti alla soglia della vita come il piccolo Petja. Non mi dispiace concludere questa prefazione nel nome di Tolstoj. Sono certo che la Ginzburg sarebbe felice di accucciarsi all'ombra di quel fogliame, nel piú piccolo angolo di quel modo cosí storico e romanzesco d'interpretare il mondo.

CESARE GARBOLI

[1999].

Avvertenza

Luoghi, fatti e persone sono, in questo libro, reali. Non ho inventato niente: e ogni volta che, sulle tracce del mio vecchio costume di romanziera, inventavo, mi sentivo subito spinta a distruggere quanto avevo inventato.

Anche i nomi sono reali. Sentendo io, nello scrivere questo libro, una cosí profonda intolleranza per ogni invenzione, non ho potuto cambiare i nomi veri, che mi sono apparsi indissolubili dalle persone vere. Forse a qualcuno dispiacerà di trovarsi cosí, col suo nome e cognome, in un libro. Ma a questo non ho nulla da rispondere.

Ho scritto soltanto quello che ricordavo. Perciò, se si legge questo libro come una cronaca, si obbietterà che presenta infinite lacune. Benché tratto dalla realtà, penso che si debba leggerlo come se fosse un romanzo: e cioè senza chiedergli nulla di piú, né di meno, di quello che un romanzo può dare.

E vi sono anche molte cose che pure ricordavo, e che ho tralasciato di scrivere; e fra queste, molte che mi riguardavano direttamente.

Non avevo molta voglia di parlare di me. Questa difatti non è la mia storia, ma piuttosto, pur con vuoti e lacune, la storia della mia famiglia. Devo aggiungere che, nel corso della mia infanzia e adolescenza, mi proponevo sempre di scrivere un libro che raccontasse delle persone che vivevano, allora, intorno *a me. Questo è, in parte, quel libro: ma solo in parte, perché la memoria è labile, e perché i libri tratti dalla realtà non sono spesso che esili barlumi e schegge di quanto abbiamo visto e udito.*

Lessico famigliare

Nella mia casa paterna, quand'ero ragazzina, a tavola, se io o i miei fratelli rovesciavamo il bicchiere sulla tovaglia, o lasciavamo cadere un coltello, la voce di mio padre tuonava:
– Non fate malagrazie!

Se inzuppavamo il pane nella salsa, gridava: – Non leccate i piatti! Non fate sbrodeghezzi! non fate potacci!

Sbrodeghezzi e potacci erano, per mio padre, anche i quadri moderni, che non poteva soffrire.

Diceva: – Voialtri non sapete stare a tavola! Non siete gente da portare nei loghi!

E diceva: – Voialtri che fate tanti sbrodeghezzi, se foste a una *table d'hôte* in Inghilterra, vi manderebbero subito via.

Aveva, dell'Inghilterra, la piú alta stima. Trovava che era, nel mondo, il piú grande esempio di civiltà.

Soleva commentare, a pranzo, le persone che aveva visto nella giornata. Era molto severo nei suoi giudizi, e dava dello stupido a tutti. Uno stupido era, per lui, « un sempio ». – M'è sembrato un bel sempio, – diceva, commentando qualche sua nuova conoscenza. Oltre ai « sempi » c'erano i « negri ». « Un negro » era, per mio padre, chi aveva modi goffi, impacciati e timidi, chi si vestiva in modo inappropriato, chi non sapeva andare in montagna, chi non sapeva le lingue straniere.

Ogni atto o gesto nostro che stimava inappropriato, veniva definito da lui « una negrigura ». – Non siate dei negri! Non fate delle negrigure! – ci gridava continuamente. La gamma delle negrigure era grande. Chiamava « una negrigura » portare, nelle gite in montagna, scarpette da città; attaccar discorso, in treno o per strada, con un compagno di viaggio o con un passante; conversare dalla finestra con i vicini di casa; levarsi le scarpe in salotto, e scaldarsi i piedi alla bocca del calorifero; lamentarsi, nelle gite in montagna, per sete, stanchezza o sbucciature ai piedi; portare, nelle gite, pietanze cotte e unte, e tovaglioli per pulirsi le dita.

Nelle gite in montagna era consentito portare soltanto una determinata sorta di cibi, e cioè: fontina; marmellata; pere; uova sode; ed era consentito bere solo del tè, che preparava lui stesso, sul fornello a spirito. Chinava sul fornello la sua lunga testa accigliata, dai rossi capelli a spazzola; e riparava la fiamma dal vento con le falde della sua giacca, una giacca di lana color ruggine, spelata e sbruciacchiata alle tasche, sempre la stessa nelle villeggiature in montagna.

Non era consentito, nelle gite, né cognac, né zucchero a quadretti: essendo questa, lui diceva, « roba da negri »; e non era consentito fermarsi a far merenda negli châlet, essendo una negrigura. Una negrigura era anche ripararsi la testa dal sole con un fazzoletto o con un cappelluccio di paglia, o difendersi dalla pioggia con cappucci impermeabili, o annodarsi al collo sciarpette: protezioni care a mia madre, che lei cercava, al mattino quando si partiva in gita, di insinuare nel sacco da montagna, per noi e per sé; e che mio padre, al trovarsele tra le mani, buttava via incollerito.

Nelle gite, noi con le nostre scarpe chiodate, grosse, dure e pesanti come il piombo, calzettoni di lana e passamontagna, occhiali da ghiacciaio sulla fronte, col sole che batteva a picco sulla nostra testa in sudore, guardavamo con invidia « i negri » che andavan su leggeri in scarpette da tennis, o sedevano a mangiar la panna ai tavolini degli châlet.

Mia madre, il far gite in montagna lo chiamava « il divertimento che dà il diavolo ai suoi figli », e lei tentava sempre di restare a casa, soprattutto quando si trattava di mangiar fuori: perché amava, dopo mangiato, leggere il giornale e dormire al chiuso sul divano.

Passavamo sempre l'estate in montagna. Prendevamo una casa in affitto, per tre mesi, da luglio a settembre. Di solito, eran case lontane dall'abitato; e mio padre e i miei fratelli andavano ogni giorno, col sacco da montagna sulle spalle, a far la spesa in paese. Non c'era sorta di divertimenti o distrazioni. Passavamo la sera in casa, attorno alla tavola, noi fratelli e mia madre. Quanto a mio padre, se ne stava a leggere nella parte opposta della casa; e, di tanto in tanto, s'affacciava alla stanza, dove eravamo raccolti a chiacchierare e a giocare. S'affacciava sospettoso, accigliato; e si lamentava con mia madre della nostra serva Natalina, che gli aveva messo in disordine certi libri; « la tua cara Natalina », diceva. « Una demente », diceva, incurante del fatto che la Natalina, in cucina, potesse udirlo. D'altronde alla frase « quella demente della Natalina » la Natalina c'era abituata, e non se ne offendeva affatto.

A volte la sera, in montagna, mio padre si preparava per gite o ascensioni. Inginocchiato a terra, ungeva le scarpe sue e dei miei fratelli con del grasso di balena; pensava che lui solo sapeva ungere le scarpe con quel grasso. Poi si sentiva per tutta la casa un gran rumore di ferraglia: era lui che cercava i ramponi, i chiodi, le piccozze. – Dove avete cacciato la mia piccozza? – tuonava. – Lidia! Lidia! dove avete cacciato la mia piccozza?

Partiva per le ascensioni alle quattro del mattino, a volte solo, a volte con guide di cui era amico, a volte con i miei fratelli; e il giorno dopo le ascensioni era, per la stanchezza, intrattabile; col viso rosso e gonfio per il riverbero del sole sui ghiacciai, le labbra screpolate e sanguinanti, il naso spalmato di una pomata gialla che sembrava burro, le sopracciglia aggrottate sulla fronte solcata e tempestosa, mio padre stava a leggere il giornale, senza pronunciare verbo: e bastava un nonnulla a farlo esplodere in una collera spaventosa. Al ritorno dalle ascensioni con i miei fratelli, mio padre diceva che i miei fratelli erano « dei salami » e « dei negri », e che nessuno dei suoi figli aveva ereditato da lui la passione della montagna; escluso Gino, il maggiore di noi, che era un grande alpinista, e che insieme a un amico faceva punte difficilissime; di Gino e di quell'amico, mio padre parlava con una mescolanza di orgoglio e di invidia, e diceva che lui ormai non aveva piú tanto fiato, perché andava invecchiando.

Questo mio fratello Gino era, del resto, il suo prediletto, e lo soddisfaceva in ogni cosa; s'interessava di storia naturale, faceva collezioni d'insetti, e di cristalli e d'altri minerali, ed era molto studioso. Gino si iscrisse poi in ingegneria; e quando tornava a casa dopo un esame, e diceva che aveva preso un trenta, mio padre chiedeva: – Com'è che hai preso trenta? Com'è che non hai preso trenta e lode?

E se aveva preso trenta e lode, mio padre diceva: – Uh, ma era un esame facile.

In montagna, quando non andava a fare ascensioni, o gite che duravano fino alla sera, mio padre andava però, tutti i giorni, « a camminare »; partiva, al mattino presto, vestito nel modo identico di quando partiva per le ascensioni, ma senza corda, ramponi o piccozza; se ne andava spesso da solo, perché noi e mia madre eravamo, a suo dire, « dei poltroni », « dei salami », e « dei negri »; se ne andava con le mani dietro la schiena, col passo pesante delle sue scarpe chiodate, con la pipa fra i denti. Qualche volta, obbligava mia madre a seguirlo; – Lidia! Lidia! – tuonava al mattino, – andiamo a camminare! Sennò t'impigrisci a star sempre sui prati! – Mia madre allora, docile, lo seguiva; di qualche passo piú indietro, col suo bastoncello, il golf legato sui fianchi, e scrollando i ricciuti capelli grigi, che portava tagliati cortissimi, benché mio padre ce l'avesse molto con la moda dei capelli corti, tanto che le aveva fatto, il giorno che se li era tagliati, una sfuriata da far venir giú la casa. – Ti sei di nuovo tagliati i capelli! Che asina che sei! – le diceva mio padre, ogni volta che lei tornava a casa dal parrucchiere. « Asino » voleva dire, nel linguaggio di mio padre, non un ignorante, ma uno che faceva villanie o sgarbi; noi suoi figli eravamo « degli asini » quando parlavamo poco o rispondevamo male.

– Ti sarai fatta metter su dalla Frances! – diceva mio padre a mia madre, vedendo che s'era ancora tagliata i capelli; difatti questa Frances, amica di mia madre, era da mio padre molto amata e stimata, fra l'altro essendo la moglie d'un suo amico d'infanzia e compagno di studi; ma aveva agli occhi di mio padre il solo torto d'avere iniziato mia madre alla moda dei capelli corti; la Frances andava spesso a Parigi, avendo là dei parenti, ed era tornata da Parigi un inverno dicendo: – A Parigi si usano i capelli corti. A Parigi la moda è sportiva. – A Parigi la moda è sportiva, – avevano ripetuto mia sorella e mia madre tutto l'inverno, rifacendo un po' il verso alla Frances, che parlava con l'erre; si erano accorciate tutti i vestiti, e mia madre s'era tagliata i capelli; mia sorella no, perché li aveva lunghi fino in fondo alla schiena, biondi e bellissimi; e perché aveva troppa paura di mio padre.

Di solito, in quelle villeggiature in montagna, ci veniva mia nonna, la madre di mio padre. Non abitava con noi, ma in un albergo in paese.

Andavamo a trovarla, ed era là seduta sul piazzaletto dell'albergo, sotto l'ombrellone; era piccola, con minuscoli piedi calzati di stivaletti neri a piccolissimi bottoncini; era fiera di quei piccoli piedi, che spuntavano sotto alla gonna, ed era fiera della sua testa di capelli candidi, crespi, pettinati in un alto casco rigonfio. Mio padre la portava, ogni giorno, «un po' a camminare». Andavano sulle strade maestre, perché lei era vecchia, e non poteva praticare i sentieri, soprattutto con quegli stivaletti a piccoli tacchi; andavano, lui avanti, coi suoi passi lunghi, mani alla schiena e pipa in bocca, lei dietro, con la sua veste frusciante, con i passetti dei suoi tacchettini; lei non voleva mai andare sulla strada dov'era stata il giorno prima, voleva sempre strade nuove; – Questa è la strada di ieri, – si lamentava, e mio padre le diceva distratto, senza voltarsi: – No, è un'altra; – ma lei seguitava a ripetere: – È la strada di ieri. È la strada di ieri. – Ho una tosse che mi strozzo, – diceva dopo un poco a mio padre, che sempre tirava avanti e non si voltava; – Ho una tosse che mi strozzo, – ripeteva portandosi le mani alla gola: usava sempre ripetere le stesse cose due o tre volte. Diceva: – Quell'infame Fantecchi che m'ha fatto fare il vestito marron! volevo farlo blu! volevo farlo blu! – e batteva l'ombrello sul selciato, con rabbia. Mio padre le diceva di guardare il tramonto sulle montagne; ma lei seguitava a battere a terra, irosamente, la punta dell'ombrello, presa da un attacco di collera contro la Fantecchi, sua sarta. Lei del resto veniva in montagna soltanto per stare con noi, dato che abitava a Firenze durante l'anno, e noi a Torino, e cosí ci vedeva soltanto l'estate; ma non poteva soffrire la montagna, e il suo sogno sarebbe stato villeggiare a Fiuggi o a Salsomaggiore, luoghi dove aveva trascorso le estati della sua giovinezza.

Era stata in passato, mia nonna, molto ricca, e s'era impoverita con la guerra mondiale; perché siccome non credeva che vincesse l'Italia, e nutriva una cieca fiducia in Francesco Giuseppe, aveva voluto conservare certi titoli, che possedeva in Austria, e cosí aveva perso molti denari; mio padre, irredentista, aveva inutilmente cercato di convincerla a vendere quei titoli austriaci. Mia nonna usava dire «la mia disgrazia» allu-

dendo a quella perdita di denaro; e se ne disperava, la mattina,
passeggiando su e giú per la stanza e torcendosi le dita. Ma non
era poi cosí povera. Aveva, a Firenze, una bella casa, con mobili indiani e cinesi e tappeti turchi; perché un suo nonno, il
nonno Parente, era stato un collezionista di oggetti preziosi.
Alle pareti c'erano i ritratti dei suoi vari antenati, il nonno Parente, e la Vandea, che era una zia che chiamavano cosí perché
era reazionaria, e teneva un salotto di codini e di reazionari; e
molte zie e cugine che si chiamavano tutte o Margherita o Regina: nomi in uso nelle famiglie ebree di una volta. Non c'era
però fra i ritratti quello del padre di mia nonna, e di lui non
si doveva parlare: perché, rimasto vedovo, ed essendosi litigato un giorno con le sue due figlie, già adulte, aveva dichiarato che, per dispetto a loro, si sarebbe sposato con la prima
donna che incontrava per la strada, e cosí aveva fatto; o almeno, cosí si raccontava in famiglia che avesse fatto; se poi
fosse stata proprio la prima donna che aveva incontrato, sul
portone, uscendo di casa, non so. Comunque aveva avuto, con
questa nuova moglie, ancora una figlia, che mia nonna non volle mai conoscere, e che chiamava, con disgusto, « la bimba del
babbo ». Questa « bimba del babbo », matura e distinta signora ormai sulla cinquantina, ci accadeva d'incontrarla a volte
nelle villeggiature, e mio padre diceva allora a mia madre:
– Hai visto? Hai visto? Era la bimba del babbo!

– Voi fate bordello di tutto. In questa casa si fa bordello
di tutto, – diceva sempre mia nonna, intendendo dire che, per
noi, non c'era niente di sacro; frase rimasta famosa in famiglia,
e che usavamo ripetere ogni volta che ci veniva da ridere su
morti o su funerali. Aveva, mia nonna, un profondo schifo degli animali, e dava in smanie quando ci vedeva giocare con un
gatto, dicendo che avremmo preso, e contagiato a lei, malattie; « Quell'infame bestiaccia », diceva, pestando i piedi per
terra, e battendo la punta dell'ombrello. Aveva schifo di tutto,

e una gran paura delle malattie; era però sanissima, tanto che è morta a piú di ottant'anni senza aver mai avuto bisogno né di un medico, né di un dentista. Temeva sempre che qualcuno di noi, per dispetto, la battezzasse: perché uno dei miei fratelli una volta, scherzando, aveva fatto il gesto di battezzarla. Recitava ogni giorno le sue preghiere in ebraico, senza capirci niente, perché non sapeva l'ebraico. Provava, per quelli che non erano ebrei come lei, un ribrezzo, come per i gatti. Era esclusa da questo ribrezzo soltanto mia madre: l'unica persona non ebrea alla quale, in vita sua, si fosse affezionata. E anche mia madre le voleva bene; e diceva che era, nel suo egoismo, innocente e ingenua come un bambino lattante.

Mia nonna era da giovane, a suo dire, bellissima, la seconda bella ragazza di Pisa; la prima era una certa Virginia Del Vecchio, sua amica. Venne a Pisa un certo signor Segrè, e chiese di conoscere la piú bella ragazza di Pisa, per chiederla in matrimonio. Virginia non accettò di sposarlo. Gli presentarono allora mia nonna. Ma anche mia nonna lo rifiutò, dicendo che lei non prendeva « gli avanzi di Virginia ».

Si sposò poi con mio nonno, il nonno Michele: uomo che doveva essere quanto mai dolce e mite. Rimase vedova in giovane età; e una volta le domandammo perché non aveva ripreso marito. Rispose, con una risata stridula e con una brutalità che mai ci saremmo aspettate in quella vecchia querula e lamentosa che era:

– Cuccú! per farmi mangiare tutto il mio!

Si lamentavano a volte, i miei fratelli e mia madre, perché s'annoiavano in quelle villeggiature in montagna, e in quelle case isolate, dove non avevano svaghi, né compagnia. Io, essendo la piú piccola, mi divertivo con poco: e la noia delle villeggiature non la sentivo ancora, in quegli anni.

– Voialtri, – diceva mio padre, – vi annoiate, perché non avete vita interiore.

Un anno eravamo particolarmente senza soldi, e sembrava che dovessimo restare in città l'estate. Fu poi fissata all'ultimo momento una casa, che costava poco, in una frazione d'un paese che si chiamava Saint-Jacques-d'Ajas; una casa senza luce elettrica, coi lumi a petrolio. Doveva essere molto piccola e scomoda, perché mia madre, tutta l'estate, non fece che dire: – Vacca d'una casa! malignazzo d'un Saint-Jacques-d'Ajas! – La nostra risorsa furono certi libri, otto o dieci volumi rilegati in pelle: fascicoli rilegati di non so che settimanale, con sciarade, rebus, e romanzi terrorizzanti. Li aveva prestati a mio fratello Alberto un suo amico, un certo Frinco. Ci nutrimmo dei libri di Frinco per tutta l'estate. Poi mia madre fece amicizia con una signora, che abitava nella casa accanto. Attaccarono discorso mentre non c'era mio padre. Lui diceva che era « da negri » discorrere coi vicini di casa. Ma siccome poi si scoperse che questa signora, la signora Ghiran, stava a Torino nella stessa casa della Frances, e la conosceva di vista, fu possibile presentarla a mio padre, il quale diventò con lei molto gentile. Difatti mio padre era sempre diffidente e sospettoso nei riguardi degli estranei, temendo che si trattasse di « gente equivoca »; ma appena scopriva con loro una vaga conoscenza in comune, si sentiva subito rassicurato.

Mia madre non faceva che parlare della signora Ghiran, e mangiavamo, a tavola, pietanze che la signora Ghiran ci aveva insegnato. – Nuovo astro che sorge, – diceva mio padre, ogni volta che si nominava la signora Ghiran. « Nuovo astro che sorge » o soltanto « nuovo astro » era sempre l'ironico suo saluto ad ogni nostra nuova infatuazione. – Non so come avremmo fatto senza i libri di Frinco, e senza la signora Ghiran, – diceva mia madre al termine di quell'estate. Il nostro ritorno in città, quell'anno, fu segnato da questo episodio. Dopo un paio d'ore di corriera, raggiunta la stazione ferroviaria, salimmo in treno e prendemmo posto. D'un tratto ci accorgemmo che tutti i nostri bagagli erano rimasti a terra. Il capotreno, alzando la bandiera, gridò: – Partenza! – Partenza un corno! – fece allora mio padre, con un urlo che echeggiò per tutto il vagone; e il treno non si mosse, finché l'ultimo nostro baule non fu caricato.

In città dovemmo separarci, con strazio, dai libri di Frinco, perché Frinco li rivoleva indietro. E quanto alla signora Ghiran, non la vedemmo mai piú. – Bisogna invitare la signora Ghiran! è uno sgarbo! – diceva a volte mio padre. Ma mia madre era quanto mai mutevole nelle sue simpatie, e instabile nelle sue relazioni: e le persone, o le vedeva tutti i giorni, o non voleva vederle mai. Era incapace di coltivare conoscenze per puro spirito di urbanità. Aveva sempre una paura matta « di stufarsi », e aveva paura che la gente venisse a farle visita quando lei voleva andare a spasso.

Mia madre vedeva le sue amiche: sempre le stesse. A parte la Frances, e alcune altre che eran mogli di amici di mio padre, mia madre le sue amiche se le sceglieva giovani, un bel po' piú giovani di lei: giovani signore sposate da poco, e povere: a loro poteva dare consigli, suggerire delle sartine. Le facevano orrore « le vecchie », come lei diceva, alludendo a gente che aveva press'a poco la sua età. Le facevano orrore i ricevimenti. Se una delle sue anziane conoscenze le mandava a dire che sarebbe venuta a farle visita, era presa dal panico. – Allora oggi non potrò andare a spasso! – diceva disperata. Quelle amiche giovani, invece, poteva tirarsele dietro a spasso, o al cinematografo; erano maneggevoli e disponibili, e pronte a mantenere con lei un rapporto senza cerimonie; e se avevano bambini piccoli, meglio, perché lei amava molto i bambini. Accadeva a volte che il pomeriggio, queste amiche venissero a trovarla tutte insieme. Le amiche di mia madre si chiamavano, nel linguaggio di mio padre, « le babe ». Quando s'avvicinava l'ora di cena, dal suo studio, mio padre urlava a gran voce: – Lidia! Lidia. Sono andate via tutte quelle babe? – Allora si vedeva l'ultima baba, sgomenta, scivolare nel corridoio e sgusciare via dalla porta; quelle giovani amiche di mia madre avevan tutte, di mio padre, una gran paura. A cena, mio padre diceva a mia madre: – Non ti sei stufata di babare? Non ti sei stufata di ciaciare?

Venivano a volte, a casa nostra, la sera, gli amici di mio padre: come lui professori d'università, biologi e scienziati. Mio padre, quando si preannunciavano quelle serate, a cena, chiedeva a mia madre: – Hai preparato un po' di trattamento? – Il trattamento erano tè e biscotti: liquori, in casa nostra, non ne entravano mai. A volte mia madre non aveva preparato nessun trattamento, e mio padre allora s'arrabbiava: – Come non c'è trattamento? Non si può ricevere la gente senza dar trattamento! Non si può fare delle negrigure!

Tra gli amici piú intimi dei miei genitori, c'erano i Lopez, e cioè la Frances e suo marito, e i Terni. Il marito della Frances si chiamava Amedeo, ma era soprannominato Lopez, ancora dal tempo che era, insieme a mio padre, studente. Il soprannome che aveva mio padre da studente, era Pom, che voleva dire pomodoro, per via dei suoi capelli rossi; ma mio padre, se lo chiamavano Pom, s'arrabbiava moltissimo, e permetteva soltanto a mia madre di chiamarlo cosí. Tuttavia i Lopez dicevano, parlando fra loro della nostra famiglia, « i Pom » allo stesso modo come noi dicevamo, di loro, « i Lopez ». La ragione di questo soprannome che aveva Amedeo, nessuno ha mai saputo spiegarmela, e s'era persa, credo, nella notte dei tempi. Amedeo era grasso, con ciocche di capelli fini e candidi come la seta; parlava con l'erre, come sua moglie e come i loro tre figli maschi, nostri amici. I Lopez erano molto piú eleganti, piú raffinati e piú moderni di noi: avevano una casa piú bella, avevano l'ascensore, e il telefono, che in quegli anni non aveva ancora nessuno. La Frances, che andava spesso a Parigi, portava di là le ultime novità in fatto di vestiti e di mode; e un anno portò un gioco cinese, in una scatola con dipinti dei draghi, che si chiamava « ma-jong »; loro avevano imparato tutti a giocare a questo ma-jong, e Lucio, che era il figlio piú piccolo dei Lopez, e mio coetaneo, si vantava sempre con me di questo ma-jong ma non volle mai insegnarmelo: diceva che era troppo complicato, e che sua madre non lasciava toccare la scatola: e io mi struggevo d'invidia, vedendo, in casa loro, la preziosa scatola, proibita e piena di mistero.

Quando i miei genitori andavano, la sera, dai Lopez, mio padre al ritorno magnificava la loro casa, i mobili, e il tè che veniva servito su un carrello, in belle tazze di porcellana; e diceva che la Frances « sapeva piú fare », cioè sapeva trovare bei mobili e belle tazze, sapeva come si arreda una casa, e come si serve il tè.

Se i Lopez fossero piú ricchi o piú poveri di noi, non si sapeva bene: mia madre diceva che erano molto piú ricchi; ma mio padre diceva di no, che erano come noi senza tanti soldi, soltanto la Frances « sapeva piú fare », e non era « mica un impiastro come siete voialtri ». Mio padre si sentiva, del resto, poverissimo, specialmente la mattina presto, quando si svegliava; svegliava anche mia madre, e le diceva: « Non so come faremo a andare avanti », « hai visto che le Immobiliari sono andate giú ». Le Immobiliari andavano sempre giú, non salivano mai; « quelle malignazze d'Immobiliari » diceva sempre mia madre, e si lamentava che mio padre non aveva nessun senso degli affari, e appena c'era un titolo cattivo, subito lo comperava; lei spesso lo pregava di rivolgersi, per consiglio, a un agente di cambio, ma lui allora s'infuriava, perché voleva, in questo come in tutte le altre cose, fare di testa sua.

Quanto ai Terni, erano molto ricchi. Tuttavia Mary, la

moglie di Terni, era di abitudini semplici, frequentava poca gente, e passava le giornate in contemplazione dei suoi due bambini, insieme alla bambinaia Assunta, che era tutta vestita di bianco; e facevano, tanto Mary come la bambinaia, che la imitava, un sussurro estatico: – Sssst! ssst! – Anche Terni faceva sempre « ssst, ssst » in contemplazione dei suoi bambini; faceva, del resto, « ssst ssst » su tutto, sulla nostra serva Natalina, tutt'altro che bella, e su certi vestiti vecchi che vedeva indosso a mia sorella e a mia madre. Di ogni donna che vedeva, diceva che aveva « un viso interessante » e che rassomigliava a qualche quadro famoso; restava qualche minuto in contemplazione, e si toglieva la caramella, ripulendola in un fazzoletto bianchissimo e fine. Terni era un biologo, e mio padre ne aveva, riguardo agli studi, una grande stima; usava però dire « quel sempio di Terni », perché trovava che era, nel vivere, un *poseur*. – Terni posa, – diceva di lui ogni volta dopo che l'aveva incontrato. – Credo che posi, – riprendeva dopo un po'. Quando Terni veniva a trovarci, si fermava, in genere, nel giardino con noi, a parlare di romanzi; era colto, aveva letto tutti i romanzi moderni, e fu il primo a portare in casa nostra *La recherche du temps perdu*. Credo anzi, ripensandoci, che cercasse di rassomigliare a Swann, con quella caramella, e col vezzo di scoprire in ciascuno di noi parentele con quadri famosi. Mio padre, dallo studio, lo chiamava a gran voce, perché venisse a parlare con lui di cellule dei tessuti; – Terni! – urlava, – venga qua! Non faccia tanto il sempio! – Non faccia il pagliaccio! – gli urlava, quando Terni, con i suoi sussurri estatici, cacciava il naso nelle tende logore e polverose della nostra stanza da pranzo, chiedendo se erano nuove.

Le cose che mio padre apprezzava e stimava erano: il socialismo; l'Inghilterra; i romanzi di Zola; la fondazione Rock-

feller; la montagna, e le guide della Val d'Aosta. Le cose che
mia madre amava erano: il socialismo; le poesie di Paul Verlaine; la musica e, in particolare, il *Lohengrin*, che usava cantare per noi la sera dopo cena.

Mia madre era milanese, ma di origine triestina anche lei;
e d'altronde aveva sposato, con mio padre, anche molte espressioni triestine. Il milanese veniva a mescolarsi nel suo parlare,
quando raccontava ricordi d'infanzia.

Aveva visto un giorno, camminando per strada, a Milano,
quand'era piccola, un signore impettito, immobile davanti a
una vetrina di parrucchiere, che fissava una testa di bambola,
e diceva tra sé:

— Bella, bella, bella. Troppo lunga de col.

Molti dei suoi ricordi erano cosí: semplici frasi che aveva
sentito. Un giorno, con le sue compagne di collegio e con le
maestre, era fuori a passeggio. D'un tratto una delle bambine
s'era staccata dalla fila, correndo ad abbracciare un cane che
passava; lo abbracciava, e diceva:

— L'è le, l'è le, l'è la sorella della mia cagna!

Era stata in collegio molti anni. Si era divertita un mondo,
in quel collegio.

Aveva recitato, cantato e ballato, nelle feste scolastiche;
aveva recitato in una commedia, travestita da scimmia; e cantato in un'operetta, che si chiamava *La pianella perduta nella
neve*.

Aveva scritto e musicato un'opera. La sua opera cominciava cosí:

> Io son don Carlos Tadrid,
> E son studente in Madrid!
> Mentre andavo una mattina
> Per la via Berzuellina,
> Vidi a un tratto a una finestra
> Una giovane maestra!

E aveva scritto una poesia, che diceva:

> Salve o ignoranza,
> Al tuo pensier mi cessa il mal di panza!
> Salute regna ove tu sei,
> Lasciam lo studio ai maccabei!
> Beviam, danziamo e non pensiamo,
> Facciamo festa!
> Or tu Musa ispirami un concetto,
> Dettami tu quel che mi dice il cuore,
> Dimmi tu che il filosofo è molesto,
> Nell'ignorante trovasi l'amore.

E poi aveva parodiato il Metastasio, cosí:

> Se a ciascun l'interno affanno
> Si leggesse in fronte scritto
> Quanti mai che a piedi vanno
> Se ne andrebbero in landò.

Rimase in collegio fino a sedici anni. Andava, la domenica, a trovare un suo zio materno, che era chiamato il Barbison. C'era a pranzo il tacchino; mangiavano, e dopo il Barbison indicava gli avanzi del tacchino alla moglie, e le diceva: – Quello lo mangeremo mi e ti doman matina.

La moglie del Barbison, la zia Celestina, era chiamata la Barite. Qualcuno le aveva spiegato che dappertutto c'è della barite: perciò lei indicava, per esempio, il pane sulla tavola, e diceva: – Ti te vedet quel pan lí? L'è tutta barite.

Il Barbison era un uomo rozzo, col naso rosso. « Col naso come il Barbison » usava dire mia madre, quando vedeva qualche naso rosso. Il Barbison diceva a mia madre, dopo quei pranzi col tacchino:

– Lidia, mi e ti che sem la chimica, de cosa spussa l'acido solfidrico? El spussa de pet. L'acido solfidrico el spussa de pet.

Il vero nome del Barbison era Perego. Certi amici avevano fatto, per lui, questi versi:

> Bello è veder di sera e di mattina
> Del Perego la cà e la cantina.

Le sorelle del Barbison erano chiamate « le Beate », essendo molto bigotte.

Poi c'era un'altra zia di mia madre, la zia Cecilia, che era famosa per questa frase. Una volta mia madre le aveva raccontato che erano stati in pensiero per mio nonno, il quale tardava a rincasare, e temevano gli fosse successo qualcosa. La zia Cecilia subito aveva chiesto: – E cossa g'avevate a pranzo, risi o pasta? – Pasta, – aveva risposto mia madre. – Bon che non avevate risi, perché sennò chissà che lunghi ch'el diventava.

I miei nonni materni morirono entrambi prima della mia nascita. La mia nonna materna, la nonna Pina, era di famiglia modesta, e aveva sposato mio nonno che era un suo vicino di casa: giovanottino occhialuto, distinto avvocato agli inizi della sua professione, che lei sentiva ogni giorno, sul portone, chiedere alla portinaia: – Ci sono *létere* per me? – Mio nonno diceva *létere*, con un *t* solo e con le *e* strette; e questo modo di pronunciare quella parola sembrava a mia nonna un gran segno di distinzione. Lei lo sposò per questo; e anche perché desiderava farsi, per l'inverno, un cappottino di velluto nero. Non fu un matrimonio felice.

Era da giovane, questa mia nonna Pina, bionda e graziosa; e aveva recitato una volta in una compagnia di filodrammatici. Come s'alzava il sipario, mia nonna Pina era là con un pennello e con un cavalletto, e diceva queste parole:

– Non posso continuare a dipingere; la mia anima non si piega al lavoro ed all'arte; essa vola lungi di qui, e si pasce di idee dolorose.

Mio nonno, poi, si buttò nel socialismo; ed era amico di Bissolati, di Turati e della Kuliscioff. Mia nonna Pina rimase sempre estranea alla vita politica del marito. Siccome lui le riempiva di socialisti la casa, mia nonna Pina usava dire, con rammarico, della figlia: – Quela tosa lí la sposerà un gasista –. Poi finirono col vivere separati. Mio nonno, negli ultimi anni della sua vita, aveva lasciato la politica, e aveva ripreso a fare l'avvocato; ma dormiva fino alle cinque del pomeriggio, e quando venivano i clienti diceva:

– Cosa vengono a fare? mandateli via!

Mia nonna Pina, negli ultimi anni, stava a Firenze; e andava a volte a trovare mia madre, che intanto s'era sposata, e abitava a Firenze anche lei; aveva però, mia nonna Pina, una gran paura di mio padre. Era venuta un giorno a vedere mio fratello Gino, in fasce, che aveva un po' di febbre; per calmare mio padre che era tutto agitato, mia nonna Pina gli aveva detto che era forse una febbre della dentizione. Mio padre s'era infuriato, perché sosteneva che la dentizione non può dare la febbre; e mia nonna Pina, incontrando nell'uscire il mio zio Silvio che veniva anche lui da noi, – Dis no che son i dent, – gli sussurrò sulle scale.

Salvo « dis no che son i dent », « quela tosa lí la sposerà un gasista » e « non posso continuare a dipingere », io di questa mia nonna non so nulla, e non mi sono pervenute altre sue parole. Cioè, ricordo ancora che si ripeteva, in casa nostra, questa sua frase:

– Tuti i dí ghe ghe n'è una, tuti i dí ghe ghe n'è una, la Drusilla ancuei l'a rompú gli ociai.

Aveva avuto tre figli, il Silvio, mia madre e la Drusilla, che era miope e rompeva sempre gli occhiali. Morí a Firenze, in solitudine, dopo una vita di molti dolori: il suo figlio maggiore, il Silvio, si uccise a trent'anni, sparandosi alla tempia, una notte, nei giardini pubblici di Milano.

Dopo il collegio, mia madre lasciò Milano e andò a stare a Firenze. Si iscrisse in medicina; ma non finí mai l'università, perché conobbe mio padre, e lo sposò. Mia nonna, la madre di mio padre, non voleva quel matrimonio, perché mia madre non era ebrea: e qualcuno le aveva raccontato che era, mia madre, una cattolica molto devota: e che ogni volta che vedeva una chiesa, faceva grandi inchini e segni di croce. Non era vero affatto: nessuno, nella famiglia di mia madre, né andava in chiesa, né faceva segni di croce. Mia nonna dunque per un poco si oppose; poi accettò di conoscere mia madre, e s'incontrarono una sera a teatro, assistendo insieme a una commedia, dove c'era una donna bianca finita fra i mori; e una mora gelosa di lei, arrotava i denti e diceva, guardandola con occhi terribili: « Coteletta madama bianca! coteletta madama bianca! » – « Coteletta madama bianca », – diceva sempre mia madre, ogni volta che mangiava una cotoletta. Avevano avuto poltrone in omaggio per quella commedia, perché il fratello di mio padre, lo zio Cesare, era critico teatrale. Era, questo zio Cesare, tutto diverso da mio padre, tranquillo, grasso e sempre allegro; e, come critico teatrale, non era per nulla severo, e non voleva mai dir male di nessuna commedia, ma in tutte trovava qualcosa di buono; e quando mia madre gli diceva che una commedia le sembrava stupida, lui s'arrabbiava e le diceva: – Ti te prova ti a scrivere una commedia come quella –. Lo zio Cesare sposò poi un'attrice; e questa fu per mia nonna una grande tragedia, e per molti anni non volle che lo zio Cesare le presentasse sua moglie; perché un'attrice le sembrava ancor peggio di una che faceva i segni di croce.

Mio padre, quando si sposò, lavorava a Firenze nella clinica d'uno zio di mia madre, che era soprannominato « il Demente » perché era medico dei matti. Il Demente era, in verità, un uomo di grande intelligenza, colto e ironico; e non so se abbia mai saputo di esser chiamato, in famiglia, cosí. Mia madre conobbe, in casa della mia nonna paterna, la varia corte delle Margherite e delle Regine, cugine e zie di mio padre; e anche la famosa Vandea, ancora viva in quegli anni. Quanto al nonno Parente, era morto da tempo; e cosí pure sua moglie, la nonna Dolcetta, e il loro servitore, che era Bepo fachin. Della nonna Dolcetta, si sapeva che era piccola e grassa, come una palla; e che faceva sempre indigestione, perché mangiava troppo. Stava male, vomitava e si metteva a letto; ma dopo un poco la trovavano che mangiava un uovo: – Il xè fresco, – diceva per giustificarsi.

Avevano, il nonno Parente e la nonna Dolcetta, una figlia, chiamata Rosina. A questa Rosina le morí il marito, lasciandola con bambini piccoli e pochi denari. Tornò, allora, nella casa paterna. E il giorno dopo ch'era tornata, mentre sedevano tutti a tavola, la nonna Dolcetta disse guardandola:

– Cossa gà oggi la nostra Rosina, che no la xè del suo solito umor?

La storia dell'uovo della nonna Dolcetta, e la storia della nostra Rosina, fu mia madre a raccontarcele per disteso; perché mio padre, lui, raccontava male, in modo confuso, e sempre inframmezzando il racconto di quelle sue tuonanti risate, perché i ricordi della sua famiglia e della sua infanzia lo rallegravano; per cui di quei racconti spezzati da lunghe risate, noi non capivamo gran cosa.

Mia madre invece si rallegrava raccontando storie, perché amava il piacere di raccontare. Cominciava a raccontare a tavola, rivolgendosi a uno di noi: e sia che raccontasse della famiglia di mio padre, sia che raccontasse della sua, s'animava di gioia ed era sempre come se raccontasse quella storia per la prima volta, a orecchie che non ne sapevano nulla. « Avevo uno zio – cominciava – che lo chiamavano il Barbison ». E se uno allora diceva: – Questa storia la so! l'ho già sentita tante volte! – lei allora si rivolgeva a un altro e sottovoce continua-

va a raccontare. – Quante volte l'ho sentita questa storia! –
tuonava mio padre, cogliendone al passaggio qualche parola.
Mia madre, sottovoce, raccontava.

Il Demente nella sua clinica aveva un matto, che credeva
d'essere Dio. Il Demente ogni mattina gli diceva: – Buon
giorno, egregio signor Lipmann –. E allora il matto rispondeva: – Egregio forse sí, Lipmann probabilmente no! – perché lui credeva d'essere Dio.

E c'era poi la famosa frase d'un direttore d'orchestra, conoscente del Silvio, che trovandosi a Bergamo per una tournée,
aveva detto ai cantanti distratti o indisciplinati:

– Non siamo venuti a Bergamo per fare campagna, bensí
per dirigere la *Carmen*, capolavoro di Bizet.

Noi siamo cinque fratelli. Abitiamo in città diverse, alcuni
di noi stanno all'estero: e non ci scriviamo spesso. Quando
c'incontriamo, possiamo essere, l'uno con l'altro, indifferenti
o distratti. Ma basta, fra noi, una parola. Basta una parola,
una frase: una di quelle frasi antiche, sentite e ripetute infinite
volte, nel tempo della nostra infanzia. Ci basta dire: « Non
siamo venuti a Bergamo per fare campagna » o « De cosa spussa l'acido solfidrico », per ritrovare a un tratto i nostri antichi
rapporti, e la nostra infanzia e giovinezza, legata indissolubilmente a quelle frasi, a quelle parole. Una di quelle frasi o parole, ci farebbe riconoscere l'uno con l'altro, noi fratelli, nel
buio d'una grotta, fra milioni di persone. Quelle frasi sono il
nostro latino, il vocabolario dei nostri giorni andati, sono come
i geroglifici degli egiziani o degli assiro-babilonesi, la testimonianza d'un nucleo vitale che ha cessato di esistere, ma che so-
pravvive nei suoi testi, salvati dalla furia delle acque, dalla
corrosione del tempo. Quelle frasi sono il fondamento della nostra unità familiare, che sussisterà finché saremo al mondo,
ricreandosi e risuscitando nei punti piú diversi della terra,
quando uno di noi dirà – Egregio signor Lipmann, – e subito

risuonerà al nostro orecchio la voce impaziente di mio padre: – Finitela con questa storia! l'ho sentita già tante di quelle volte!

Come mai da quella stirpe di banchieri, che erano gli antenati e i parenti di mio padre, siano usciti fuori mio padre e suo fratello Cesare, del tutto destituiti d'ogni senso degli affari, non so. Mio padre spese la sua vita nella ricerca scientifica, professione che non gli fruttava denaro; e aveva del denaro un'idea quanto mai vaga e confusa, dominata da una sostanziale indifferenza; per cui, quando gli capitò d'aver da fare col denaro, lo perdette sempre, o almeno si condusse in modo da doverlo perdere, e se non lo perdette e gli andò liscia, fu un semplice caso. Lo accompagnò per tutta la vita la preoccupazione di trovarsi, da un momento all'altro, sul lastrico; preoccupazione irrazionale, che abitava in lui unita ad altri malumori e pessimismi, come il pessimismo sulla riuscita e sulla fortuna dei suoi figli; preoccupazione che gravava in lui come un fosco ammasso di nuvole nere su rocce e montagne, e che tuttavia non toccava, nelle profondità del suo spirito, la sua sostanziale, assoluta, intima indifferenza al denaro. Diceva « una forte somma » parlando di cinquanta lire, o anzi, come diceva lui, cinquanta franchi, perché la sua unità di misura monetaria era il franco, e non la lira. La sera faceva il giro delle stanze, tuonando contro di noi che lasciavamo le luci accese; ma gli accadde poi di perdere milioni senza quasi accorgersene, o con certi titoli, che comprava e vendeva a caso, o con editori, ai quali cedeva suoi lavori trascurando di chiederne un equo compenso.

Dopo Firenze, i miei genitori se ne andarono a stare in Sardegna, perché mio padre era stato nominato professore a Sassari; e, per alcuni anni, vissero là. Poi si trasferirono a Paler-

mo, dove sono nata io: l'ultima, di cinque fratelli. Mio padre
andò in guerra, come ufficiale medico, sul Carso. E infine ve-
nimmo ad abitare a Torino.

Furono, i primi anni di Torino, per mia madre, anni diffi-
cili; era appena finita la prima guerra mondiale; c'era il dopoguerra, il caroviveri, avevamo pochi denari. A Torino, faceva
freddo, e mia madre si lamentava del freddo, e della casa che
mio padre aveva trovato prima che noi arrivassimo senza consultare nessuno, e che era umida e buia. Mia madre, a quanto
diceva mio padre, s'era lamentata a Palermo, e s'era lamentata
a Sassari: aveva sempre trovato modo di brontolare. Ora parlava di Palermo, e di Sassari, come del paradiso terrestre. Aveva, tanto a Sassari come a Palermo, molte amicizie, alle quali
però non scriveva, perché era incapace di mantenere rapporti
con persone lontane; aveva avuto là belle case piene di sole,
una vita comoda e facile, donne di servizio bravissime; a Torino, i primi tempi, non riusciva a trovare donne di servizio.
Finché capitò un giorno, non so come, in casa nostra la Natalina: e ci rimase trent'anni.
    In verità, se anche brontolava e si lamentava, a Sassari e a
Palermo mia madre era stata molto felice: perché aveva una
natura lieta, e dovunque trovava persone da amare e dalle
quali essere amata, dovunque trovava modo di divertirsi alle
cose che aveva intorno, e di essere felice. Era felice anche in
quei primi anni a Torino, anni scomodi se non forse duri, e
nei quali lei spesso piangeva, per i malumori di mio padre, per
il freddo, la nostalgia di altri luoghi, i suoi figli che diventavano grandi e che avevano bisogno di libri, di cappotti, di
scarpe, e non c'erano tanti soldi. Era tuttavia felice, perché
appena smetteva di piangere, diventava allegrissima, e cantava
a squarciagola per casa: il *Lohengrin*, la *Pianella perduta nella*

neve, e *Don Carlos Tadrid*. E quando piú tardi ricordava quegli anni, quegli anni in cui aveva ancora tutti i figli in casa, e non c'erano soldi, le Immobiliari andavano sempre giú, e la casa era umida e buia, ne parlava sempre come di anni bellissimi, e molto felici. – Il tempo di via Pastrengo, – diceva piú tardi, per definire quell'epoca: via Pastrengo era la strada dove abitavamo allora.

La casa di via Pastrengo era molto grande. C'erano dieci o dodici stanze, un cortile, un giardino e una veranda a vetri, che guardava sul giardino; era però molto buia, e certo umida, perché un inverno, nel cesso, crebbero due o tre funghi. Di quei funghi si fece, in famiglia, un gran parlare: e i miei fratelli dissero alla mia nonna paterna, nostra ospite in quel periodo, che li avremmo cucinati e mangiati; e mia nonna, sebbene incredula, era tuttavia spaventata e schifata, e diceva: – In questa casa si fa bordello di tutto.

Io ero, a quel tempo, una bambina piccola; e non avevo che un vago ricordo di Palermo, mia città natale, dalla quale ero partita a tre anni. M'immaginavo però di soffrire anch'io della nostalgia di Palermo, come mia sorella e mia madre; e della spiaggia di Mondello, dove andavamo a fare i bagni, e di una certa signora Messina, amica di mia madre, e di una ragazzina chiamata Olga, amica di mia sorella, e che io chiamavo « Olga viva » per distinguerla da una mia bambola Olga; e di cui dicevo, ogni volta che la vedevamo sulla spiaggia: – Mi vergogno d'Olga viva –. Queste erano le persone che c'erano a Palermo e a Mondello. Cullandomi nella nostalgia, o in una finzione di nostalgia, feci la prima poesia della mia vita, composta di due soli versi:

> Palermino Palermino,
> Sei piú bello di Torino.

Questa poesia fu salutata in casa come il segno di una precoce vocazione poetica; e io, incoraggiata da tanto successo, feci subito due altre poesie brevissime, che riguardavano montagne delle quali sentivo parlare dai miei fratelli:

> Viva la Grivola,
> Se mai si scivola.
>
> Viva il Monte Bianco,
> Se mai sei stanco.

Del resto, in casa nostra, era molto diffusa l'abitudine di far poesie. Mio fratello Mario aveva fatto una volta una poesia su certi ragazzini Tosi, che giocavano con lui a Mondello, e che non poteva soffrire:

> E quando arrivano i signori Tosi,
> Tutti antipatici, tutti noiosi.

Ma la piú famosa e la piú bella era una poesia che aveva fatto mio fratello Alberto, sui dieci o undici anni, e che non era legata ad alcun fatto reale, ma creata dal nulla, puro frutto dell'invenzione poetica:

> La vecchia zitella
> Senza mammella
> Ha fatto un bambino
> Tanto carino.

Si recitava, in casa nostra, *La figlia di Jorio*. Ma si recitava soprattutto, la sera, intorno alla tavola, una poesia che sapeva mia madre e che ci aveva insegnato, avendola sentita, nella sua infanzia, a una recita di beneficenza in favore degli scampati a un'inondazione nella pianura padana:

> Eran parecchi giorni che si tremava tutti!
> Ed i vecchi dicevano: « Madonna Santa, i flutti
> Ingrossan d'ora in ora!

> Date retta figliuoli; partite con la roba! »
> Ma che! lasciarli soli, poveri vecchi buoni!
> Il babbo non voleva; e poi il babbo è ardito e giovane,
>   e non credeva
> Che dovesse succedere quell'orribile cosa.
> Ancora quella sera disse alla mamma: « Rosa,
> Fa' coricare i bimbi, e tu pur dormi in pace.
> Il Po è tranquillo come un gigante che giace
> Nel gran letto di terra che gli ha scavato Iddio.
> Va', dormi; tanti spiriti sicuri come il mio
> Vegliano sulla sponda; tante robuste spalle
> Sono là per difendere questa povera valle ».

Mia madre, il seguito, se l'era dimenticato; e credo che ricordasse con poca esattezza anche questo inizio, perché per esempio là dove dice « Il babbo è ardito e giovane », il verso s'allunga senza rispetto d'alcuna metrica. Ma suppliva alle imprecisioni della sua memoria con l'enfasi che metteva nelle parole.

> Tante robuste spalle
> Sono là per difendere questa povera valle!

Mio padre, questa poesia, non la poteva soffrire; e quando ci sentiva declamare insieme a mia madre, si arrabbiava e diceva che facevamo « il teatrino », e che eravamo incapaci di occuparci di cose serie.

Ci venivano a trovare, quasi ogni sera, Terni, e certi amici di mio fratello Gino, il maggiore di noi, che frequentava, in quegli anni, il Politecnico. Si stava intorno alla tavola, a recitare poesie, a cantare.

> Io son don Carlos Tadrid
> E son studente in Madrid!

cantava mia madre; e mio padre, che se ne stava a leggere nel suo studio, s'affacciava ogni tanto alla porta della stanza da pranzo, sospettoso, accigliato, con la pipa in mano.

– Sempre a dir sempiezzi! sempre a fare il teatrino!

Mio padre, gli unici argomenti che tollerava, erano gli argomenti scientifici, la politica, e certi spostamenti che avvenivano « in Facoltà », quando qualche professore veniva chiamato a Torino, ingiustamente, secondo lui, perché si trattava « di un sempio », o quando un altro non veniva chiamato a Torino, ingiustamente, essendo persona che lui giudicava « di grande valore ». Sugli argomenti scientifici, e su quello che succedeva « in Facoltà », nessuno di noi era in grado di seguirlo; ma lui, a tavola, informava giornalmente mia madre sia della situazione « in Facoltà », sia di quello che era accaduto, nel suo laboratorio, a certe culture dei tessuti che aveva messo sotto vetro; e si arrabbiava se lei si mostrava distratta. Mio padre a tavola mangiava moltissimo, ma cosí in fretta, che sembrava non mangiasse nulla, perché il suo piatto era subito vuoto; ed era convinto di mangiare poco, e aveva trasmesso questa sua convinzione a mia madre, che sempre lo supplicava di mangiare. Lui invece sgridava mia madre, perché trovava che mangiava troppo.

– Non mangiar troppo! Farai l'indigestione!

– Non strapparti le pipite! – tuonava di tanto in tanto. Mia madre infatti aveva il vizio, fin da bambina, di strapparsi le pipite: avendo avuto un patereccio, e in seguito il dito che si spellava, una volta, nel suo collegio.

Tutti noi, secondo mio padre, mangiavamo troppo, e avremmo fatto indigestione. Delle pietanze che a lui non piacevano, diceva che facevano male, e che stavano sullo stomaco; delle cose che gli piacevano, diceva che facevano bene, e che « eccitavano la peristalsi ».

Se veniva in tavola una pietanza che non gli piaceva, s'infuriava: – Perché fate la carne in questo modo! Lo sapete che non mi piace! – Se per lui solo facevano un piatto di qualcosa che gli piaceva, s'arrabbiava lo stesso:

– Non voglio cose speciali! Non fatemi cose speciali!

– Io mangio tutto, – diceva. – Non sono difficile come voialtri. M'importa assai a me del mangiare!

– Non si parla sempre di mangiare! è una volgarità! – tuonava, se ci sentiva parlare fra noi d'una pietanza o dell'altra.

– Come mi piace a me il formaggio, – diceva immancabilmente mia madre, ogni volta che veniva in tavola il formaggio; e mio padre diceva:

– Come sei monotona! non fai che ripetere sempre le stesse cose!

A mio padre piaceva la frutta molto matura; perciò quando a noi capitava qualche pera un po' guasta, la davamo a lui.
– Ah, mi date le vostre pere marce! Begli asini siete! – diceva con una gran risata, che echeggiava per tutta la casa; e mangiava la pera in due bocconi.

– Le noci, – diceva schiacciando noci, – fanno bene. Eccitano la peristalsi.

– Anche tu sei monotono, – gli diceva mia madre. – Anche tu ripeti sempre le stesse cose.

Mio padre allora, s'offendeva: – Che asina! – diceva. – Mi hai detto che son monotono! Una bell'asina sei!

Quanto alla politica, si facevano in casa nostra discussioni feroci, che finivano con sfuriate, tovaglioli buttati all'aria e porte sbattute con tanta violenza da far rintronare la casa. Erano i primi anni del fascismo. Perché discutessero con tanta ferocia, mio padre e i miei fratelli, non so spiegarmelo, dato che, come io penso, eran tutti contro il fascismo; l'ho chiesto ai miei fratelli in tempi recenti, ma nessuno me l'ha saputo chiarire. Pure ricordavano tutti quelle liti feroci. Mi sembra che mio fratello Mario, per spirito di contraddizione verso i miei genitori, difendesse Mussolini in qualche maniera; e questo, certo, mandava in bestia mio padre: il quale con mio fratello Mario aveva sempre discussioni su tutto, perché lo trovava sempre di un'opinione contraria alla sua.

Di Turati, mio padre diceva che era un ingenuo; e mia madre, che non trovava che l'ingenuità fosse una colpa, annuiva, sospirava e diceva: – Povero mio Filippèt –. Venne una volta, a quell'epoca, Turati a casa nostra, essendo di passaggio a Torino; e lo ricordo, grosso come un orso, con la grigia barba tagliata in tondo, nel nostro salotto. Lo vidi due volte: allora, e piú tardi, quando dovette scappare dall'Italia, e abitò da noi, nascosto, per una settimana. Non so tuttavia ricordare una sola parola che disse quel giorno, nel nostro salotto: ricordo un gran vociare e un gran discutere, e basta.

Mio padre tornava a casa sempre infuriato, perché aveva incontrato, per strada, cortei di camicie nere; o perché aveva scoperto, nelle sedute di Facoltà, nuovi fascisti fra i suoi conoscenti. – Pagliacci! Farabutti! pagliacciate! – diceva sedendosi a tavola; sbatteva il tovagliolo, sbatteva il piatto, sbatteva il bicchiere, e soffiava per il disprezzo. Usava esprimere il suo pensiero per strada, a voce alta, con suoi conoscenti che lo accompagnavano a casa; e quelli si guardavano attorno spaventati. – Vigliacconi! negri! – tuonava mio padre a casa, raccontando della paura di quei suoi conoscenti; e si divertiva, credo, a spaventarli, parlando ad alta voce per strada mentr'era con loro; un po' si divertiva, e un po' non sapeva controllare il timbro della sua voce, che suonava sempre fortissimo, anche quando lui credeva di sussurrare.

A proposito del timbro della sua voce, che non sapeva controllare, raccontavano Terni e mia madre che un giorno, in una cerimonia di professori, mentr'erano tutti riuniti nelle sale dell'università, mia madre aveva chiesto sottovoce a mio padre il nome di uno che si trovava a pochi passi da loro. – Chi è? – aveva urlato mio padre fortissimo, cosí che tutti s'erano voltati. – Chi è? te lo dico io chi è! è un perfetto imbecille!

Mio padre non tollerava, in genere, le barzellette, quelle che raccontavamo noi e mia madre: le barzellette si chiamavano, in casa nostra, « scherzettini », e noi provavamo, a raccontarne e a sentirne, il piú grande piacere. Ma mio padre s'arrabbiava. Tra gli scherzettini, lui tollerava soltanto quelli antifascisti; e poi certi scherzettini della sua epoca, che sapevano lui e mia madre, e che lui evocava, a volte, la sera, con i Lopez, i quali, del resto, li conoscevano anche loro da tempo. Alcuni di quegli scherzettini, a lui sembravano molto salaci, benché fossero, credo, innocentissimi; e quando noi eravamo presenti, voleva raccontarli sussurrando. La sua voce diventava allora un rumoroso ronzio, nel quale noi potevamo distinguere assai bene molte parole: fra cui la parola « cocotte », che c'era sempre in quegli scherzettini ottocenteschi, e che lui pronunciava, studiandosi di bisbigliarla, piú forte delle altre, e con speciale malizia e piacere.

Mio padre s'alzava sempre alle quattro del mattino. La sua prima preoccupazione, al risveglio, era andare a guardare se il « mezzorado » era venuto bene. Il mezzorado era latte acido, che lui aveva imparato a fare, in Sardegna, da certi pastori. Era semplicemente yoghurt. Lo yoghurt, in quegli anni, non era ancora di moda: e non si trovava in vendita, come adesso, nelle latterie o nei bar. Mio padre era, nel prendere lo yoghurt come in molte altre cose, un pioniere. A quel tempo non erano ancora di moda gli sport invernali; e mio padre era forse, a Torino, l'unico a praticarli. Partiva, non appena cadeva un po' di neve, per Clavières, la sera del sabato, con gli sci sulle spalle. Allora non esistevano ancora né Sestrières, né gli alberghi di Cervinia. Mio padre dormiva, di solito, in un rifugio sopra Clavières, chiamato « Capanna Mautino ». Si tirava dietro a volte i miei fratelli, o certi suoi assistenti, che avevano come lui la passione della montagna. Gli sci, lui li chiamava « gli ski ». Aveva imparato ad andare in ski da giovane, in un suo soggiorno in Norvegia. Tornando la domenica sera, diceva sempre che però c'era una brutta neve. La neve, per lui, era sempre o troppo acquosa, o troppo secca. Come il mezzorado, che non era mai come doveva essere: e gli sembrava sempre o troppo acquoso, o troppo denso.

– Lidia! il mezzorado non è « venuto! » – tuonava per il corridoio. Il mezzorado era in cucina, dentro una zuppiera, coperto da un piatto e ravvolto in un vecchio scialle color salmone, che apparteneva un tempo a mia madre. A volte, non era « venuto » affatto, e si doveva buttar via: non era che un'acquerugiola verde, con qualche blocco solido di un bianco marmoreo. Il mezzorado era delicatissimo, e bastava niente a far sí che non riuscisse: bastava che lo scialle che lo ravviluppava fosse un po' scostato, e lasciasse filtrare un po' d'aria. – Anche oggi non è « venuto! » Tutta colpa della tua Natalina! – tuonava mio padre dal corridoio a mia madre, che era ancora mezzo addormentata, e gli rispondeva dal letto con parole sconnesse. Quando andavamo in villeggiatura, dovevamo ricordarci di portar via « la madre del mezzorado » che era una tazzina di mezzorado bene incartata e legata con uno spago. – Dov'è la madre? avete preso la madre? – chiedeva mio padre in treno, rovistando nel sacco da montagna. – Non c'è! qui non c'è! – gridava; e a volte la madre era stata davvero dimenticata, e bisognava ricrearla dal nulla, col lievito di birra.

Mio padre faceva, al mattino, una doccia fredda. Lanciava, sotto la sferza dell'acqua, un urlo, come un lungo ruggito; poi si vestiva e tranguggiava gran tazze di quel mezzorado gelido, in cui versava molti cucchiai di zucchero. Usciva di casa che le strade erano ancora buie, e quasi deserte; usciva nella nebbia, nel freddo di quelle albe di Torino, con in testa un basco largo, che gli formava quasi una visiera sulla fronte, con un impermeabile lungo e largo, pieno di tasche e di bottoni di cuoio; con le mani dietro la schiena, la pipa, quel suo passo storto,

una spalla piú alta dell'altra; per le strade non c'era ancora
quasi nessuno, ma le poche persone che c'erano lui riusciva a
urtarle nel passare, camminando aggrondato, a testa bassa.

Non c'era a quell'ora, nel suo laboratorio, nessuno; forse
soltanto Conti, suo inserviente: un ometto basso, tranquillo,
sommesso, con il camice grigio, che voleva molto bene a mio
padre e al quale lui voleva molto bene; e che veniva a volte a
casa nostra, quando c'era bisogno di aggiustare un armadio, di
cambiare una valvola della luce, o di legare i bauli. Conti, a forza di stare nel laboratorio, aveva imparato l'anatomia; e quando c'erano gli esami, suggeriva, e mio padre s'arrabbiava; ma
poi a casa raccontava compiaciuto a mia madre che Conti sapeva l'anatomia meglio degli studenti. In laboratorio, mio
padre s'infilava un camice grigio, uguale a quello di Conti; e
andava urlando nei corridoi come usava urlare nel corridoio
di casa.

> Io son don Carlos Tadrid
> E son studente in Madrid

cantava mia madre a piena voce, mentre si alzava e si spazzola-
va i capelli, ancora tutti inzuppati: anche lei faceva, come mio
padre, la doccia fredda; e avevano, lei e mio padre, certi guanti
tutti spinosi, con i quali si strofinavano dopo la doccia, per ri-
scaldarsi. – Son gelata! – diceva mia madre, ma con gioia, perché amava molto l'acqua fredda; – sono ancora tutta gelata!
Che freddo che fa! – E andava, stretta nell'accappatoio, con in
mano la tazza del caffè, a fare un giro per il giardino. I miei
fratelli erano tutti a scuola, e c'era in quel momento, nella casa,
un po' di pace. Mia madre cantava, e scrollava i capelli bagna-
ti nell'aria del mattino. Poi andava a discorrere, nella stanza
da stiro, con la Natalina e la Rina.

La stanza da stiro si chiamava anche « la stanza degli armadi ». C'era la macchina da cucire; e là soggiornava la Rina, cucendo a macchina. Questa Rina era una specie di sarta in casa: buona però soltanto per rivoltare i nostri cappotti, e per mettere toppe ai calzoni. Vestiti, non ne faceva. Quando non era da noi, era dai Lopez: se la palleggiavano, la Frances e mia madre. Era una donnetta piccola piccola, una specie di nana; chiamava mia madre « signora maman », e quando incontrava mio padre nel corridoio scappava come un topo, perché lui non la poteva soffrire.

– La Rina! anche oggi c'è la Rina! – s'infuriava mio padre. – Non la posso soffrire! è una pettegola! e poi non è buona di far niente! – Ma la chiamano sempre anche i Lopez, – si giustificava mia madre.

La Rina era di umore mutevole. Quando veniva da noi dopo un periodo che non era venuta, si mostrava tutta gentile, e si prodigava in mille lavori: progettava di rifare tutti i nostri materassi e cuscini, di lavare le tende, e di smacchiare i tappeti con i fondi di caffè, come aveva visto fare in casa della Frances. Si stufava però presto; s'imbronciava, si stizziva con me e con Lucio, che le stavamo intorno perché prima ci aveva promesso passeggiate e caramelle; Lucio, il figlio piccolo della Frances, veniva quasi ogni giorno da noi a giocare. – Lasciatemi in pace! io debbo lavorare! – diceva la Rina immusonita, cucendo a macchina; e si litigava con la Natalina.

– Quella malignazza Rina! – diceva mia madre le mattine che la Rina, senza avere avvertito, si asteneva dal comparire, e non si sapeva dove si fosse cacciata, dato che nemmeno la Frances l'aveva vista. C'erano materassi e cuscini, per sua iniziativa, disfatti, fiocchi di lana ammucchiati nella « stanza degli armadi »; e tappeti sui quali i fondi di caffè avevano lasciato gore giallastre. – Quella malignazza della Rina! non la faccio venire mai piú! – La Rina, dopo qualche settimana, tornava: ilare, gentile, prodiga d'iniziative e promesse. E mia madre dimenticava subito le sue colpe; e si metteva nella stanza degli armadi a sentire le chiacchiere della Rina che cuciva a macchina, rapida, battendo il pedale col suo minuscolo piede da nana, calzato d'una ciabattina di panno.

La Natalina rassomigliava, diceva mia madre, a Luigi undicesimo. Era piccola, gracile, col viso lungo, i capelli a volte ravviati e lisci, a volte sontuosamente arricciati al ferro. – Il mio Luigi undicesimo, – diceva mia madre al mattino, quando se la vedeva entrare nella stanza da letto, torva, con una sciarpa al collo, col secchio e con lo spazzolone in mano. La Natalina faceva confusione tra i pronomi femminili e maschili. Diceva a mia madre: – Lei è uscito stamattina senza il soprabito. – Chi, lei? – Il signorino Mario. Lui deve dircelo. – Chi, lui? – Lui, lui signora Lidia, – diceva la Natalina offesa, sbatacchiando il secchio.

La Natalina era, spiegava mia madre parlandone con le sue amiche, « un fulmine » perché faceva i lavori di casa con una rapidità straordinaria: ed era « un terremoto » perché faceva tutto quanto con violenza e rumore. Aveva un'aria da cane bastonato, perché aveva avuto un'infanzia infelice; era orfana, cresciuta tra orfanatrofi ed ospizi, poi al servizio di padrone impietose. Provava per quelle sue antiche padrone, di cui raccontava che le davano schiaffi da farle dolere la testa per piú giorni, un fondo di nostalgia. Gli scriveva, a Natale, sontuose cartoline dorate. Gli mandava anche, a volte, dei regali. Non aveva mai un soldo in tasca, essendo generosa, grandiosa nello spendere, e pronta sempre a far prestiti a'certe sue amiche, con le quali usciva la domenica. Quell'aria da cane bastonato, la conservò sempre; sfogava tuttavia su di noi, e in particolare su mia madre, una sua volontà sarcastica, dispotica e testarda. Intratteneva con mia madre, che amava teneramente e dalla quale era teneramente amata, un rapporto burbero, sarcastico e niente affatto servile. – Meno male che lui è una signora, se no come farebbe a guadagnarsi la vita, lui che non è buona di far niente, – diceva a mia madre. – Lui chi? – Lui, lei, lei!

Vivevamo sempre, in casa, nell'incubo delle sfuriate di mio padre, che esplodevano improvvise, sovente per motivi minimi, per un paio di scarpe che non si trovava, per un libro fuori posto, per una lampadina fulminata, per un lieve ritardo nel pranzo, o per una pietanza troppo cotta. Vivevamo tuttavia anche nell'incubo delle litigate tra i miei fratello Alberto e Mario, che anche quelle esplodevano improvvise, si sentiva a un tratto nella loro stanza un rumore di sedie che si rovesciavano, e di muri percossi, poi urla laceranti e selvagge. Alberto e Mario erano due ragazzi ormai grandi, fortissimi, che quando si prendevano a pugni si facevano del male, ne uscivano coi nasi sanguinanti, le labbra gonfie, i vestiti strappati. – Si *amazzano*! – gridava mia madre, trascurando l'emme doppia nello spavento. – Beppino vieni, si *amazzano*! – gridava, chiamando mio padre.

L'intervento di mio padre era, come ogni sua azione, violento. Si buttava in mezzo a quei due avvinghiati a picchiarsi, e li copriva di schiaffi. Io ero piccola; e ricordo con terrore quei tre uomini che lottavano selvaggiamente. Anche i motivi per cui si picchiavano tanto, Alberto e Mario, erano futili, come futili erano i motivi per cui esplodevano le collere di mio padre: un libro che non si trovava, una cravatta, la precedenza ad andare a lavarsi. Una volta che Alberto comparve a scuola con la testa fasciata, un professore gli chiese cosa gli era successo. Lui si alzò e disse: – Mio fratello ed io volevamo fare il bagno.

Mario era, dei due, il piú grande, ed era il piú forte. Aveva mani dure come il ferro, e aveva, nella collera, una frenesia nervosa, che gli irrigidiva i muscoli, i tendini, le mascelle. Era stato, da bambino, un po' gracile, e mio padre lo portava a camminare in montagna, per irrobustirlo: come faceva, del resto, con tutti noi. Mario aveva concepito un sordo odio per la montagna; e non appena poté sottrarsi alla volontà di mio padre, smise del tutto di andarci. Ma, in quegli anni, doveva ancora andarci. Le sue collere si scatenavano anche, a volte, sulle cose: a volte non era Alberto l'oggetto della sua rabbia, ma qualcosa che non ubbidiva al furore delle sue mani. Il pomeriggio del sabato, scendeva in cantina a cercare i suoi ski: ed era preso, cercandoli, da una collera silenziosa, o perché non li trovava, o perché gli attacchi non s'aprivano, per quanto li strapazzasse con le mani. Nella sua collera, certo, erano presenti e Alberto, e mio padre, tuttavia in quel momento lontani; Alberto, che adoprava la roba sua; e mio padre, che si ostinava a portarlo in montagna quando lui, la montagna, la odiava, e che gli faceva portare ski vecchi e attacchi rugginosi. A volte si provava gli scarponi e non riusciva a infilarli. Faceva il diavolo, in quella cantina, là da solo; e noi sentivamo, da sopra, un gran fracasso. Sbatteva a terra tutti gli ski della casa, sbatteva attacchi, scarponi, pelli di foca, strappava corde e sfondava cassetti, prendeva a calci le sedie, i muri, le gambe dei tavoli. Ricordo d'averlo visto un giorno, nel salotto, seduto in pace a leggere il giornale: d'un tratto fu colto da una di quelle sue rabbie silenziose, e si mise a lacerare il giornale, furiosamente. Digrignava i denti, batteva i piedi in terra e lacerava il giornale. Quella volta né Alberto, né mio padre avevano colpa alcuna. Semplicemente, in una chiesa vicina, suonavano le campane: e quel suono insistente l'aveva esasperato.

Una volta, a tavola, per una sfuriata che gli aveva fatto mio padre, nemmeno tra le più terribili, prese il coltello del pane e si diede a raschiarsi il dorso della mano. Ne sgorgarono catini di sangue: ricordo lo spavento, le grida, le lacrime di mia madre, e mio padre spaventato anche lui, e urlante, con garze sterili e tintura di iodio.

Dopo che aveva litigato con Alberto e s'erano picchiati, Mario restava per qualche giorno « col muso », o « con la luna », come si diceva in casa nostra. Veniva a tavola pallido, con le palpebre gonfie, gli occhi piccoli piccoli; Mario aveva sempre gli occhi piccoli, stretti e lunghi, da cinese; ma in quei giorni « di luna » gli si riducevano a due fessure invisibili. Non diceva una parola. Aveva, in genere, il muso perché trovava che in casa nostra davano sempre ragione a Alberto contro di lui; e poi trovava d'essere troppo adulto perché mio padre avesse ancora il diritto di prenderlo a schiaffi. – Hai visto che muso ha quel Mario? hai visto che luna? – diceva mio padre a mia madre, appena lui usciva dalla stanza. – Cos'è che ha questa luna? non ha detto neanche una parola! che asino!

Poi, una mattina, a Mario, la luna gli era passata. Entrava in salotto, si sedeva in poltrona, e si accarezzava le guance con un sorriso assorto, con gli occhi socchiusi. Cominciava a dire: – Il baco del calo del malo –. Era un suo scherzettino e gli piaceva molto, lo ripeteva insaziabilmente. – Il baco del calo del malo. Il beco del chelo del melo. Il bico del chilo del milo. – Mario! – urlava mio padre. – Non dir parolacce!

– Il baco del calo del malo, – riprendeva Mario, appena mio padre era uscito. Se ne stava a chiacchierare, in salotto, con mia madre e con Terni, il quale era suo grande amico. – Com'è carino Mario quand'è buono! – diceva mia madre. – Com'è simpatico! Assomiglia al Silvio!

Il Silvio era quel fratello di mia madre che si era ucciso. La sua morte era circondata, in casa nostra, di mistero: e io ora so che si è ucciso, ma non so bene il perché. Credo che quell'aria di mistero intorno alla figura del Silvio, la diffondesse soprattutto mio padre: perché non voleva che noi sapessimo che c'era, nella nostra famiglia, un suicidio; e forse ancora per altre ragioni, che ignoro. Quanto a mia madre, lei del Silvio parlava sempre con allegria: avendo mia madre quella sua natura cosí lieta, che investiva ed accoglieva ogni cosa, e che di ogni cosa e di ogni persona rievocava il bene e la letizia, e lasciava il dolore e il male nell'ombra, dedicandovi appena, di quando in quando, un breve sospiro.

Il Silvio era stato un musicista e un letterato. Aveva messo in musica alcune poesie di Paul Verlaine: *Les feuilles mortes*, e altre ancora. Sapeva suonare poco e male, e mormorava le sue arie accompagnandosi al pianoforte con un dito solo; e intanto diceva a mia madre: – Senti ti, stupida, senti questo com'è bello –. Benché suonasse cosí male, e cantasse con un filo di voce, era però bellissimo sentirlo, diceva mia madre. Il Silvio era molto elegante, si vestiva con grande cura; guai se non aveva i calzoni ben stirati, con la piega dritta; aveva un bel bastone col pomo d'avorio, e usciva per Milano col bastone, con la paglietta, andava ad incontrarsi con i suoi amici, a discutere di musica nei caffè. Il Silvio, in quei racconti di mia madre, era sempre un personaggio allegro: e la sua fine, quando io ne seppi i particolari, mi apparve indecifrabile. C'era di lui, sul comodino di mia madre, un ritrattino scolorito, con la paglietta e con i baffettini all'insú: accanto a un'altra fotografia di mia madre insieme ad Anna Kuliscioff, in veletta e cappelloni a piume, nella pioggia.

C'era poi del Silvio, in casa, un'opera rimasta incompiuta, il *Peer Gynt*. Erano alcuni grandi fascicoli, in cartelle annodate con fettucce, su in alto, in cima all'armadio. – Com'era spiritoso il Silvio! – diceva sempre mia madre. – Com'era simpatico! E il *Peer Gynt* era un'opera di valore!

Mia madre sperava sempre che uno almeno dei suoi figli diventasse, come il Silvio, un musicista: speranza che rimase delusa, perché tutti noi mostravamo, nei confronti della musica, una sordità totale, e quando cercavamo di cantare, eravamo stonatissimi: eppure tutti volevamo tentar di cantare, e la Paola, facendo al mattino la sua stanza, ricantava con triste voce di gatto i pezzi d'opera e le canzoni che aveva sentito da mia madre. La Paola andava a volte con mia madre ai concerti, affermando d'amare la musica: ma i miei fratelli dicevano che in verità era tutta una finzione, e che non gliene importava nulla. Quanto a me e ai miei fratelli, condotti per prova a qualche concerto, ci eravamo sempre addormentati; e condotti all'opera, ci eravamo poi lamentati « di tutta quella musica che non lasciava sentir le parole ». Una volta, mia madre mi portò a sentire *La Butterfly*. Avevo con me il « Corriere dei Piccoli »: e lessi tutto il tempo, cercando di decifrar le parole alla fioca luce del proscenio, e tappandomi con le mani le orecchie per non sentire il frastuono.

Tuttavia quando mia madre cantava, l'ascoltavamo tutti a bocca aperta. Una volta qualcuno chiese a Gino se conosceva le opere di Wagner. – Sí, certo, – disse, – il *Lohengrin* l'ho sentito cantare dalla mia mamma.

Mio padre, non solo non amava la musica, ma la odiava: odiava ogni specie di strumento che producesse musica, si trattasse d'un pianoforte, d'una fisarmonica o d'un tamburo. Una volta io ero a Roma con lui, subito dopo la guerra, in un ristorante: entrò una donna a chiedere l'elemosina. Il cameriere fece l'atto di cacciarla via. Mio padre s'infuriò contro quel cameriere, urlò: – Le proibisco di cacciar via quella povera donna! La lasci stare! – Fece l'elemosina alla donna; e il cameriere, offeso e rabbioso, si ritrasse in un angolo, col suo tovagliolo sul braccio. La donna allora tirò fuori dal suo pastrano una chitarra, e cominciò a suonare. Mio padre, dopo un poco, prese a dar segni d'impazienza, i segni d'impazienza che lui dava a tavola: spostava il bicchiere, spostava il pane, spostava le posate, e si sbatteva il tovagliolo sulle ginocchia. La donna continuava a suonare, piegandosi su di lui con la sua chitarra, grata a lui che l'aveva protetta, e dalla chitarra partivano lunghi gemiti malinconici. Mio padre a un tratto esplose: – Basta con questa musica! Se ne vada! Io non sopporto di sentir suonare! –

Ma quella continuava: e il cameriere, trionfante, taceva là nel suo angolo, immobile, contemplando la scena.

Oltre al suicidio del Silvio, in casa nostra c'era anche un'altra cosa che veniva sempre velata di un vago mistero, pur riguardando persone di cui si parlava continuamente: ed era il fatto che Turati e la Kuliscioff, non essendo marito e moglie, vivessero insieme. Anche in questa sorta di mistero riconosco soprattutto l'intenzione e i pudori di mio padre, perché mia madre forse, da sola, non ci avrebbe pensato. Sarebbe stato piú semplice che ci mentissero, dicendoci che erano marito e moglie. Invece no; a noi, o almeno a me che ero ancora bambina, veniva nascosto che abitavano insieme; e io, sentendoli sempre nominare in coppia, domandavo perché, e se erano marito e moglie, o fratello e sorella, o cosa. Mi veniva risposto in modo confuso. Non capivo poi da dove l'Andreina, amica d'infanzia di mia madre e figlia della Kuliscioff, fosse schiodata fuori, e perché si chiamasse Costa; e non capivo cosa c'entrasse Andrea Costa, che era morto da tempo, e che tuttavia veniva nominato spesso insieme a quelle persone.

Turati e la Kuliscioff, nei ricordi di mia madre, erano sempre presenti: e io sapevo che erano tutti e due vivi, che stavano a Milano (forse insieme, forse in due case diverse) e che ancora si occupavano di politica, che lottavano contro il fascismo. Tuttavia si mescolavano, nella mia immaginazione, con altre figure anch'esse sempre presenti nei ricordi di mia madre: i suoi genitori, il Silvio, il Demente, il Barbison. Persone o morte, o comunque antichissime anche se vive ancora, perché partecipi di tempi lontani, di vicende remote, quando mia madre era piccola quando aveva sentito dire « la sorella della mia cagna » e « de cosa spussa l'acido solfidrico »; persone che non si potevano incontrare ora, che non si potevano toccare, e che anche se si incontravano e si toccavano non erano però le stesse di quando io le avevo pensate, e che anche se vive ancora erano state tuttavia contagiate dalla vicinanza dei morti, con i quali abitavano nella mia anima: avevano preso, dei morti, il passo irraggiungibile e leggero.

– Oh, povera Lidia, – sospirava di tanto in tanto mia madre. Compiangeva cosí se stessa, per i guai che aveva, i pochi soldi, le sgridate di mio padre, Alberto e Mario che si picchiavano sempre; Alberto che non aveva voglia di studiare, e andava sempre a giocare a foot-ball; e i nostri musi, e i musi della Natalina.

Anch'io avevo, qualche volta, il muso, o facevo capricci. Ero però una bambina, e i miei musi e i miei capricci, a quel tempo, non turbavano molto mia madre. – Mi pizzica, mi pizzica! – cominciavo a dire al mattino, quando mia madre mi vestiva e m'infilava certe maglie di lana, che mi davano fastidio alla pelle. – Ma son maglie buone! – diceva mia madre. – Sono di Neuberg! non vuoi mica che le butti via!

Le nostre maglie, mia madre le comprava « da Neuberg »; e se una maglia era di Neuberg, doveva per forza essere buona, soffice, e non era possibile che desse fastidio alla pelle. Le maglie, si compravano da Neuberg; i paltò si facevano fare dal sarto Maccheroni; quanto alle nostre scarpe da inverno, se ne occupava mio padre, e venivano ordinate da un calzolaio, che si chiamava « il signor Castagneri » e aveva un negozio in via Saluzzo.

Io entravo in sala da pranzo, ancora col muso, per via della maglia di Neuberg; e mia madre vedendomi entrare scura, imbronciata, diceva: – Ecco Maria Temporala!

Mia madre odiava il freddo; ed era per questo che comprava, da Neuberg, tutte quelle maglie. Odiava il freddo pur facendo, ogni mattina, quella doccia gelata, che le piaceva. Ma il freddo, il freddo costante e penetrante dei giorni invernali, lo

odiava. – Che freddo! – diceva continuamente, infilandosi un
golf sopra l'altro e tirandosi le maniche sulle mani. – Che freddo che fa! io non posso soffrire il freddo! – E mi tirava giú sui
fianchi la maglia di Neuberg, mentre io mi divincolavo. – Tutta di lana Lidia! – diceva, rifacendo il verso a una sua antica
compagna di scuola. E diceva: – Pensare che a vederti con questa bella maglia calda, io mi sento tutta racconsolata.

Odiava, però, anche il caldo. Quando faceva caldo cominciava a sbuffare, a scostarsi il bavero del vestito dal collo. – Che
caldo! Io non posso soffrire il caldo! – diceva. E mio padre diceva: – Che intollerante che sei! che intolleranti che siete
voialtri!

Quando andava con mio padre in viaggio, mia madre si
portava dietro una quantità di golf e vestiti di diverso peso,
e non faceva che spogliarsi e rivestirsi, alle minime variazioni
del tempo. – Non trovo mai la giusta temperatura, – diceva.
Mio padre diceva: – Che noiosa che sei col caldo e col freddo!
Trovi sempre da brontolare!

Io non volevo mai fare colazione al mattino. Il latte, lo de-
testavo. Il mezzorado, ancora di piú. Tuttavia mia madre sapeva che io a casa della Frances, quand'ero là a merenda, bevevo tazze di latte; e cosí anche dai Terni. In verità io bevevo
quel latte, dai Terni e dalla Frances, con estrema ripugnanza;
lo bevevo per ubbidienza e per timidezza, trovandomi fuori di
casa mia. Mia madre s'era messa in testa che il latte, dalla Frances, mi piaceva. Perciò al mattino mi veniva portata una tazza
di latte, e io, regolarmente, rifiutavo di toccarla. – Ma è latte
della Frances! – diceva mia madre. – È il latte di Lucio! è la
mucca di Lucio! – Mi dava da intendere che quel latte erano andati a prenderlo dalla Frances; che Lucio e la Frances avevano
una loro mucca personale, e che il latte in casa loro non era comprato dal lattaio, ma fatto venire ogni giorno da certe terre che
avevano in Normandia, una campagna chiamata il Grouchet.

– È il latte del Grouchet! è il latte di Lucio! – continuava per un pezzo mia madre; ma siccome io risolutamente rifiutavo di berlo, la Natalina finiva col farmi una minestra in brodo.

Io non andavo a scuola, benché fossi nell'età di andarci; perché mio padre diceva che a scuola si prendono microbi. Anche i miei fratelli avevano fatto le elementari in casa, con maestre, per la stessa ragione. A me, dava lezione mia madre. Io non capivo l'aritmetica; e non riuscivo a imparare la tavola pitagorica. Mia madre si sgolava. Prendeva in giardino dei sassi e li allineava sul tavolo; o prendeva delle caramelle. In casa nostra non si faceva consumo di caramelle, perché mio padre diceva che rovinano i denti; e non c'era mai cioccolata, o altri dolci da mangiare, perché era proibito mangiare « fuori pasto ». Gli unici dolci che si mangiavano, però sempre a tavola, erano certe frittelle chiamate « gli smarren » che aveva insegnato non so che cuoca tedesca; sembra fossero economiche, e se ne mangiava cosí spesso, che non le potevamo piú soffrire. Poi c'era un dolce che sapeva fare la Natalina, e che si chiamava « il dolce di Gressoney »; forse perché la Natalina aveva imparato a farlo quand'eravamo a Gressoney, in montagna.

Le caramelle, mia madre le comprava soltanto per insegnarmi l'aritmetica. Ma a me quell'aritmetica legata ai sassi, alle caramelle, ripugnava ancora di piú. Mia madre s'era abbonata, per imparare moderni metodi didattici, a una rivista scolastica, che si chiamava « I diritti della scuola ». Non so cos'abbia imparato, su quella rivista, riguardo ai sistemi pedagogici; forse, nulla; aveva però trovato lí una poesia, che le piaceva molto, e che usava recitare ai miei fratelli:

> E tutti grideremo
> Viva la man gentile
> di bimba signorile
> che pratica virtú.

Insegnandomi la geografia, mia madre mi raccontava di tutti i paesi dov'era stato mio padre da giovane. Era stato in India, dove s'era preso il colera, e, credo, la febbre gialla; ed era stato in Germania e in Olanda. Era stato poi anche nello Spitzberg. Nello Spitzberg, era entrato dentro nel cranio della balena, per cercare i gangli cerebro-spinali: ma non era riuscito a trovarli. S'era sporcato tutto col sangue di balena, e i vestiti, che aveva riportato indietro, erano imbrattati e duri di sangue secco. C'erano in casa nostra molte fotografie di mio padre con le balene; e mia madre me le mostrava, ma mi lasciavano un po' delusa, perché erano fotografie sfocate, e mio padre non appariva che al fondo, una minuscola ombra; e della balena non si vedeva né il muso, né la coda; si vedeva soltanto una specie di collina seghettata, grigia e nebbiosa: e la balena era quello.

In primavera crescevano, nel nostro giardino, molte rose: e come mai crescessero non so, dato che nessuno di noi si sognava mai di annaffiarle, né di potare i rosai; veniva, sí e no una volta all'anno, un giardiniere: e si vede che bastava.

– Le rose Lidia! le violette Lidia! – diceva mia madre passeggiando per il giardino, e rifacendo il verso a quella sua compagna di scuola. In primavera, venivano nel nostro giardino i bambini di Terni con la loro bambinaia Assunta, la quale aveva un grembiale bianco e calze bianche di filo di Scozia: e si toglieva le scarpe, e le posava accanto a sé sul prato. Il Cucco e la Lullina, i figli di Terni, avevano anche loro vestiti bianchi, e mia madre gli metteva i miei grembiali, perché giocassero senza sporcarsi. – Ssst, ssst! guardate cosa fa il Cucco! – diceva Terni, ammirando i suoi bambini che giocavano con la terra. Anche Terni, sul prato, si levava le scarpe e la giacchetta, per giocare a palla: ma tornava subito a rinfilarseli se si sentiva arrivare mio padre.

Avevamo, in giardino, un albero di ciliege; e Alberto saliva sull'albero a mangiar ciliege, con i suoi amici: Frinco, quello dei libri, torva figura in maglione e berretto a visiera; e i fratelli di Lucio.

Lucio veniva al mattino e se ne andava la sera: nelle belle stagioni, soggiornava sempre a casa nostra, perché loro non avevano giardino. Lucio era delicatino, gracile, e a tavola non aveva mai fame: mangiava un poco, sospirava e posava la forchetta: – Sono stanco di masticare, – diceva, parlando con l'erre, come tutti loro in famiglia. Lucio era fascista, e i miei fratelli lo facevano arrabbiare, parlandogli male di Mussolini; – Non parliamo di politica, – diceva Lucio, appena vedeva arrivare i miei fratelli. Aveva, da piccolo, grossi boccoli neri, accomodati in lunghe banane'sulla fronte; poi, gli tagliarono i capelli, e aveva allora una testa ravviata e liscia, lustra di brillantina; ed era vestito sempre come un piccolo uomo, con giacchettine attillate e cravattine a farfalla. Aveva imparato a leggere insieme a me: ma io avevo letto un mucchio di libri, e lui pochi, perché leggeva adagio e si stancava; tuttavia quand'era a casa nostra leggeva anche lui, perché io ogni tanto, stufa di giocare, mi buttavo con un libro sul prato. Lucio andava poi a vantarsi, con i miei fratelli, d'aver letto un libro per intero, perché loro sempre lo canzonavano che leggeva poco. – Oggi ho letto due lire. – Oggi ho letto cinque lire, – diceva compiaciuto, mostrando il prezzo che stava scritto sul frontespizio. Lo veniva a riprendere, la sera, la sua donna, una certa Maria Buoninsegni: una donnetta vecchia, rugosa, con una volpe spelata intorno al collo. Questa Maria Buoninsegni era molto devota: e ci portava, me e Lucio, in chiesa, e nelle processioni. Era amica di padre Semeria, e ne parlava sempre; e una volta, in non so che cerimonia religiosa, ci presentò me e Lucio a padre Semeria, il quale ci accarezzò sulla testa, e le chiese se fossimo suoi figli. – No. Figli d'amici, – rispose la Maria Buoninsegni.

Né Lopez, né Terni amavano la montagna: e mio padre le gite e le ascensioni le faceva a volte con un suo amico, che si chiamava Galeotti.

Galeotti abitava in una campagna chiamata Pozzuolo, con una sorella e un nipote. Mia madre era stata, una volta, in quella campagna: e si era molto divertita, parlava sempre di quei giorni a Pozzuolo: c'erano là polli e tacchini, e si facevano grandi mangiate. L'Adele Rasetti, la sorella di Galeotti, aveva molto passeggiato con mia madre dicendole i nomi delle erbe, delle piante e degli insetti; perché in quella famiglia erano tutti entomologi e botanici. L'Adele aveva poi regalato a mia madre un suo quadro, dove si vedeva un lago alpino; e lo tenevamo appeso nella nostra stanza da pranzo. Al mattino l'Adele si alzava presto, per fare i conti col fattore, o per dipingere; oppure se ne andava sui prati « a erborizzare », piccola, magra, col naso puntuto, col suo cappello di paglia. – Com'è brava l'Adele! Si alza presto, dipinge! Va a erborizzare! – diceva sempre mia madre ammirata, lei che non sapeva dipingere, e non riconosceva il basilico dalla cicoria. Mia madre era pigra, ed era sempre piena d'ammirazione per la gente attiva; e ogni volta che vedeva l'Adele Rasetti si metteva a leggere manuali di scienze, per imparare anche lei qualcosa sugli insetti e sulla botanica: ma poi si stufava e lasciava lí.

Galeotti veniva a trovarci, l'estate, in montagna, col nipote, che era il figlio dell'Adele, ed era amico di mio fratello Gino. Mia nonna, la mattina, passeggiava su e giú per la stanza in angoscia, chiedendosi che vestito mettere. – Metta, – diceva mia madre, – quello grigio coi bottoncini. – No, che Galeotti l'ha già visto! – diceva mia nonna, torcendosi le mani per l'incertezza.

Galeotti, mia nonna, non la guardava quant'era lunga, essendo sempre assorto a parlare con mio padre, e a concertare camminate e ascensioni. Mia nonna del resto, nonostante quella preoccupazione di poter esser vista da Galeotti « col vestito di ieri », non lo poteva soffrire Galeotti, trovandolo rozzo e semplice, e temendo che portasse mio padre in posti pericolosi.

Il nipote di Galeotti si chiamava Franco Rasetti. Studiava fisica: aveva però anche lui la mania di raccogliere insetti e minerali; e questa mania l'aveva attaccata a Gino. Tornavano dalle gite con zolle di muschio nel fazzoletto, scarabei morti e cristalli dentro al sacco da montagna. Franco Rasetti, a tavola, parlava incessantemente, ma sempre di fisica, o di geologia, o di coleotteri: e parlando tirava su col dito tutte le briciole sulla tovaglia. Aveva il naso puntuto e il mento aguzzo, un colorito sempre un po' verdognolo da lucertola, e baffetti spinosi. – È molto intelligente, – diceva di lui mio padre. – Però è arido! È molto arido! – Franco Rasetti tuttavia, pur essendo arido, aveva scritto una poesia, una volta, tornando con Gino da una gita, mentr'erano in un casale abbandonato e aspettavano che finisse di piovere:

Cade la pioggia lenta ed uniforme
Sui prati verdi e sulle rocce nere.
Nell'aria si dileguan vaghe forme
Velate di caligini leggere.

Gino, lui, non scriveva poesie; e non amava molto né le poesie, né i romanzi. Ma questa poesia gli piaceva molto; e la recitava sempre. Era lunga; io purtroppo ricordo solo quella strofa.

Anche a me la poesia delle rocce nere sembrava bellissima; e mi struggevo d'invidia, per non averla scritta io. Era semplice: prati verdi, rocce nere, ne avevo visti tante volte anch'io, in montagna. E non m'era venuto in testa che si potesse farne niente: li avevo guardati, e basta. Le poesie erano dunque cosí: semplici, fatte di niente; fatte delle cose che si guardavano. Mi guardavo intorno con occhi attenti: cercavo cose che potessero assomigliare a quelle rocce nere, a quei prati verdi, e che questa volta non mi sarei lasciata portar via da nessuno.

– Gino e Rasetti camminano bene! – diceva mio padre. – Hanno fatto l'Aiguille Noire de Peteré! Vanno bene! Peccato che quel Rasetti è cosí arido! Non parla di politica, non gl'interessa. È arido!

– Ma l'Adele no, non è arida, – diceva mia madre. – Com'è brava, si alza presto, dipinge! mi piacerebbe essere come l'Adele!

Galeotti era sempre allegro, era piuttosto basso, grassoccio, e vestito di lana grigia pelosa: e aveva i baffi bianchi corti, i capelli tra bianchi e biondi, e il viso abbronzato. Tutti noi gli volevamo un gran bene. Ma io, di lui, non mi ricordo altro.

Un giorno, erano in piedi nell'anticamera, Terni e mia madre: e mia madre piangeva. Dissero che Galeotti era morto.

Le parole « È morto Galeotti » rimasero per sempre in me. Non era, fin allora, da quando io esistevo al mondo, morto nessuno che noi conoscessimo tanto bene. La morte si sposò indissolubilmente, nel mio pensiero, a quella forma vestita di lana grigia, allegra, e che spesso veniva a trovarci in montagna d'estate.

Galeotti era morto all'improvviso, d'una polmonite.

Molti anni piú tardi, dopo che fu scoperta la penicillina, mio padre spesso diceva:

– Se ci fosse stata la penicillina al tempo del povero Galeotti, non sarebbe morto. È morto di una polmonite da streptococco. Si guarisce, con la penicillina.

Mio padre, appena moriva una persona, immediatamente aggiungeva al suo nome la parola « povero »; e si arrabbiava con mia madre, che non faceva cosí. Era, questa del « povero », un'abitudine molto rispettata nella famiglia di mio padre: mia nonna, parlando d'una sua sorella morta, diceva invariabilmente « Regina poveretta » e non la nominava mai altrimenti.

Galeotti divenne dunque « il povero Galeotti » un'ora appena dopo la sua morte. A mia nonna la notizia della sua morte fu appresa con grande cautela, perché lei, avendo sempre molta paura di morire, non gradiva affatto che la morte girasse nei suoi paraggi, fra la gente che conosceva.

Mio padre, dopo la morte di Galeotti, diceva che non provava piú grande gioia nel fare ascensioni. Le faceva tuttavia lo stesso; ma senza l'antico piacere. E lui e mia madre parlavano del tempo ch'era ancora vivo Galeotti come di un tempo felice, allegro, quando loro erano piú giovani, quando le montagne conservavano intatto per mio padre il proprio fascino, quando il fascismo sembrava dovesse presto finire.

– Com'è carino, com'è simpatico Mario! – diceva mia madre, lisciando i capelli a Mario che s'era appena alzato, e aveva, per il sonno, gli occhi piccoli, quasi invisibili.

– Il baco del calo del malo, – diceva Mario con un sorriso assorto, carezzandosi le mascelle. Era il suo modo di annunciare che non aveva il muso, e che avrebbe chiacchierato con mia madre, con mia sorella e con me.

– Com'è carino Mario, com'è bello! – diceva mia madre. – Assomiglia al Silvio! Assomiglia a Suess Aja Cawa!

Suess Aja Cawa era un attore cinematografico noto a quel tempo. Mia madre, quando vedeva sullo schermo gli occhi mongoli e gli zigomi ossuti di Suess Aja Cawa, esclamava: – È Mario! è proprio lui!

– Non trovi anche tu che Mario è bello? – chiedeva a mio padre.

– Io non lo trovo tanto bello. È piú bello Gino, – mio padre rispondeva.

– È bello anche Gino, – diceva allora mia madre. – Com'è simpatico Gino! Il mio Ginetto! A me mi piacciono solo i miei figli. Io mi diverto solo con i miei figli!

E quando Gino o Mario avevano un vestito nuovo del sarto Maccheroni, mia madre li abbracciava, e diceva:

– Io ai miei figli, quando hanno un vestito nuovo gli voglio piú bene.

Si facevano in casa nostra, sulla bellezza e bruttezza della gente, discussioni accese. Si discuteva ancora se una certa signora Gilda, governante a Palermo in una famiglia di nostri amici, era bella o no. I miei fratelli sostenevano che era bruttissima, una specie di muso di cane; ma mia madre diceva che era una bellezza straordinaria.

– Macché! – urlava mio padre, con una di quelle sue risate tuonanti, che echeggiavano per tutta la casa. – Macché! Bella quella lí!

E si discuteva sempre a lungo, se erano piú brutti i Colombo o i Coen, nostri amici che incontravamo in montagna d'estate.

– Son piú brutti i Coen! – urlava mio padre. – Vuoi mettere coi Colombo! Non c'è paragone. I Colombo son meglio. Non hai occhi! Non avete occhi voialtri!

Delle sue varie cugine che si chiamavano o Margherita o Regina, mio padre usava dire che erano molto belle. – Regina da giovane, – cominciava, – era una gran bella donna –. E mia madre diceva: – Ma no Beppino! Era una baslettona!

Sporgeva in fuori il mento e il labbro di sotto, per mostrare che gran basletta che aveva quella Regina; e mio padre s'arrabbiava:

– Tu non capisci niente di bellezze e bruttezze! Tu dici che i Colombo son piú brutti dei Coen!

Gino era serio, studioso, tranquillo; non picchiava nessuno dei suoi fratelli; andava bene in montagna. Era il prediletto di mio padre. Di lui, mio padre non diceva mai che era « un asino »; diceva però che « dava poco spago ». Il dar corda, in casa nostra, si chiamava « dar spago ». Gino, infatti, dava poco spago, perché leggeva sempre; e quando gli si parlava, rispondeva a monosillabi, senza alzare la testa dal libro. Se Alberto e Mario si picchiavano, non si muoveva e continuava a leggere; e mia madre doveva chiamarlo e scuoterlo, che venisse a dividerli. Leggendo, mangiava pane, adagio adagio, una pagnotta dopo l'altra; ne mangiava piú o meno un chilo, dopo il pranzo.

– Gino! – gridava mio padre, – non dài spago! non racconti niente! e poi non mangiare tanto pane, farai l'indigestione!

Gino infatti, spesso aveva l'indigestione: era rosso in faccia, accigliato, le sue orecchie a sventola si facevano rosse come il fuoco. – Cos'è che Gino ha quel muso? – diceva mio padre a mia madre, svegliandola nella notte. – Cos'è che ha quella luna? Non si sarà mica messo in qualche pasticcio? – Mio padre non sapeva mai riconoscere, nei suoi figli, i musi dalle indigestioni; e davanti a una vera indigestione, sospettava oscure storie di donne, di *cocottes* come lui diceva.

A volte, la sera, portava Gino dai Lopez; sembrandogli il piú serio, il piú educato, il piú presentabile dei suoi figli. Ma Gino aveva il vizio d'addormentarsi dopo mangiato: e si addormentava anche là dai Lopez, in una poltrona, con la Frances che gli parlava: i suoi occhi si facevano piccoli, la sua testa dondolava dolcemente; e dopo un poco dormiva, con un sorriso svanito e beato, con le mani in grembo.

– Gino! – urlava mio padre, – non dormire! stai dormendo!

– Voialtri, – diceva mio padre, – non siete gente da portare nei loghi!

Da una parte c'erano Gino e Rasetti, con le montagne, le « rocce nere », i cristalli, gl'insetti. Dall'altra parte c'erano Mario, mia sorella Paola e Terni, i quali detestavano la montagna, e amavano le stanze chiuse e tiepide, la penombra, i caffè. Amavano i quadri di Casorati, il teatro di Pirandello, le poesie di Verlaine, le edizioni di Gallimard, Proust. Erano due mondi incomunicabili.

Io non sapevo ancora se avrei scelto l'uno o l'altro. Mi attiravano tutt'e due. Non avevo ancora deciso se, nella mia vita, avrei studiato i coleotteri, la chimica, la botanica; o se invece avrei dipinto quadri, o scritto romanzi. Nel mondo di Rasetti e di Gino era tutto chiaro, tutto si svolgeva alla luce del sole, tutto era plausibile, non c'erano misteri o segreti; e invece nei discorsi che facevano Terni, la Paola e Mario sul divano in salotto, c'era qualcosa di misterioso e d'impenetrabile, che esercitava su di me una mescolanza di fascino e di spavento.

– Cos'ha Terni con Mario e Paola da ciuciottare? – diceva mio padre a mia madre. – Stanno sempre lí in un angolo a ciuciottare. Cosa sono tutti quei fufignezzi?

I fufignezzi erano, per mio padre, i segreti; e non tollerava veder la gente assorta a parlare, e non sapere cosa si dicevano.

– Parleranno di Proust, – gli diceva mia madre.

Mia madre aveva letto Proust, e lei pure, come Terni e la Paola, lo amava moltissimo; e raccontò a mio padre che era, questo Proust, uno che voleva tanto bene alla sua mamma e alla sua nonna; e aveva l'asma, e non poteva mai dormire; e siccome non sopportava i rumori, aveva foderato di sughero le pareti della sua stanza.

Disse mio padre:

– Doveva essere un tanghero!

Mia madre non aveva scelto né l'uno né l'altro di quei due mondi, ma abitava un po' nell'uno e un po' nell'altro, e nell'uno e nell'altro stava con gioia: perché la sua curiosità non

respingeva mai nulla, ma si alimentava d'ogni qualità di be-
vanda o di cibo.

Mio padre invece usava gettare sulle cose nuove, che non
conosceva, uno sguardo torvo e pieno di sospetto. E i libri che
Terni portava in casa, lui temeva sempre che non fossero « adattati » per noi. – Sarà adattato per la Paola? – chiedeva a mia
madre, sfogliando *La recherche* e leggendone qua e là qualche frase. – Dev'essere roba noiosa, – diceva poi buttando via
il volume; e il fatto che fosse « roba noiosa » lo rassicurava
un poco.

Quanto ai quadri di Casorati, di cui Terni ci portava le riproduzioni, mio padre non li poteva soffrire. – Sgarabazzi!
sbrodeghezzi! – diceva. La pittura, del resto, non lo interessava affatto. Andava, con mia madre, nei musei di quadri, quan-
d'erano in viaggio; accordando ai pittori « antichi », come
Goya o Tiziano, per il fatto che erano ormai universalmente
riconosciuti, giubilati, una certa legittimità. Voleva però che
quelle visite ai musei fossero rapidissime; e non permetteva a
mia madre di sostare davanti ai quadri. – Lidia, vieni, andiamo! – diceva trascinandola via; aveva, in viaggio, sempre una
gran fretta.

Anche mia madre, del resto, non s'interessava molto alla
pittura: conosceva però Casorati di persona, e lo trovava simpatico. – Che bella faccia che ha Casorati, – diceva sempre.
Siccome gli trovava una bella faccia, accettava anche i suoi
quadri.

– Sono stata nello studio di Casorati, – diceva mia sorella
rientrando.

– Com'è simpatico Casorati! che bella faccia! – diceva mia
madre.

– Cosa diavolo va a fare la Paola nello studio di Casorati?
– chiedeva mio padre, con cipiglio e sospetto. Mio padre temeva sempre che noi ci mettessimo in qualche « pasticcio », e

cioè che ci trovassimo intrappolati in oscure trame amorose;
e dovunque vedeva minacce alla nostra castità.

– Niente, c'è andata con Terni. Sono andati a salutare la
Nella Marchesini, – gli spiegava mia madre.

Il nome della Nella Marchesini, amica d'infanzia di mia sorella e che mio padre conosceva bene e stimava, bastava a ras-
sicurare mio padre. La Nella Marchesini studiava pittura con
Casorati, e la sua presenza in quello studio mio padre la considerava legittima. Non sarebbe bastata a rassicurarlo, invece,
la compagnia di Terni, che lui non considerava per noi un'autorevole protezione.

– Quanto tempo da perdere ha quel Terni, – osservava. –
Farebbe meglio a finire il suo lavoro sulla patologia dei tessuti.
È un anno che ne sento parlare.

– Sai che è antifascista Casorati? – diceva mia madre. Gli
antifascisti diventavano, col tempo, sempre piú rari: e mio padre, quando sentiva che ce n'era uno, subito si rallegrava.

– Ah è antifascista? ah davvero? – diceva con interesse. –
Però i suoi quadri sono dei gran sbrodeghezzi! Possibile che
alla gente gli piacciano!

Terni era molto amico di Petrolini: e quando venne Petrolini a Torino per una serie di rappresentazioni, Terni aveva,
quasi ogni sera, biglietti di poltrona in omaggio, che regalava
ai miei fratelli e a mia madre. – Che bellezza! – diceva mia madre nella giornata. – Anche stasera si va a sentire Petrolini!
Andiamo in poltrona. Come mi piace andare a teatro in poltrona! È cosí simpatico Petrolini, è cosí spiritoso! Gli sarebbe
piaciuto molto anche al Silvio! – Ah, allora anche stasera mi
pianti solo, – diceva mio padre. Mia madre gli diceva: – Ma
vieni anche tu Beppino. – Macché! – urlava mio padre. – Figurati se vengo a sentire Petrolini! M'importa assai a me di
Petrolini! Un pagliaccio!

– Siamo andati coi Terni a salutare Petrolini nel suo camerino, – diceva mia madre il giorno dopo. – È venuta anche Mary. Loro sono molto amici di Petrolini.

La presenza di Mary, la moglie di Terni, era agli occhi di mio padre una presenza autorevole e rassicurante; perché lui nutriva per Mary la piú alta ammirazione e stima. La presenza di Mary valeva ad accordare una legittimità e un decoro a quelle serate a teatro, e anche forse un poco alla figura di Petrolini; che però lui continuava a disprezzare, immaginando che dovesse, per recitare, mettersi un naso finto e ossigenarsi i capelli. – Non capisco come mai Mary sia tanto amica di Petrolini, – diceva con profondo stupore. – Non capisco come mai si diverta tanto a sentire Petrolini! Capisco Terni e voialtri, che vi piacciono tanto i sempiezzi. E com'è che loro sono tanto amici di Petrolini? Dev'essere una persona equivoca!

Per mio padre un attore, e in special modo un attore comico, che faceva smorfie sulla scena per far ridere la gente, doveva senz'altro essere « una persona equivoca ». Mia madre gli ricordava tuttavia che suo fratello Cesare aveva passato la vita in compagnia di attori, e aveva sposato un'attrice. Non potevano essere, tutte quelle persone che suo fratello usava frequentare, non potevano essere sempre « gente equivoca », anche se venivano in scena travestiti, o se si tingevano i capelli e i baffi. – E Molière? – gli diceva mia madre. – Molière non faceva anche lui l'attore? Non dirai mica che era una persona equivoca! – Ah Molière! – diceva mio padre, che aveva per Molière la piú grande stima. – Molière è bellissimo! Il povero Cesare aveva una passione per Molière! Ma non vorrai mica mettere Molière con Petrolini? – urlava alla fine, con una di quelle risate tuonanti, che rovesciavano su Petrolini il piú acuto disprezzo.

A teatro, ci andavano di solito mia madre, la Paola e Mario; e ci andavano di solito con i Terni, i quali, se non avevano come per Petrolini poltrone in omaggio, avevano però sempre

un palco e li invitavano; perciò mio padre non poteva dire:
– Non voglio che buttiate via i soldi a teatro –; inoltre, vedeva
con benevolenza una serata di mia madre con Mary. – Vai
sempre a divertirti, – diceva però a mia madre, – mi pianti sempre. – Ma tu la sera te ne stai sempre là rinchiuso nel tuo studio, – diceva mia madre. – Non mi dai spago. Non mi fai compagnia. – Che asina! – diceva mio padre. – Lo sai che ho da
fare. Non ho tempo da perdere come voialtri. E poi non t'ho
mica sposato per tenerti compagnia!

Mio padre, la sera, nel suo studio, lavorava: cioè correggeva le bozze dei suoi libri, e vi incollava certe illustrazioni. A
volte tuttavia, leggeva romanzi. – È bello quel romanzo, Beppino? – chiedeva mia madre. – Macché! una noia! un sempiezzo! – rispondeva alzando le spalle. Leggeva però con la piú
viva attenzione; e intanto fumava la pipa, e spazzava via la cenere dalla pagina. Quando tornava da qualche viaggio, aveva
sempre con sé romanzi polizieschi, che comprava sulle banca-
relle delle stazioni; e finiva di leggerli là nel suo studio, la sera.
Erano, di solito, in inglese o in tedesco: sembrandogli forse
meno frivolo leggere quei romanzi in una lingua straniera. – Un
sempiezzo, – diceva alzando le spalle; e leggeva tuttavia fino
all'ultima riga. Piú tardi, quando cominciarono a uscire i romanzi di Simenon, mio padre ne divenne un lettore assiduo.
– Non è mica male Simenon, – diceva. – Descrive bene quella
provincia francese. Quell'ambiente di provincia è molto ben
descritto! – Ma allora, negli anni di via Pastrengo, i romanzi
di Simenon non esistevano ancora; e i libri che mio padre portava dai suoi viaggi erano certi volumetti lucidi, con figure di
donne sgozzate in copertina. Mia madre, trovandoglieli nelle
tasche del cappotto, diceva: – Ma guarda che sempiezzi che
legge questo Beppino!

Terni aveva creato fra la Paola e Mario una connivenza, che persisteva anche quando lui se ne andava. Era una connivenza votata, per quanto potevo capire, all'insegna della malinconia. La Paola e Mario facevano passeggiate malinconiche, o loro due insieme o ciascuno per conto proprio, al crepuscolo, in raccolta solitudine; e insieme leggevano poesie tristi, mormorandole in un dolente bisbiglio.

Quanto a Terni, lui non era affatto, se ricordo bene, una persona cosí malinconica: lui non era attratto in special modo dai luoghi abbandonati e silenziosi, né faceva mai passeggiate malinconiche e solitarie. Terni viveva in modo perfettamente normale: nella sua casa, con la moglie Mary, la bambinaia Assunta, e i suoi figli Cucco e Lullina, che lui e la moglie viziavano, e davanti ai quali usavano, entrambi, estasiarsi. Ma Terni aveva portato in casa nostra il gusto della malinconia, degli atteggiamenti malinconici, cosí come vi aveva portato la « Nouvelle Revue Française », e le riproduzioni di Casorati. E la Paola e Mario avevano raccolto quell'invito: non Gino, che non piaceva a Terni e a cui Terni non piaceva affatto; non Alberto, che s'infischiava di poesia e di pittura e dopo « La vecchia zitella senza mammella » non aveva mai piú fatto poesie, e pensava soltanto a giocare a foot-ball; e non io, che non m'interessavo molto a Terni e non vedevo in lui che il padre del Cucco, bambino col quale a volte giocavo.

Mostravano, la Paola e Mario, perduti nella loro malinconia, una profonda insofferenza per il dispotismo di mio padre, e per i costumi di casa nostra, quanto mai semplici ed austeri: avevano l'aria di sentirsi, nella nostra casa, in esilio, sognando tutta un'altra casa, e tutt'altre abitudini. La loro insofferenza si traduceva in grandi musi e lune, sguardi spenti e facce impenetrabili, risposte monosillabiche, rabbiosi sbatter di porte che facevano tremare la casa, e recisi rifiuti ad andare, il sabato e la domenica, in montagna. Non appena mio padre usciva

dalla stanza, loro si rasserenavano, perché la loro insofferenza
non includeva mia madre, ma era votata a mio padre soltanto;
ascoltavano le storie di mia madre, e declamavano a gran voce
con lei la poesia dell'inondazione:

> Eran parecchi giorni che si tremava tutti!

Mario avrebbe voluto studiare legge, e mio padre invece
l'aveva obbligato a iscriversi in economia e commercio: sembrandogli, non so perché, la facoltà di legge, una facoltà poco
seria, e senza un sicuro avvenire. Mario gliene portò, per anni,
un muto rancore. Quanto alla Paola, era in genere malcontenta
della vita che faceva, e avrebbe voluto avere piú vestiti; e i
vestiti che aveva non le piacevano, sembrandole fossero masco-
lini e di taglio pesante: perché mio padre voleva che ci vestis-
simo tutti dal sarto Maccheroni, sarto da uomo, il quale faceva spendere poco: o almeno, lui s'era messo in testa che facesse
spendere poco. Mia madre aveva anche una sartina, la sarta
Alice, a cui a volte si ricorreva: ma mia madre diceva che non
era brava. – Come vorrei un bel vestito di seta pura! – diceva
mia sorella a mia madre, quando stavano a chiacchierare in salotto; e mia madre diceva: – Anch'io! – e sfogliavano riviste
di mode; – Vorrei, – diceva mia madre, – una bella *princessina*
di seta pura! – e mia sorella diceva: – Anch'io! – Ma la seta
pura non potevano comperarla, perché non c'erano mai soldi; e
poi tanto, la sarta Alice l'avrebbe sciupata, non sapendo tagliare.

La Paola avrebbe voluto tagliarsi i capelli, portare i tacchi
alti e non le scarpe mascoline e robuste che faceva « il signor
Castagneri »; andare a ballare in casa delle sue amiche, e giocare al tennis. Nulla di questo le era consentito. Le era invece
quasi imposto di andare, il sabato e la domenica, in montagna
con Gino e con mio padre. La Paola trovava Gino noioso, Rasetti noioso, gli amici di Gino in genere tutti noiosissimi, e la

montagna insopportabile. Skiava tuttavia molto bene, senza stile, dicevano, ma con grande resistenza alla fatica e con grande coraggio, e si buttava giú per le discese con l'impeto d'una leonessa. A giudicare dall'impeto e dal furore con cui si buttava giú per le discese, io sono indotta a credere che si divertisse a skiare, e ne traesse il piú vivo piacere: ma ostentava per la montagna un profondo disprezzo; diceva di avere in odio le scarpe chiodate, i calzettoni di lana e le minute lentiggini che apparivano al sole sul suo piccolo naso delicato; e per far sparire quelle minute lentiggini, usava, dopo ch'era stata in montagna, incipriarsi il viso d'una cipria bianca. Avrebbe voluto avere poca salute, un aspetto fragile, e il viso d'un pallore lunare, come hanno le donne nei quadri di Casorati; e si seccava quando le dicevano che era « fresca come una rosa ». Vedendola bianca in viso, mio padre che non sospettava che mettesse la cipria, diceva che era anemica e le faceva prendere il ferro.

Mio padre, svegliandosi nella notte, diceva a mia madre:

— Che luna che hanno Mario e la Paola. Hanno fatto una gran lega loro due. Mi pare che quel sempio di Terni li ha messi su contro di me.

Cosa si sussurrassero Terni, la Paola e Mario su quel divano in salotto, io non lo sapevo, e non lo so ancora adesso; ma a volte parlavano davvero di Proust. Allora anche mia madre s'inseriva nei loro discorsi. — *La petite phrase!* — diceva mia madre. — Com'è bello quando dice della *petite phrase!* come gli sarebbe piaciuto anche al Silvio! — Terni si levava la caramella e la tergeva nel fazzoletto, al modo di Swann; e faceva « Ssst! ssst! » — Che cosa grande! che cosa bella! — diceva sempre Terni; e la Paola e mia madre tutto il giorno gli rifacevano il verso.

— Vaniloquio! — diceva mio padre, cogliendo qualche parola mentre passava. — Sono stufo di questo vostro vaniloquio! — continuava dirigendosi al suo studio; e quand'era là urlava:

– Terni! ancora non ha finito il suo lavoro sulla patologia dei tessuti! Perde troppo tempo in sempiezzi! Lei è pigro, non lavora abbastanza. È un gran pigro!

La Paola era innamorata di un suo compagno d'università: giovane piccolo, delicato, gentile, con la voce suadente. Facevano insieme passeggiate sul Lungo Po, e nei giardini del Valentino; e parlavano di Proust, essendo quel giovane un proustiano fervente: anzi era il primo che avesse scritto di Proust in Italia. Scriveva, quel giovane, racconti, e saggi di critica letteraria. Io credo che la Paola si fosse innamorata di lui, perché lui era l'esatto contrario di mio padre: cosí piccolo, cosí gentile, con la voce cosí dolce e suadente; e non sapeva nulla a proposito della patologia dei tessuti, e non aveva mai messo piede su un campo di ski. Mio padre venne a sapere di quelle passeggiate, e andò in furia: prima di tutto perché le sue figlie non dovevano passeggiare con uomini; e poi perché per lui un letterato, un critico, uno scrittore, rappresentava qualcosa di spregevole, di frivolo, e anche di equivoco: era un mondo che gli ripugnava. La Paola tuttavia continuò lo stesso quelle passeggiate, nonostante il divieto di mio padre: e la incontravano, a volte, i Lopez, o altri amici dei miei genitori, e lo raccontavano a mio padre, sapendo del suo divieto. Quanto a Terni, lui se la incontrava non andava certo a dirlo a mio padre, perché la Paola si era confidata con lui, sul divano, in segreti bisbigli.

Mio padre urlava a mia madre: – Non lasciarla uscire! proibiscile di uscire! – Mia madre, anche lei non era contenta di quelle passeggiate, e anche lei di quel giovane diffidava: perché mio padre aveva contagiato a lei una confusa, oscura repulsione per il mondo dei letterati, mondo in casa nostra sconosciuto, dato che non entravano da noi che biologi, scienziati o ingegneri. Inoltre, mia madre era molto legata alla Paola; e prima che la Paola avesse quella storia con quel giovane, usavano gi-

rare a lungo loro due insieme per la città, e guardare, nelle vetrine, « i vestiti di seta pura », che né l'una né l'altra potevano
comperarsi. Adesso, di rado la Paola era libera di uscire con
mia madre; e quando era libera, e uscivano chiacchierando a
braccetto, finivano poi col parlare di quel giovane, e tornavano
a casa arrabbiate l'una con l'altra: perché mia madre non accordava a quel giovane, che del resto conosceva appena, tutta
la simpatia e la cordialità che la Paola esigeva. Ma mia madre
era del tutto incapace di proibire qualcosa a qualcuno. – Non
hai autorità! – le urlava mio padre, svegliandola nella notte; e
d'altronde aveva dimostrato di non avere grande autorità neppur lui, perché la Paola continuò per anni a passeggiare con
quel giovane piccolo; e smise quando la cosa si spense da sola,
a poco a poco, come si spegne il lume d'una candela; e non per
volontà di mio padre, ma del tutto al difuori dei suoi urli e
delle sue proibizioni.

Le furie di mio padre si scatenavano, oltre che sulla Paola
e il giovane piccolo, anche sugli studi di mio fratello Alberto,
il quale invece di fare i compiti andava sempre a giocare a foot-
ball. Mio padre, fra gli sport, ammetteva soltanto la montagna.
Gli altri sport gli sembravano o mondani e frivoli, come il tennis, o noiosi e stupidi, come il nuoto, dato che lui aveva in odio
il mare, le spiagge e la sabbia; quanto al foot-ball, lo calcolava
un gioco da ragazzacci di strada, e non lo annoverava nemmeno
fra gli sport. Gino studiava bene, e cosí pure Mario; la Paola
non studiava, ma a mio padre non gliene importava: era una
ragazza, e lui aveva l'idea che le ragazze, anche se non hanno
tanta voglia di studiare, non fa niente, perché poi si sposano;
cosí di me non sapeva neppure che non imparavo l'aritmetica:
solo mia madre se ne disperava, dovendo insegnarmela. Alberto non studiava affatto; e mio padre, male abituato dagli altri
suoi figli maschi, quando lui gli portava a casa una brutta pa-
gella o era sospeso da scuola per indisciplina, veniva colto da una

collera spaventosa. Mio padre era preoccupato per l'avvenire di tutti i suoi figli maschi, e svegliandosi la notte diceva a mia madre: – Cosa farà Gino? cosa farà Mario? – Ma nei riguardi di Alberto, che andava ancora al ginnasio, mio padre non era preoccupato, era addirittura in preda al panico. – Quel mascalzone di Alberto! quel farabutto di Alberto! – Non diceva neppure « quell'asino di Alberto » perché Alberto era piú che un asino; le sue colpe sembravano a mio padre inaudite, mostruose. Alberto passava le giornate o sui campi di foot-ball, da cui tornava sudicio, a volte con le ginocchia o la testa insanguinate e bendate; o in giro con suoi amici; e rientrava sempre tardi a pranzo. Mio padre si sedeva a tavola, e cominciava a sbattere il bicchiere, la forchetta, il pane; e non si sapeva se ce l'aveva con Mussolini, o con Alberto che non era ancora rientrato. – Mascalzone! farabutto! – diceva, mentre la Natalina entrava con la minestra; e la sua collera cresceva a mano a mano che procedeva il pranzo. Alla frutta, Alberto arrivava, fresco, roseo, sorridente. Alberto non aveva mai la luna ed era sempre allegro. – Mascalzone! – tuonava mio padre, – dove sei stato? – A scuola, – diceva Alberto con la sua voce leggera e fresca, – poi sono andato un momento a accompagnare un mio amico. – Un tuo amico! Mascalzone che non sei altro! È il « tocco » passato! – L'una era, per mio padre, « il tocco », e il fatto che Alberto rientrasse « dopo il tocco », gli sembrava una cosa inaudita.

Anche mia madre si lamentava di Alberto. – È sempre sporco! – diceva. – Va in giro che sembra un barabba! Non fa che chiedermi soldi! non studia!

– Vado un momento dal mio amico Pajetta. – Vado un momento dal mio amico Pestelli. – Mamma, per piacere, mi daresti due lire? – Queste erano le parole che Alberto diceva in casa, e non ne diceva molte altre; non perché non fosse comunicativo, era anzi, di noi, il piú comunicativo, espansivo e allegro; soltanto che in casa non c'era mai. – Sempre con Pajetta! con Pajetta! con Pajetta! – diceva mia madre, mettendo in quel nome una speciale rabbiosa rapidità, forse per indicare la rapidità con cui Alberto fuggiva. Due lire erano, anche allora, una piccola somma; ma Alberto chiedeva due lire piú volte nella giornata. Mia madre, sospirando, apriva con le chiavi il cassetto del suo comò. Ad Alberto i soldi non bastavano mai. Prese l'abitudine di vendere i libri di casa, cosí che i nostri scaffali, a poco a poco, si vuotavano; e ogni tanto accadeva che mio padre cercasse un libro senza trovarlo; e mia madre, perché non s'arrabbiasse, gli diceva che l'aveva imprestato alla Frances, ma si sapeva bene ch'era finito su una bancarella di libri usati. Alberto portava anche, a volte, l'argenteria di casa al Monte di Pietà; e mia madre, non trovando una caffettiera, si metteva a piangere. – Senti cos'ha fatto Alberto! – diceva alla Paola. – Senti cosa m'ha fatto! Ma non posso dirlo al papà, se no lo sgrida! – E aveva una tal paura delle collere di mio padre, che cercava le bollette del Monte di Pietà nei cassetti di Alberto, e mandava la Rina a disimpegnare le sue caffettiere, in segreto, senza dirlo a mio padre.

Alberto non era piú amico di Frinco, scomparso nella notte dei tempi insieme ai suoi libri terrorizzanti, e nemmeno dei figli della Frances. Alberto ora aveva Pajetta e Pestelli, suoi compagni di scuola, i quali però erano studiosi; mia madre diceva sempre che Alberto si sceglieva amici ch'erano meglio di lui. – Pestelli, – spiegava mia madre a mio padre, – è un bravissimo ragazzo. È di una famiglia molto per bene. Suo padre è quel Pestelli che scrive sulla Stampa. E sua madre è la Carola Prosperi, – diceva lusingata, e per mettere Alberto in buona luce agli occhi di mio padre; la Carola Prosperi, scrittrice che a mia madre piaceva, non le sembrava poter essere inclusa nel mondo infido dei letterati, perché scriveva anche libri per bambini; e i suoi romanzi, quelli per adulti, erano, diceva sempre mia madre, « molto ben scritti ». Mio padre, che non aveva mai letto i libri di Carola Prosperi, alzava le spalle.

Quanto a Pajetta, mentr'era ancora un ragazzetto in calzoni corti al ginnasio, fu arrestato perché diffondeva, tra i banchi di scuola, opuscoli contro il fascismo; e Alberto, che era tra i suoi amici piú intimi, fu chiamato in questura e interrogato. Pajetta andò in carcere, in un riformatorio di minorenni; e mia madre, lusingata, disse a mio padre:

– Vedi che te lo dicevo Beppino. Vedi che Alberto i suoi amici se li sceglie sempre bene. Sono sempre piú bravi e piú seri di lui.

Mio padre alzò le spalle. Era però anche lui lusingato del fatto che Alberto fosse stato interrogato in questura; e per qualche giorno, si astenne dal chiamarlo mascalzone.

– Un barabba! – diceva mia madre, quando Alberto ritornava dal foot-ball, sudicio, coi biondi capelli intrisi di fango, coi vestiti strappati. – Un barabba!

– Fuma, e butta la cenere per terra! – si lamentava con le sue amiche. – Si sdraia sul letto con le scarpe e m'insudicia la coperta! Chiede soldi, non gli bastano mai!

– Era tanto carino da piccolo! – si lamentava. – Era tanto dolce, mite! Era una pecorina! Lo vestivo tutto di trina, aveva quei bei riccioli! Adesso guarda com'è diventato!

Gli amici di Alberto e di Mario, raramente comparivano in casa nostra; Gino invece i suoi amici li portava sempre in casa, la sera.

Mio padre li invitava a fermarsi a cena. Era, mio padre, sempre pronto a invitare a cena o a pranzo la gente; e magari poi c'era poco da mangiare. Aveva sempre paura, invece, che noi « scroccassimo pranzi » in casa d'altri. – Hai scroccato un pranzo alla Frances! Mi dispiace! – E se uno di noi era invitato da qualcuno a mangiare, e il giorno dopo diceva che questo qualcuno era noioso o antipatico, mio padre subito protestava: – Antipatico! Però gli hai scroccato un pranzo!

Le nostre cene di solito consistevano in una minestrina di Liebig, molto cara a mia madre, e che la Natalina faceva sempre troppo brodosa; e in una frittata. Gli amici di Gino dunque dividevano con noi queste cene, sempre identiche; poi ascoltavano, intorno alla tavola, le storie e le canzoni di mia madre. Fra questi amici ce n'era uno, che si chiamava Adriano Olivetti; e io ricordo la prima volta che entrò in casa nostra, vestito da soldato, perché faceva, a quel tempo, il servizio militare; anche Gino faceva allora il servizio militare, ed erano, lui e Adriano, nella stessa camerata. Adriano aveva allora la barba, una barba incolta e ricciuta, di un colore fulvo; aveva lunghi capelli biondo-fulvi, che s'arricciolavano sulla nuca, ed era grasso e pallido. La divisa militare gli cadeva male sulle spalle, che erano grasse e tonde; e non ho mai visto una persona, in panni grigio-verdi e con pistola alla cintola, piú goffa e meno marziale di lui. Aveva un'aria molto malinconica, forse perché non gli piaceva niente fare il soldato; era timido e silenzioso; ma quando parlava, parlava allora a lungo e a voce bassissima, e diceva cose confuse ed oscure, fissando il vuoto coi piccoli occhi celesti, che erano insieme freddi e sognanti. Adriano, allora, sembrava l'incarnazione di quello che mio padre usava definire « un impiastro »; e tuttavia mio padre non disse mai di lui che era un impiastro, né un salame, né un negro: non pronunciò mai al suo indirizzo nessuna di queste parole. Mi domando perché: e penso che forse mio padre aveva una maggiore penetrazione psicologica di quanto noi sospettassimo, e intravide, nelle spoglie di quel ragazzo impacciato, l'immagine dell'uomo che Adriano doveva diventare piú tardi. Ma forse non gli diede dell'impiastro, soltanto perché sapeva che andava in montagna; e perché Gino gli aveva detto che era antifascista, e che era figlio di un socialista, amico anche lui di Turati.

Gli Olivetti avevano, a Ivrea, una fabbrica di macchine da scrivere. Noi non avevamo mai conosciuto, fin allora, degli industriali; l'unico industriale di cui si parlava in casa nostra, era un fratello di Lopez chiamato Mauro, che stava in Argentina ed era ricchissimo; e mio padre progettava di mandare Gino a lavorare da quel Mauro nella sua azienda. Gli Olivetti erano i primi industriali che vedevamo da vicino; e a me faceva impressione l'idea che quei cartelloni di réclame che vedevo per strada, e che raffiguravano una macchina da scrivere in corsa sulle rotaie d'un treno, erano strettamente connessi con quell'Adriano in panni grigio-verdi, che usava mangiare con noi, la sera, le nostre insipide minestrine.

Terminato il servizio militare, Adriano continuò a venire da noi la sera; e divenne ancora piú malinconico, piú timido e piú silenzioso, perché si era innamorato di mia sorella Paola, che allora non gli badava. Adriano aveva l'automobile; era, tra le persone che conoscevamo, l'unico ad aver l'automobile; non l'aveva allora nemmeno Terni, che pure era cosí ricco. Adriano, quando mio padre doveva uscire, subito gli proponeva di accompagnarlo in automobile, e mio padre s'infuriava: non potendo soffrire le automobili, e non potendo soffrire, come sempre diceva, le gentilezze.

Adriano aveva molti fratelli e sorelle, tutti lentigginosi, e rossi di capelli: e mio padre, che era anche lui rosso di capelli e lentigginoso, forse anche per questo li aveva in simpatia. Si sapeva che erano tanto ricchi, ma avevano tuttavia delle abitudini semplici, erano vestiti modestamente, e andavano in montagna con degli ski vecchi, come noi. Avevano però molte automobili, e offrivano ad ogni istante di accompagnarci in un luogo o nell'altro; e quando andavano in automobile per la città, e vedevano un vecchio camminare con passo un po' stanco, fermavano e lo invitavano a salire; e mia madre non faceva che dire com'eran buoni e gentili.

Finimmo col conoscere poi anche il loro padre, che era piccolo, grasso e con una grande barba bianca: e aveva, nella barba, un viso bello, delicato e nobile, illuminato dagli occhi celesti. Usava, parlando, trastullarsi con la sua barba, e coi bottoni del suo gilè: e aveva una piccola voce in falsetto, acidula e infantile. Mio padre, forse per via di quella barba bianca, lo chiamava sempre « il vecchio Olivetti »; ma avevano, lui e mio padre, all'incirca la stessa età. Avevano in comune il socialismo, e l'amicizia con Turati; e si accordarono reciproco rispetto e stima. Tuttavia, quando s'incontravano, volevano sempre parlare tutt'e due nello stesso momento; e gridavano, uno alto e uno piccolo, uno con voce in falsetto e l'altro con voce di tuono. Nei discorsi del vecchio Olivetti si mescolavano la Bibbia, la psicanalisi e i discorsi dei profeti: cose che nel mondo di mio padre non entravano assolutamente, e intorno alle quali, in fondo, lui non s'era formata nessuna speciale opinione. Mio padre trovava che il vecchio Olivetti aveva molto ingegno, ma una gran confusione nelle idee.

Gli Olivetti abitavano, a Ivrea, in una casa chiamata il Convento, perché era stata in passato un convento di frati; e avevano boschi e vigne, mucche, e una stalla. Avendo quelle mucche facevano, ogni giorno, dolci con la panna: e a noi la voglia della panna era rimasta fin dal tempo che mio padre, in montagna, ci proibiva di fermarci a mangiarla negli châlet. Usava proibircelo, fra l'altro, per paura della febbre maltese. Là dagli Olivetti, che avevano quelle loro mucche, il pericolo della febbre maltese non c'era. Cosí noi da loro ci sfogavamo a mangiar panna. Tuttavia mio padre ci diceva: – Non dovete farvi sempre invitare dagli Olivetti! Non dovete scroccare! – Perciò avevamo tanto l'ossessione di scroccare che una volta Gino e la Paola, invitati a Ivrea a passar la giornata, nonostante le insistenze degli Olivetti rifiutarono di fermarsi a cena e anche di farsi riaccompagnare in automobile, e fuggirono via digiuni, aspettando il treno nella notte. Un'altra volta capitò che io dovessi fare con gli Olivetti un viaggio in automobile, e ci fermammo per il pranzo in una trattoria; e mentre tutti loro ordinavano tagliatelle e bistecche, io ordinai per me solo un uovo a bere, e dissi poi a mia sorella che avevo ordinato solo un uovo « perché non volevo che l'ingegner Olivetti spendesse troppo ». Questa cosa venne riferita al vecchio ingegnere, che ne fu molto divertito, e usava riderne spesso: e nel suo riderne c'era tutta l'allegria d'essere molto ricco, di saperlo, e scoprire che c'era ancora qualcuno che non lo sapeva.

Quando Gino ebbe finito il Politecnico, gli si aprivano due possibilità. O andare a lavorare da quel Mauro, che aveva l'azienda in Argentina, e che noi chiamavamo familiarmente « lo zio Mauro » imitando i ragazzi Lopez; mio padre, da mesi, teneva con lo zio Mauro un assiduo carteggio, in cui trattava dell'avvenire di Gino. Oppure andare a lavorare a Ivrea, nella fabbrica dell'ingegner Olivetti. Gino scelse quest'ultima soluzione.

Gino dunque lasciò la nostra casa, e se ne andò ad abitare a Ivrea; e pochi mesi dopo annunciò a mio padre di aver conosciuto là una ragazza e di essersi fidanzato. Mio padre fu colto da una collera spaventosa. Mio padre sempre, ogni volta che uno di noi gli annunciò di essere sul punto di sposarsi, fu colto da una spaventosa collera, chiunque fosse la persona prescelta. Un pretesto lo trovava sempre. O diceva che la persona da noi prescelta era di salute gracile; o diceva che non aveva soldi; o diceva che ne aveva troppi. Ogni volta, mio padre ci proibí di sposarci; senza ottenere nulla, perché tutti ci sposammo ugualmente.

Gino allora venne mandato in Germania, per studiare il tedesco e per dimenticare. Mia madre gli raccomandò di andare a trovare, a Friburgo, la Grassi. La Grassi era un'amica d'infanzia di mia madre, ed era quella che diceva: « Tutta di lana Lidia! » e « Le violette Lidia! » La Grassi aveva conosciuto, a Firenze, un libraio di Friburgo, e l'aveva sposato; e lui le leggeva Heine, e le aveva insegnato ad amare le violette; e le aveva anche insegnato ad amare le stoffe « tutte di lana », portandola in Germania dopo la guerra quindici-diciotto; essendo in Germania la lana pura, dopo la guerra, introvabile.

Il libraio, tornando a Friburgo dopo la guerra, aveva esclamato:

– Non riconosco piú la mia Germania!

Frase rimasta famosa in casa nostra, e che mia madre usava declamare, ogni volta che le succedeva di non riconoscere qualcosa o qualcuno.

Mio padre, quell'estate, dalla montagna, tenne un lungo carteggio e con Gino in Germania, e con i Lopez e i Terni, e con l'ingegner Olivetti, sempre a proposito di quel matrimonio; e ai Terni, ai Lopez, all'ingegner Olivetti, mio padre scriveva che dovevano dissuadere Gino dallo sposarsi, a venticinque anni e senza ancora una carriera avviata.

– Chissà se avrà visto la Grassi? – diceva ogni tanto mia madre pensando a Gino, quell'estate; e mio padre s'infuriava:

– La Grassi! M'importa assai che abbia visto la Grassi! Sembra che in Germania ci sia soltanto la Grassi! Non voglio assolutamente che Gino si sposi!

Gino tuttavia si sposò, al suo ritorno dalla Germania, come aveva dichiarato che avrebbe fatto; e mio padre e mia madre andarono al suo matrimonio. Però mio padre, svegliandosi nella notte, ancora diceva:

– Se l'avessi mandato in Argentina, da Mauro, invece che a Ivrea! chissà, forse in Argentina non si sarebbe sposato!

Avevamo cambiato casa; e mia madre, che s'era sempre lamentata della casa di via Pastrengo, ora si lamentava della nuova casa. La nuova casa era in via Pallamaglio. – Che brutto nome! – diceva sempre mia madre. – Che brutta strada! Non posso soffrire queste strade, via Campana, via Saluzzo! E almeno in via Pastrengo avevamo il giardino!

La nuova casa era all'ultimo piano e guardava su una piazza, dove c'era una brutta e grossa chiesa, una fabbrica di vernici e uno stabilimento di bagni pubblici; e a mia madre nulla sembrava piú squallido che vedere, dalle finestre, uomini che entravano ai bagni pubblici con un asciugamano sotto il braccio. Mio padre, quella casa, l'aveva addirittura comprata, perché diceva che costava poco, e che non era bella ma aveva dei vantaggi, era molto vicina alla stazione, ed era grande, aveva tante stanze.

Mia madre disse:

– Cosa importa che stiamo vicino alla stazione, noi che non partiamo mai?

Qualcosa doveva essere migliorato, nelle nostre condizioni economiche, perché si parlava un po' meno di soldi; le Immobiliari, loro, scendevano sempre, a sentire mio padre, e a quest'ora dovevano essere, io pensavo, inghiottite nelle profondità della terra; tuttavia mia madre e mia sorella si facevano piú vestiti. Adesso anche noi avevamo il telefono, come i Lopez. Le parole caroviveri e caro-pane non venivano pronunciate piú. Gino abitava con sua moglie a Ivrea; Mario aveva un impiego a Genova, e solo il sabato veniva a casa.

Alberto era stato messo, dopo molte incertezze e discussioni, in collegio. Mio padre sperava che ci restasse male, e si pentisse e si ravvedesse a quel severo castigo; e mia madre invece gli diceva: – Vedrai come stai bene! vedrai come ti diverti! Vedrai come si sta bene in collegio! Io nel mio collegio, com'era bello, come mi son divertita!

Alberto andò in collegio allegrissimo com'era sempre. Raccontava, quando veniva a casa in vacanza, che in quel collegio quand'erano a tavola e mangiavano la frittata, si sentiva a un tratto suonare una campanella, entrava il direttore e diceva: – Avverto che non si taglia la frittata con il coltello –. Poi di nuovo suonava quella campanella, e il direttore spariva.

Mio padre non andava piú a skiare: diceva ch'era diventato troppo vecchio. Mia madre aveva sempre detto: – Malignazza montagna! – lei che non sapeva skiare e rimaneva a casa; ma adesso le rincresceva che mio padre non skiasse piú.

Era morta Anna Kuliscioff. Mia madre, da molti anni, non la vedeva; ma era contenta di sapere che c'era. Andò a Milano per i funerali, insieme alla sua amica Paola Carrara, che anche lei da ragazzetta era sempre in casa della Kuliscioff. Riportò di là un libro listato di nero, dove c'erano scritti in memoria della Kuliscioff, e suoi ritratti.

Mia madre cosí rivide Milano, dopo tanti anni: ma non aveva piú nessuno a Milano. I suoi erano tutti morti. Trovò la città cambiata, diventata brutta. Disse:

– Non riconosco piú la mia Germania!

I Terni dovevano lasciare Torino. Andavano ad abitare a Firenze. Partí prima Mary, con i bambini; Terni rimase ancora per qualche mese. – Che peccato che ve ne andate via da Torino! – diceva mia madre a Terni. – Che peccato che Mary se n'è andata! E non vedrò piú i bambini. Si ricorda del giardino di via Pastrengo, quando lei giocava a palla col Cucco? E venivano gli amici di Gino, e si giocava ai *passi*? Era bello! – I *passi* era un gioco che si faceva cosí: uno si metteva contro un albero, faccia al tronco, e si voltava di scatto; e gli altri dovevano fare dei passi, quando quello non li vedeva.

– Non mi piace questa casa! – diceva mia madre. – Non mi piace la via Pallamaglio! Mi piaceva avere il giardino!

La malinconia però le passava presto. Si alzava, la mattina, cantando, e andava a ordinare la spesa; poi prendeva il tram numero sette. Andava col tram fino al capolinea, e ritornava indietro senza scendere.

– Com'è bello andare in tram! – diceva. – È piú bello che andare in automobile!

– Vieni anche tu, – mi diceva al mattino, – andiamo a Pozzo Strada!

Pozzo Strada era il capolinea del numero sette. Si vedeva là uno spiazzo, col chiosco d'un gelataio; e le ultime case di periferia. In lontananza, campi di grano e papaveri.

Nel pomeriggio, leggeva il giornale stesa sul divano. Mi diceva: – Se sei buona ti porto al cinematografo. Vediamo se c'è un film « adattato » per te –. Era lei però che aveva voglia di andare al cinematografo: e infatti ci andava lo stesso, da sola o con le sue amiche, anche se io avevo da studiare.

Rientrava di corsa, perché mio padre tornava dal laboratorio alle sette e mezzo, e voleva trovarla in casa quando tornava. Se non la trovava, si metteva ad aspettarla al balcone. Mia madre arrivava senza fiato, col cappello in mano.

– Dove diavolo sei stata? – urlava mio padre. – Mi hai fatto stare in pensiero! Scommetto che anche oggi sei stata al cinematografo! Passi la vita al cinematografo!

– Hai scritto a Mary? – chiedeva. Ora che Mary era andata a stare a Firenze, arrivavano a volte sue lettere; e mia madre non si ricordava mai di rispondere. Le voleva molto bene: ma non aveva mai voglia di scriver lettere. Non ne scriveva neppure ai suoi figli.

– Hai scritto a Gino? – la gridava mio padre. – Scrivi a Gino! Guai a te se non scrivi a Gino!

Io mi ammalai, e fui malata per tutto l'inverno. Avevo un'otite; poi mi venne la mastoidite. Mio padre, i primi giorni ch'ero malata, mi curava lui.

Aveva, nel suo studio, un armadietto che chiamava « la farmacia », e vi teneva i pochi medicinali e strumenti che usava per curare i suoi figli, o i suoi amici, e i figli dei suoi amici; ed erano questi: per le sbucciature, tintura di jodio; per il mal di gola, blu di mitilene; per paterecci, il bir. Il bir era un laccio di gomma, che si doveva legare stretto al dito malato, finché non diventava, quel dito, di un colore turchino.

Il bir, però, non si trovava mai nella « farmacia », quando ce n'era bisogno; e mio padre andava urlando per la casa:

– Dov'è il bir! dove avete messo il bir!

Diceva: – Che disordinati che siete! Non ho mai visto gente disordinata come voialtri!

Il bir era, in genere, nel cassetto del suo scrittoio.

Però s'arrabbiava, se qualcuno gli chiedeva qualche consiglio sulla propria salute. Diceva, offeso:

– Io non sono mica un medico!

Voleva curare la gente, ma solo a patto che non chiedessero di farsi curare.

Diceva, un giorno, a tavola: – Quel sempio di Terni ha l'influenza. S'è messo a letto. Uff, non avrà niente. Mi tocca andare a trovarlo.

– Che esagerato quel Terni! – diceva la sera. – Non ha niente! Sta a letto, con la maglia di lana! Io mai porto maglie di lana!

– Sono in pensiero per Terni, – diceva dopo qualche giorno. – Non gli va via la febbre. Ho paura che abbia un versamento pleurico. Voglio che lo veda Stroppeni.

– Ha un versamento pleurico! – urlava rientrando, la sera, cercando mia madre in tutte le stanze. – Lidia, ma sai che Terni ha un versamento pleurico!

Portava al letto di Terni Stroppeni, e tutti i medici che conosceva.

– Non fumi! – urlava a Terni che era ormai guarito, e prendeva il sole sulla veranda di casa sua. – Guardi che non deve fumare! Fuma troppo, ha sempre fumato troppo! S'è rovinato la salute a furia di fumare!

Mio padre, lui, fumava come un turco; ma non voleva che fumassero gli altri.

Diventava, con i suoi amici e con i suoi figli, nel tempo che erano malati, molto mite e gentile; ma appena guarivano, riprendeva a strapazzarli.

La mia era una malattia grave; e mio padre smise subito di curarmi, e fece chiamare medici di sua fiducia. Alla fine mi portarono all'ospedale.

Perché l'ospedale non mi facesse impressione, mia madre mi aveva dato da intendere che l'ospedale era la casa del dottore; e che gli altri malati nelle stanze erano tutti figli, cugini e nipoti del dottore. Io, per obbedienza, credetti; e tuttavia nello stesso tempo sapevo che si trattava d'un ospedale; e quella volta come anche piú tardi, la verità e la menzogna si mescolarono in me.

– Ora hai le gambe piú magre di Lucio, – disse mia madre, – ora sarà contenta la Frances!

Difatti la Frances usava confrontare le mie gambe con quelle di Lucio, e crucciarsi, perché le gambe di Lucio erano secche e pallide, nei calzini bianchi tenuti su da un elastico di velluto nero.

Sentii una sera mia madre parlare con qualcuno in anticamera; e sentii che apriva l'armadio delle lenzuola. Sulla porta a vetri passavano ombre.

Di notte sentii tossire, nella stanza accanto a me. Era la stanza di Mario, quando veniva il sabato; ma non poteva essere Mario, non era sabato; e sembrava una tosse di uomo vecchio, grasso.

Mia madre, venendo da me al mattino, mi disse che aveva dormito là un certo signor Paolo Ferrari; e che era stanco, vecchio, malato, aveva la tosse, e non bisognava fargli tante domande.

Il signor Paolo Ferrari era in sala da pranzo che beveva il tè. Nel vederlo io riconobbi Turati, che era venuto in via Pastrengo una volta. Ma siccome m'avevan detto che si chiamava Paolo Ferrari, credetti, per ubbidienza, che fosse insieme Turati e Ferrari; e di nuovo verità e menzogna si mescolarono in me.

Ferrari era vecchio, grande come un orso, e con la barba grigia, tagliata in tondo. Aveva il collo della camicia molto largo, e la cravatta legata come una corda. Aveva mani piccole e bianche; e sfogliava una raccolta delle poesie di Carducci, rilegata in rosso.

Poi fece una cosa strana. Prese il libro in memoria della Kuliscioff, e vi scrisse una lunga dedica a mia madre. Firmò cosí: « Anna e Filippo ». Io avevo le idee sempre piú confuse; non capivo come potesse lui essere Anna, e come potesse essere anche Filippo, se era invece, come dicevano, Paolo Ferrari.

Sembravano, mio padre e mia madre, contentissimi che lui fosse lí. Mio padre non faceva sfuriate, e si parlava tutti a voce bassa.

Appena suonavano il campanello, Paolo Ferrari traversava il corridoio di corsa e si rifugiava in una stanza in fondo. Era di solito o Lucio, o il lattaio; perché altre persone estranee non vennero, in quei giorni, da noi.

Traversava il corridoio di corsa, cercando di camminare in punta di piedi: grande ombra di orso lungo i muri del corridoio.

La Paola mi disse: – Non si chiama Ferrari. È Turati. Deve scappare dall'Italia. È nascosto. Non lo dire a nessuno, neanche a Lucio.

Giurai di non dire niente a nessuno, neanche a Lucio; ma avevo una gran voglia di dirlo a Lucio, quando veniva a giocare con me.

Lucio, però, non era affatto curioso. Mi diceva sempre che io « facevo la curiosa » quando mi mettevo a interrogarlo sulle cose di casa sua. I Lopez erano tutti molto segreti, e non amavano raccontare le cose della famiglia; cosí noi non sapevamo mai, di loro, se erano ricchi o poveri, né quanti anni compiva la Frances, e nemmeno cos'avevano mangiato a pranzo.

Lucio mi disse, con indifferenza:

— Qui in casa tua c'è un uomo con la barba, che scappa via dal salotto appena arrivo io.

— Sí, — gli dissi, — Paolo Ferrari!

Desideravo che mi facesse ancora domande. Ma Lucio non domandava altro. Batteva nel muro con un martello, per appendere un quadretto che aveva fatto e che mi regalava. Era un quadretto che rappresentava un treno. Lucio aveva la passione dei treni, fin da piccolo; sempre girava in tondo per la stanza, sbuffando e soffiando come una locomotiva; e aveva a casa un grande treno elettrico, che gli aveva mandato lo zio Mauro dall'Argentina.

Gli dissi: — Non battere cosí col martello! È vecchio, è malato, è nascosto! Non bisogna disturbarlo!

— Chi?

— Paolo Ferrari!

— Vedi il tender, — disse Lucio, — vedi che ho dipinto anche il tender?

Lucio parlava sempre del tender. Io ora, in sua compagnia, m'annoiavo; avevamo gli stessi anni, e tuttavia mi sembrava tanto piú piccolo di me.

Non volevo, però, che se ne andasse. Quando veniva la Maria Buoninsegni a riprenderlo, mi disperavo e pregavo che lo lasciasse da noi ancora un poco.

Mia madre ci faceva scendere, me e Lucio, con la Natalina sulla piazza, ad aspettare la Maria Buoninsegni. Diceva: – Cosí prendete un po' d'aria –. Ma io sapevo che era perché la Maria Buoninsegni non avesse a incontrarsi, in corridoio, con Paolo Ferrari.

C'era, in mezzo alla piazza, un rettangolo d'erba, con qualche panchina. La Natalina si metteva seduta sulla panchina, dondolando le sue gambe corte dai lunghi piedi; Lucio, sbuffando e soffiando, faceva il treno tutt'intorno alla piazza.

La Natalina, quando arrivava la Maria Buoninsegni con la sua volpe, si profondeva in gentilezze e sorrisi. Nutriva, per la Maria Buoninsegni, la piú grande venerazione. La Maria Buoninsegni la guardava appena, e parlava con Lucio nel suo toscano forbito e prezioso. Gli faceva infilare la maglia, trovando ch'era sudato.

Paolo Ferrari rimase in casa nostra, mi sembra, otto o dieci giorni. Furono giorni stranamente tranquilli. Sentivo sempre parlare di un motoscafo. Una sera, cenammo presto, e capivo che Paolo Ferrari doveva partire; era stato, in quei giorni, sempre ilare e sereno, ma quella sera a cena sembrava ansioso e si grattava la barba.

Poi vennero due o tre uomini con l'impermeabile; io, di loro, conoscevo soltanto Adriano. Adriano cominciava a perdere i capelli, e aveva ora una testa quasi calva e quadrata, cinta di riccioli cresputi e biondi. Quella sera, la sua faccia e i suoi pochi capelli erano come frustati da un colpo di vento. Aveva occhi spaventati, risoluti e allegri; gli vidi, due o tre volte nella vita, quegli occhi. Erano gli occhi che aveva quando aiutava una persona a scappare, quando c'era un pericolo e qualcuno da portare in salvo.

Paolo Ferrari mi disse, in anticamera, mentre lo aiutavano a infilarsi il cappotto:

– Non lo dire mai a nessuno che sono stato qui.

Uscí con Adriano e gli altri dall'impermeabile, e non lo rividi mai, perché morí a Parigi qualche anno piú tardi.

La Natalina il giorno dopo domandò a mia madre:

– Lei a quest'ora sarà già arrivato in Corsica, con quella
barca?

Mio padre, sentendo quelle parole, s'infuriò con mia
madre:

– Sei andata a confidarti con quella demente della Natalina! È una demente! Ci manderà tutti in galera!

– Ma no Beppino! La Natalina ha capito benissimo che deve star zitta!

Arrivò poi dalla Corsica una cartolina, con i saluti di Paolo
Ferrari.

Nei mesi che seguirono, sentii dire che erano stati arrestati
Rosselli e Parri, i quali avevano aiutato Turati a scappare.
Adriano era ancora libero, ma in pericolo, dicevano; e forse
sarebbe venuto a nascondersi a casa nostra.

Adriano rimase nascosto da noi per diversi mesi; e dormiva nella stanza di Mario, dove aveva dormito anche Paolo Ferrari. Paolo Ferrari era in salvo a Parigi; ma adesso in casa s'e-
rano stufati di chiamarlo Ferrari, e lo chiamavano col nome
vero. Mia madre diceva: – Com'era simpatico! come mi piaceva averlo qui!

Adriano non venne arrestato, e partí per l'estero; e lui e
mia sorella si scrivevano, essendosi fidanzati. Venne il vecchio
Olivetti dai miei genitori, a chiedere, per suo figlio, la mano
di mia sorella; venne da Ivrea in motocicletta, con un berretto
a visiera, e con molti giornali sul petto: perché usava tappez-
zarsi il petto di giornali, quando andava in motocicletta, per
il vento. Chiese la mano di mia sorella in un attimo; e poi però
rimase ancora un pezzo in poltrona nel nostro salotto, trastul-
landosi con la sua barba, e raccontando di sé: come aveva tirato su la sua fabbrica, con pochi soldi, e come aveva educato

tutti i suoi figli, e come leggeva ogni sera, prima d'addormentarsi, la Bibbia.

Mio padre fece poi una sfuriata a mia madre, perché non voleva quel matrimonio. Diceva che Adriano era troppo ricco; e diceva che era troppo fissato con la psicanalisi. Tutti gli Olivetti, del resto, avevano quella fissazione. A mio padre gli Olivetti piacevano, ma li trovava un po' stravaganti. E di noi gli Olivetti dicevano che eravamo troppo materialisti, specialmente mio padre e Gino.

Capimmo, dopo un po' di tempo, che non saremmo stati arrestati. Neppure Adriano, che tornò dall'estero, e si sposò con mia sorella Paola. Mia sorella, appena sposata, si tagliò i capelli; e mio padre non disse niente, perché ormai non poteva piú dirle niente, non poteva piú proibirle né comandarle nessuna cosa.

Tuttavia ricominciò a sgridarla, dopo qualche tempo; e anzi adesso sgridava anche Adriano. Trovava che spendevano troppi soldi, e che andavano troppo in automobile fra Ivrea e Torino.

Quando ebbero il loro primo bambino, criticava il modo com'era tenuto, diceva che dovevano fargli fare piú bagni di sole, se no diventava rachitico. – Lo faranno diventare rachitico! – urlava a mia madre. – Non lo tengono al sole! Digli che lo tengano al sole!

Poi temeva che lo portassero, se era malato, dagli stregoni. Adriano non credeva molto nei veri medici, e una volta che aveva avuto una sciatica, era andato da un bulgaro a farsi curare coi massaggi aerei. Aveva poi chiesto a mio padre che opinione aveva dei massaggi aerei, e se conosceva quel bulgaro. Mio padre di quel bulgaro non sapeva nulla, e i massaggi aerei lo mandavano in furia. – Sarà un ciarlatano! uno stregone! – E quando il bambino aveva un po' di febbre si preoccupava: – Non lo porteranno mica da qualche stregone?

Roberto, quel bambino, gli piaceva molto; lo trovava molto bello, e rideva guardandolo, perché lo trovava identico al vecchio Olivetti. – Sembra di vedere il vecchio Olivetti! – diceva anche mia madre. – È preciso al vecchio ingegnere! – Mio padre, appena veniva la Paola da Ivrea, subito le diceva:

– Contami di Roberto!

– È molto bello Roberto! – diceva sempre. La Paola ebbe poi un'altra bambina, ma quella non gli piaceva. Quando gliela portavano a vedere, la guardava appena. Diceva:

– È piú bello Roberto!

La Paola allora si offendeva e faceva il muso; e lui quando se n'era andata diceva a mia madre:

– Hai visto che asina quella Paola?

I primi tempi che la Paola era sposata, mia madre spesso piangeva, perché non l'aveva piú in casa. Erano, mia madre e la Paola, molto unite, e si raccontavano sempre una quantità di cose. A me, mia madre, non raccontava niente, perché le sembravo piccola; e poi perché diceva che io « le davo poco spago ».

Io andavo ora al ginnasio, e non m'insegnava piú l'aritmetica; continuavo a non capire l'aritmetica, ma lei non mi poteva aiutare, perché l'aritmetica del ginnasio non se la ricordava.

– Non dà spago! non parla! – diceva mia madre di me. L'unica cosa che poteva fare con me, era portarmi al cinematografo: io però non accettavo sempre le sue esortazioni ad andarci.

– Non so cosa farà la mia padrona! Ora sento cosa vuol fare la mia padrona! – diceva mia madre, parlando con le sue amiche al telefono; mi chiamava sempre « la sua padrona » perché difatti ero io a decidere come avremmo passato il pomeriggio: se avrei accettato di andare al cinematografo con lei, o no.

– Mi stufo! – diceva mia madre. – Non ho piú da fare, non c'è piú niente da fare in questa casa. Sono andati via tutti. Io mi stufo!

– Ti stufi, – le diceva mio padre, – perché non hai una vita interiore.

– Il mio Mariolino! – diceva mia madre. – Meno male, oggi è sabato, verrà il mio Mariolino!

Mario, difatti, veniva quasi ogni sabato. Apriva sul letto, nella stanza dove aveva dormito Ferrari, la valigia e tirava fuori con attenzione meticolosa il suo pigiama di seta, le sue saponette, le sue pantofole di marocchino; aveva sempre belle cose nuove, eleganti, bei vestiti di stoffa inglese. – Tutta di lana Lidia, – diceva mia madre, toccando la stoffa di quei vestiti; e diceva: – Eh, ce l'hai anche te la tua robina, – rifacendo il verso alla mia zia Drusilla, che usava dire cosí.

Mario diceva ancora « il baco del calo del malo » sedendosi un momento con me e con mia madre in salotto, e carezzandosi le mascelle; ma poi subito andava al telefono, prendeva misteriosi appuntamenti parlando a voce bassa; – Addio mamma, – diceva dall'anticamera; e non lo vedevamo fino all'ora di cena.

I suoi amici, Mario raramente li portava in casa; e quando venivano non li faceva entrare in salotto, ma si chiudeva con loro nella sua stanza. Erano, quei suoi amici, uomini dall'aria risoluta e affaccendata, e anche Mario aveva ora sempre quell'aria affaccendata e risoluta: sembrava che pensasse soltanto a far carriera nel mondo degli affari, e che non gl'importasse di altro. Non era piú amico di Terni, e non leggeva piú né Proust, né Verlaine: leggeva solo libri di economia e di finanza. Le sue vacanze le passava all'estero, in crociere e viaggi. Non veniva piú con noi in villeggiatura. Se ne andava per conto suo: e a volte non si sapeva neppure bene dove fosse: – Dove sarà Mario? – chiedeva mio padre, quando Mario era un po' di tempo che non scriveva. – Non se ne sa piú niente, non si sa che diavolo di vita faccia! Che asino!

Si seppe tuttavia dalla Paola che Mario andava spesso in Svizzera: non però per sciare. Non aveva piú infilato uno ski ai piedi, dal giorno ch'era uscito di casa. Aveva, in Svizzera, un'amante, una magra magra, che pesava non piú di trentacinque chili; perché a lui piacevano le donne soltanto se erano magrissime, e molto eleganti. Quella, raccontava la Paola, faceva il bagno due o tre volte al giorno: e anche Mario, del resto, non faceva che fare il bagno, radersi, e profumarsi con l'acqua di lavanda: e aveva sempre una gran paura d'essere sporco e puzzare. Gli faceva schifo tutto, un po' come a mia nonna; e quando la Natalina gli portava il caffè, prendeva la tazza e la guardava da tutte le parti, per vedere se era ben risciacquata.

Mia madre di lui ogni tanto diceva:

– Mi piacerebbe che si sposasse con una brava ragazzina!

E mio padre subito s'infuriava:

– Macché sposarsi! Ci mancherebbe altro! Non voglio assolutamente che Mario si sposi!

Morí mia nonna; e andammo tutti a Firenze per il suo funerale. Fu sepolta là, nella tomba di famiglia; col nonno Parente, con « Regina poveretta » e con le altre molte Margherite e Regine.

Mio padre ora diceva di lei, quando la nominava, « mia mamma poveretta », e lo diceva con un particolare accento di affetto e di commiserazione. Quand'era viva, l'aveva sempre trattata un po' da stupida; come del resto trattava noi tutti quanti. Ora, da morta, i suoi difetti gli sembravano innocenti e puerili, e meritevoli di pietà e di compianto.

Mia nonna ci lasciò in eredità i suoi mobili. Erano mobili, diceva mio padre, « di grande valore »; a mia madre però non

piacevano. Tuttavia la Piera, la moglie di Gino, disse anche lei
che erano bellissimi; e mia madre rimase un po' scossa, fidan-
dosi della Piera, che, lei diceva, se ne intendeva molto di mobili. Ma li trovava troppo grandi e pesanti: c'erano certe poltrone che il nonno Parente aveva fatto venire dall'India, di legno nero tutto a forellini, e con teste d'elefante ai braccioli; e
c'erano seggioline nere e oro, credo cinesi, e una quantità di
soprammobili e di porcellane; e argenteria e piatti con lo stem-
ma, che appartenevano in tempi lontani ai nostri cugini Dor-
mitzer, i quali erano stati fatti baroni, avendo prestato soldi a
Francesco Giuseppe.

Mia madre aveva paura che Alberto, quando veniva dal collegio in vacanza, portasse qualcosa al Monte di Pietà. Perciò
fece fare un armadietto a vetrina, che si poteva chiudere a chiave: e là ripose tutte quelle piccole porcellane. Diceva però che
quei mobili di mia nonna non erano adatti alla nostra casa,
che la ingombravano, e non facevano nessuna figura.

– Sono mobili, – ripeteva ogni giorno, – che stonano nella
via Pallamaglio!

Allora mio padre decise che avremmo cambiato casa; e andammo ad abitare in corso re Umberto, in una casa bassa, vec-
chiotta, che guardava sui viali del corso. Noi avevamo un appartamento al pianterreno; e mia madre era tutta contenta di
stare di nuovo al pianterreno, perché cosí si sentiva piú vicina
alla strada, e poteva uscire e entrare senza far scale, « poteva
uscire, – diceva, – anche senza cappello ». Il suo sogno era
sempre uscire « senza cappello », cosa che mio padre le aveva
proibito di fare. – Ma a Palermo, – diceva mia madre, – uscivo
sempre senza cappello! – A Palermo, a Palermo! a Palermo
era quindici anni fa! Guarda la Frances! La Frances mai va
fuori senza cappello!

Alberto lasciò il collegio, e venne a Torino a dare la licenza
liceale. Fece dei begli esami e fu promosso con ottimi voti. In

casa restammo stupefatti. – Vedi che te lo dicevo Beppino, – disse mia madre, – vedi che quando vuole studia!

– E ora? – disse mio padre. – Ora cosa si potrà fargli fare?

– Ma cosa ne farete voi di Alberto? – disse mia madre rifacendo il verso alla mia zia Drusilla, che le diceva sempre cosí. La mia zia Drusilla aveva anche lei un figlio che non studiava; e perciò mia madre usava dirle a sua volta: – Ma cosa ne farete voi di Andrea? – La Drusilla era quella che diceva: – Però ce l'hai anche te la tua robina! – Veniva, certe estati, in villeggiatura insieme a noi, prendeva in affitto una casa vicino alla nostra; e allora mostrava a mia madre i vestiti di suo figlio, e diceva: – Sai, Andrea ce l'ha anche lui la sua robina –. La Drusilla, subito appena arrivata in montagna, andava alla stalla dove vendevano il latte, e diceva: – Io sarei disposta a pagare anche qualcosina di piú, ma il latte vorrei che me lo portaste un po' prima che agli altri –. Finiva che il latte a lei lo portavano alla stessa ora che a noi, ma glielo facevano pagare di piú.

– Ma cosa ne farete voi di Alberto? – ripeté mia madre per tutta l'estate. La Drusilla, quell'anno, non c'era con noi, perché aveva perduto da tempo l'abitudine di venire con noi in montagna; ma mia madre si sentiva echeggiare all'orecchio la sua voce. Alberto, interrogato, disse che avrebbe studiato medicina.

Lo disse con aria tra indifferente e rassegnata, stringendosi nelle spalle. Era, Alberto, un ragazzo alto, magro e biondo, col naso lungo: e aveva successo con le ragazze. Mia madre, quando frugava nei suoi cassetti in cerca di bollette del Monte di Pietà, trovava una catasta di lettere e fotografie di ragazze.

Non vedeva piú Pestelli, che s'era sposato; né Pajetta, che dopo il riformatorio era stato di nuovo arrestato, processato al Tribunale Speciale, e mandato in carcere a Civitavecchia. Ora aveva un amico, che si chiamava Vittorio. – Quel Vittorio, –

diceva mia madre, – è un bravissimo ragazzo, cosí studioso! È di una famiglia molto per bene! Alberto, lui è un mànfano, ma gli amici li sceglie sempre bene! – Alberto non aveva smesso di essere, nel linguaggio di mia madre, « un barabba » e « un mànfano », parola che non so bene cosa volesse dire: anche adesso, che era passato alla licenza liceale.

– Mascalzone! farabutto! – urlava mio padre la notte, quando Alberto rientrava; e si era tanto abituato a urlare cosí, che urlava anche quando lui rientrava, per caso, presto. – Ma dove diavolo sei stato fino a quest'ora? – Sono stato un momento a accompagnare un mio amico, – rispondeva sempre Alberto con la sua voce fresca, ilare e leggera.

Alberto andava dietro alle sartine; andava dietro, però, anche alle ragazze di buona famiglia. Andava dietro a tutte le ragazze, gli piacevano tutte; e siccome era allegro e gentile, corteggiava, per allegria e gentilezza, anche quelle che non gli piacevano. Si iscrisse in medicina; e mio padre se lo trovava davanti, nell'aula di anatomia; e non gli piaceva niente trovarselo lí. Una volta, era buio nell'aula, e mio padre faceva delle proiezioni; e vide, nel buio, una sigaretta accesa. – Chi fuma? – urlò. – Chi è quel figlio d'un cane che s'è messo a fumare? – Sono io papà, – rispose la nota voce leggera; e tutti risero.

Quando Alberto doveva dare un esame, mio padre era, fin dal mattino, di pessimo umore. – Mi farà fare una brutta figura! non ha studiato niente! – diceva a mia madre. – Aspetta Beppino! – lei rispondeva, – aspetta! Non lo sappiamo ancora.

– Ha preso trenta, – gli diceva mia madre. – Trenta? – lui s'infuriava. – Trenta! Gliel'hanno dato perché è mio figlio! Se non era mio figlio lo bocciavano!

E si faceva piú nero che mai.

Alberto diventò, piú tardi, un medico molto bravo. Ma mio padre non se ne convinse mai. E quando mia madre o qualcuno di noi non stava bene, e esprimeva il desiderio di farsi visitare da Alberto, mio padre rompeva in quelle sue tuonanti risate:

— Macché Alberto! cosa volete che sappia Alberto!

Alberto e il suo amico Vittorio passeggiavano per il corso re Umberto.

Vittorio aveva capelli neri, spalle quadrate e il mento lungo e prominente. Alberto aveva capelli biondi, un lungo naso e il mento corto e sfuggente. Alberto e Vittorio parlavano di ragazze. Parlavano, tuttavia, anche di politica; perché Vittorio era un cospiratore politico. Alberto non sembrava interessarsi affatto alla politica; non leggeva i giornali, non dava giudizi, e non interveniva mai nelle discussioni, che ancora esplodevano, a volte, fra Mario e mio padre. Era però attratto dai cospiratori. Fin dal tempo di Pajetta, quand'erano lui e Pajetta ragazzini in calzoni corti, Alberto s'era sentito attratto dalla cospirazione senza tuttavia per nulla prendervi parte. Amava essere l'amico e il confidente dei cospiratori.

Mio padre, quando incontrava Alberto e Vittorio sul corso, li salutava con un freddo cenno del capo. Non lo sfiorava neppur da lontano l'idea che potessero essere, quei due, uno un cospiratore e l'altro il suo confidente. Inoltre, le persone che usava vedere in compagnia di Alberto gl'ispiravano un sospettoso disprezzo. E poi mio padre non pensava che ancora esistessero, in Italia, dei cospiratori. Pensava di essere uno dei pochi antifascisti rimasti in Italia. Gli altri erano quelli che usava incontrare in casa della Paola Carrara, quell'amica di mia madre che era stata, come lei, amica della Kuliscioff. — Stasera, — diceva mio padre a mia madre, — andiamo dai Carrara. Ci sarà Salvatorelli. — Che bellezza! — diceva mia madre. — Sono proprio curiosa di sentire cosa dice Salvatorelli!

E dopo aver passato una serata in compagnia di Salvatorelli, nel salottino della Paola Carrara che era pieno di bambole, perché lei usava fabbricar bambole per un'opera di beneficenza di cui s'occupava, mio padre e mia madre si sentivano un po' confortati. Non era stato detto, magari, nulla di nuovo. Ma tra gli amici di mio padre e mia madre, molti erano diventati fascisti, o almeno non cosí apertamente e dichiaratamente antifascisti come a loro piaceva. Perciò si sentivano, col passare degli anni, sempre piú soli.

Salvatorelli, i Carrara, l'ingegner Olivetti, erano i pochi antifascisti rimasti, per mio padre, al mondo. Essi conservavano, con lui, ricordi del tempo di Turati, e di un altro costume di vita che sembrava fosse stato spazzato via dalla terra. Stare in compagnia di queste persone significava, per mio padre, respirare un sorso d'aria pura. C'erano poi Vinciguerra, Bauer e Rossi, chiusi da anni in carcere per aver cospirato, in altri tempi, contro il fascismo. A loro, mio padre pensava con venerazione e pessimismo, non credendo che sarebbero usciti mai. C'erano poi i comunisti, ma mio padre non ne conosceva nessuno, salvo quel Pajetta che ricordava bambino in calzoni corti, che associava alle malefatte di Alberto e che gli appariva un piccolo e spericolato avventuriero. Intorno ai comunisti, comunque, mio padre non aveva, a quel tempo, un'opinione ben definita. Nuovi cospiratori, nella generazione dei giovani, non pensava che ce ne fossero; e se avesse sospettato che ce ne potessero essere, gli sarebbero sembrati dei pazzi. Secondo lui non c'era, contro il fascismo, nulla, assolutamente nulla da fare.

Quanto a mia madre, lei aveva un'indole ottimista, e aspettava qualche bel colpo di scena. Aspettava che qualcuno un giorno, in qualche modo, « buttasse giú » Mussolini. Mia madre usciva, la mattina, dicendo: – Vado a vedere se il fascismo è sempre in piedi. Vado a vedere se hanno buttato giú Mussolini –. Raccoglieva allusioni e voci nei negozi, e ne traeva auspicî confortevoli. A pranzo, diceva a mio padre: – C'è in giro una grandissima scontentezza. La gente non ne può piú. – Chi te l'ha detto? – urlava mio padre. – Me l'ha detto, – diceva mia madre, – il mio verduriere –. Mio padre sbuffava con disprezzo.

La Paola Carrara riceveva settimanalmente il « Zurnàl de Zenève » (pronunciava il francese cosí). Aveva, a Ginevra, sua sorella, la Gina, e suo cognato, Guglielmo Ferrero, emigrati là da molti anni per motivi politici. La Paola Carrara faceva, ogni tanto, viaggi a Ginevra. Però a volte le toglievano il passaporto, e non poteva, allora, andare dalla Gina. – Mi hanno levato il passaporto! non posso andare dalla Gina! – Il passaporto, poi, glielo restituivano, e allora partiva, e tornava dopo qualche mese, piena di speranze e notizie rassicuranti. – Senti, senti cosa mi ha detto Guglielmo! Senti cosa mi ha detto la Gina! – Mia madre, quando voleva alimentare il suo proprio ottimismo, andava dalla Paola Carrara. La trovava però, a volte, nel suo salottino semibuio e pieno di perline, di cartoline e di bambole, tutta imbronciata. Le avevano levato il passaporto, o non le era arrivato – e lei pensava che glielo avessero sequestrato alla frontiera – il « Zurnàl de Zenève ».

Mario lasciò il suo impiego a Genova, prese accordi con Adriano e fu assunto alla Olivetti. Mio padre ne fu, in fondo, contento: ma prima d'esserne contento s'arrabbiò, temendo fosse stato assunto perché era cognato di Adriano, e non per suoi meriti speciali.

La Paola ora aveva casa a Milano. Aveva imparato a guidare l'automobile e andava e veniva fra Torino, Milano e Ivrea. Mio padre disapprovava, trovando che non stava mai ferma in un posto. Tutti gli Olivetti, d'altronde, non stavano mai fermi in un posto ed erano sempre in automobile: e mio padre disapprovava.

Mario dunque andò ad abitare a Ivrea; prese là una camera, e passava le sue serate con Gino, discutendo problemi di fabbrica. Era stato sempre, con Gino, in rapporti freddi; ma in quel periodo strinsero amicizia. Mario tuttavia, a Ivrea, s'annoiava a morte.

Mario aveva fatto, nell'estate, un viaggio a Parigi; era andato a trovare Rosselli, e gli aveva chiesto di esser messo in rapporto, a Torino, con i gruppi di Giustizia e Libertà. Aveva deciso, d'un tratto, di diventare un cospiratore.

Veniva a Torino il sabato. Era sempre uguale, misterioso, meticoloso nell'appendere i suoi vestiti dentro l'armadio, nel disporre nei cassetti i suoi pigiami, le sue camicie di seta. Stava poco in casa, metteva l'impermeabile con aria risoluta e affaccendata, usciva, e di lui non si sapeva nulla.

Mio padre lo incontrò un giorno sul corso re Umberto, in compagnia di uno che conosceva di vista, un certo Ginzburg. – Cos'ha da fare Mario con quel Ginzburg? – disse a mia madre. Mia madre s'era messa, da qualche tempo, a studiare il russo, « per non stufarsi »; e prendeva lezioni, insieme alla Frances, dalla sorella di Ginzburg. – È uno, – disse mia madre, – coltissimo, intelligentissimo, che traduce dal russo e fa delle bellissime traduzioni. – Però, – disse mio padre, – è molto brutto. Si sa, gli ebrei son tutti brutti. – E tu? – disse mia madre, – tu non sei ebreo?

– Difatti anch'io son brutto, – disse mio padre.

I rapporti fra Alberto e Mario erano sempre molto freddi. Non scoppiavano piú, tra loro, le antiche lotte furibonde e selvagge. Tuttavia non scambiavano mai una parola; e incontrandosi nel corridoio, non si salutavano mai. Mario, quando gli nominavano Alberto, incurvava le labbra dal disprezzo.

Mario però ora conosceva Vittorio, l'amico di Alberto; e capitò che s'incontrassero, Mario e Alberto, sul corso, faccia a faccia, con Ginzburg e Vittorio, i quali si conoscevano bene;

e capitò che Mario li invitasse, tutt'e due, Ginzburg e Vittorio, a casa a prendere il tè.

Mia madre, quel giorno che loro vennero a casa a prendere il tè, fu tutta contenta: perché vedeva Alberto e Mario insieme, e vedeva che avevano gli stessi amici; e poi le pareva di essere tornata al tempo di via Pastrengo, quando venivano gli amici di Gino, e la casa era sempre piena di gente.

Mia madre, oltre a prendere lezioni di russo, prendeva anche lezioni di pianoforte. Le lezioni di pianoforte le prendeva da un maestro che le aveva consigliato una certa signora Donati, che anche lei s'era messa, in età matura, a studiare il pianoforte. La signora Donati era alta, grande, bella, coi capelli bianchi. La signora Donati studiava anche la pittura, nello studio di Casorati. Anzi la pittura le piaceva piú ancora del pianoforte. Idolatrava la pittura, Casorati, lo studio, la moglie e il bambino di Casorati, e la casa di Casorati dove a volte era invitata a pranzo. Voleva convincere mia madre a prendere lezioni da Casorati anche lei. Mia madre, però, resisteva. La signora Donati le telefonava ogni giorno, e raccontava come si era divertita a dipingere. – Ma tu, – diceva la signora Donati a mia madre, – tu non senti i colori? – Sí, – diceva mia madre, – mi pare che sento i colori. – E i volumi, – continuava la signora Donati, – i volumi li senti? – No. Non sento i volumi, – rispondeva mia madre. – Non senti i volumi? – No. – Ma i colori! I colori li senti!

Mia madre, ora che c'erano piú soldi in casa, si faceva vestiti. Era questa, oltre al pianoforte e al russo, una sua costante occupazione, e, in fondo, un modo « per non stufarsi »; perché mia madre, poi, quei vestiti che si faceva, non sapeva quando metterli, dato che non aveva mai voglia di andare da nessuno, se non dalla Frances o dalla Paola Carrara, persone da cui poteva anche andare col vestito che aveva in casa. Mia madre i vestiti se li faceva o « dal signor Belom » che era un

vecchio sarto, il quale era stato, da giovane, un pretendente di
mia nonna, a Pisa, quando lei cercava marito e però non voleva
« gli avanzi di Virginia »; oppure se li faceva fare in casa da una
sartina, che si chiamava Tersilla. In casa ora non veniva piú
la Rina, scomparsa nella notte dei tempi; ma mio padre, quando incontrava la Tersilla nel corridoio, s'infuriava come s'infuriava, in passato, vedendo la Rina. La Tersilla era, però, piú
coraggiosa della Rina, e salutava mio padre passandogli accanto con le sue forbici alla cintura, col suo sorriso educato nel
viso piemontese, minuto e roseo. Mio padre le rispondeva con
un freddo cenno del capo.

– C'è la Tersilla! Ma come, anche oggi c'è la Tersilla! – urlava poi a mia madre. – È venuta, – diceva mia madre, – per
rivoltarmi un vecchio paltò. Un paltò del signor Belom –. Mio
padre, a quel nome di Belom, taceva rassicurato, perché aveva
stima del signor Belom, che era stato un pretendente di sua
madre. Non sapeva però che il signor Belom era uno dei sarti
piú cari di Torino.

Mia madre, tra il signor Belom e la Tersilla, oscillava ora
verso l'uno, ora verso l'altra. Quando si faceva fare un vestito
dal signor Belom, trovava poi che non era tanto ben tagliato e
che « le tornava male di spalle ». Allora chiamava la Tersilla
e glielo faceva disfare e rifare tutto da capo. – Non andrò mai
piú dal signor Belom! Mi farò fare sempre tutto dalla Tersilla!
– dichiarava provandosi allo specchio il vestito scucito e rifat-
to. C'erano però vestiti che non le andavano mai bene, le « facevano sempre difetto »; allora li regalava alla Natalina. La
Natalina aveva ora, anche lei, moltissimi vestiti. Usciva, la domenica, con un lungo paltò del signor Belom, nero, tutto ab-
bottonato, che la faceva assomigliare a un parroco.

La Paola si faceva, anche lei, molti vestiti. Era però sempre, riguardo ai vestiti, in polemica con mia madre. Diceva che
mia madre si faceva vestiti sbagliati, che se ne faceva tanti tutti

uguali, e un vestito del signor Belom se lo faceva poi copiare dalla Tersilla cento volte, fino alla nausea. Ma a mia madre piaceva cosí. Mia madre diceva che quando aveva i bambini piccoli, gli faceva sempre fare tanti grembiali tutti identici, e voleva ora avere, come i suoi bambini, per l'estate e per l'inverno, tanti grembiali. La Paola, questa concezione dei vestiti come grembiali non la convinceva affatto.

Se la Paola veniva da Milano con un vestito nuovo, mia madre l'abbracciava e diceva: – Io ai miei figli, quando hanno un vestito nuovo gli voglio piú bene –. Però le veniva subito voglia di farsene uno nuovo anche lei: non simile, perché i vestiti della Paola le sembravano sempre troppo complicati: lei se lo faceva fare « piú stile grembiale ». Lo stesso le succedeva con me. Quando mi faceva fare un vestito, immediatamente le veniva voglia di farsene anche lei uno: però non me lo confessava, né lo confessava alla Paola, perché io e la Paola usavamo dirle che si faceva troppi vestiti: riponeva la stoffa, ben piegata, nel suo comò; e vedevamo quella nuova stoffa, un mattino, tra le mani della Tersilla.

Le piaceva avere la Tersilla in casa, anche perché amava la sua compagnia. – Lidia, Lidia! dove sei? – tuonava mio padre rientrando. Mia madre era nella stanza da stiro, a discorrere con la Natalina e la Tersilla.

– Stai sempre con le serve! – urlava mio padre. – Anche oggi c'è la Tersilla!

– Cos'avrà da fare Mario sempre con quel russo? – diceva ogni tanto mio padre. – Nuovo astro che sorge, – diceva, quando aveva incontrato Mario con Ginzburg sul corso. Tuttavia vedeva ora Ginzburg in miglior luce, e non gl'ispirava grande sospetto, avendolo trovato una volta nel salottino della Paola Carrara, insieme a Salvatorelli. Non capiva, però, cos'avesse Mario da spartire con lui. – Cos'avrà da fare con quel Ginzburg? – diceva, – cosa diavolo si diranno?

– È brutto, – diceva a mia madre, parlando di Ginzburg,
– perché è un ebreo sefardita. Io sono un ebreo aschenazita,
e per questo sono meno brutto.

Mio padre si esprimeva sempre in modo abbastanza favo-
revole sugli ebrei aschenaziti. Adriano, invece, usava parlar
bene dei mezzo-sangue, che erano, diceva, le migliori persone.
Fra i mezzo-sangue, quelli che gli piacevano di piú erano i figli
di padre ebreo e madre protestante, com'era lui stesso.

Si faceva a quel tempo, a casa nostra, questo gioco. Era un
gioco che aveva inventato la Paola, e lo facevano soprattutto
lei e Mario: vi partecipava tuttavia a volte anche mia madre.
Il gioco consisteva nel dividere la gente che si conosceva in
minerali, animali e vegetali.

Adriano era un minerale-vegetale. La Paola era un animale-
vegetale. Gino era un minerale-vegetale. Rasetti, che d'altronde non vedevamo da tanti anni, era un minerale puro, e cosí
anche la Frances.

Mio padre era un animale-vegetale, e cosí mia madre.

– Vaniloquio! – diceva mio padre, cogliendo al passaggio
qualche parola. – Sempre questo vostro vaniloquio!

Quanto ai vegetali puri, i fantastici puri, ce n'erano pochissimi al mondo. Forse vegetali puri erano stati soltanto alcuni
grandi poeti. Per quanto cercassimo, non trovavamo un solo
vegetale puro tra i nostri conoscenti.

La Paola diceva che questo gioco era stata lei a inventarlo,
ma qualcuno le aveva poi detto che una suddivisione di questa
sorta l'aveva già fatta Dante nel *De Vulgari Eloquentia*. Se
fosse vero, non so.

Alberto andò a fare il servizio militare, a Cuneo; e ora Vittorio passeggiava solo sul corso, perché lui il servizio militare
l'aveva già fatto.

Mio padre, rientrando, trovava mia madre intenta a sillabare in russo. – Uff, questo russo, – diceva. Mia madre segui-

tava, anche a tavola, a sillabare in russo e a recitare poesiole
russe che aveva imparato. – Basta con questo russo! – tuonava
mio padre. – Ma mi piace tanto Beppino! – diceva mia madre.
– È cosí bello! Lo studia anche la Frances!

Un sabato, Mario non venne, come sempre, da Ivrea; e
neppure comparve la domenica. Mia madre però non stava in
pensiero, perché già altre volte non era venuto. Pensò che fosse andato a trovare quella sua amante cosí magra, in Svizzera.

Il lunedí mattina, vennero Gino e la Piera a dirci che Mario
era stato arrestato sul confine svizzero, insieme a un amico; il
luogo dove l'avevano arrestato era Ponte Tresa; e non si sapeva altro. Gino aveva avuto questa notizia da qualcuno della
filiale Olivetti di Lugano.

Mio padre, quel giorno, non era a Torino; e arrivò la mattina dopo. Mia madre ebbe appena il tempo di raccontargli co-
s'era accaduto: poi la casa si riempí di agenti di questura, venuti a fare una perquisizione.

Non trovarono nulla. Noi il giorno prima, con Gino, avevamo guardato dentro ai cassetti di Mario, se non c'era qualcosa da bruciare; ma non avevamo trovato nulla, se non tutte
le sue camicie, « la sua robina », come diceva la mia zia Drusilla.

Gli agenti se ne andarono, e dissero a mio padre che doveva
seguirli in questura per un accertamento. Mio padre, la sera,
non era ancora rientrato: e cosí capimmo che l'avevano messo
in carcere.

Gino, tornato a Ivrea, era stato arrestato là; e poi trasferito
anche lui alle carceri di Torino.

Poi Adriano venne a dirci che Mario, passando per Ponte
Tresa in automobile con quel suo amico, era stato fermato da
guardie della dogana, che cercavano sigarette; e queste aveva-

no perquisito l'automobile, e vi avevano trovato opuscoli antifascisti. Mario e il suo amico erano stati fatti scendere, e le
guardie li stavano accompagnando al posto di polizia; e passavano lungo il fiume. Mario d'un tratto s'era svincolato, s'era
buttato nel fiume vestito com'era, e aveva nuotato verso il confine svizzèro. Guardie svizzere, all'ultimo, gli erano venute incontro con una barca. Ora Mario era in Svizzera, in salvo.

Adriano aveva il suo viso della fuga di Turati, il suo viso
felice e spaventato dei giorni del pericolo; e mise un'automobile e un autista a disposizione di mia madre: che però non
sapeva cosa farne, non sapendo dove andare.

Mia madre, ogni momento, giungeva le mani e diceva, tra
felice, ammirata e spaventata:

– In acqua, col paltò!

Quell'amico che s'era trovato con Mario a Ponte Tresa, e
che aveva l'automobile – Mario né aveva l'automobile, né sapeva guidare – si chiamava Sion Segre. Noi l'avevamo visto a
volte per casa, con Alberto e Vittorio. Era un ragazzo biondo,
sempre un po' curvo, dall'aria mite e pigra; era amico di Alberto e Vittorio, e che conoscesse anche Mario non lo sapevamo. La Paola, venuta subito in automobile da Milano, ci disse
che lei però lo sapeva: Mario s'era confidato con lei. Di quei
viaggi fra Italia e Svizzera, con opuscoli, Mario insieme a quel
Sion Segre ne aveva già fatti molti, e gli era sempre andata liscia; e così era diventato sempre più ardito, aveva riempito
sempre di più l'automobile di opuscoli e di giornali, aveva messo in disparte ogni regola di prudenza. Quando s'era buttato
nel fiume, una guardia aveva tirato fuori la pistola; ma un'altra
guardia aveva gridato di non sparare. Mario doveva la vita a
quella guardia che aveva gridato così. Le acque del fiume erano molto agitate, ma lui sapeva nuotar bene; e all'acqua gelata
c'era abituato, perché infatti, ricordò mia madre, durante una di
quelle sue crociere, aveva fatto un bagno nel Mare del Nord, in

compagnia del cuoco del bastimento; e gli altri passeggeri guardavano, dal ponte, e applaudivano; e anzi quando avevano saputo che Mario era italiano, s'erano messi a gridare: – Viva Mussolini!

Tuttavia in quel fiume Tresa, all'ultimo, stava quasi perdendo le forze, impacciato com'era dai vestiti, e forse per l'emozione; ma allora le guardie svizzere gli avevano mandato incontro la barca.

Mia madre, giungendo le mani, diceva:

– Chissà se quella sua amica così magra, in Svizzera, gli darà da mangiare?

Sion Segre si trovava ora in carcere a Torino; e avevano arrestato anche un suo fratello. Avevano arrestato Ginzburg, e molta gente che era stata in rapporti con Mario, a Torino.

Vittorio, lui, non era stato arrestato. Era, disse a mia madre, stupito, perché usava frequentare tutte quelle persone; e la sua lunga faccia dal mento prominente era pallida, tesa e perplessa. Andavano e venivano, lui e Alberto venuto a casa per pochi giorni in licenza, sul corso re Umberto.

Mia madre non sapeva come fare per far avere a mio padre, in carcere, biancheria e roba da mangiare; e poi era ansiosa di qualche notizia. Mi disse di cercare nella guida telefonica il numero dei parenti di Segre; ma quel Segre era orfano e non aveva nessuno, salvo quel fratello, arrestato anche lui. Mia madre sapeva che quei ragazzi Segre erano cugini di Pitigrilli; e mi disse di telefonare a Pitigrilli, per sapere come si regolava lui stesso e se avrebbe portato in carcere ai suoi cugini biancheria e libri. Pitigrilli rispose che sarebbe venuto a casa nostra.

Pitigrilli era un romanziere. Alberto era un grande lettore dei suoi romanzi; e mio padre, quando trovava per casa un romanzo di Pitigrilli, sembrava che avesse visto un serpente. – Lidia! nascondi subito quel libro! – urlava. Difatti aveva grande timore che io potessi leggerlo: essendo, i romanzi di

Pitigrilli, niente « adattati » per me. Pitigrilli dirigeva anche una rivista, chiamata « Grandi Firme »: anche quella sempre presente nella stanza di Alberto, legata in grossi fascicoli nei suoi scaffali, insieme ai libri di medicina.

Pitigrilli arrivò dunque a casa nostra. Era alto, grosso, con lunghe basette nere e grige, con un grosso paltò chiaro che non si tolse, sedendo in poltrona gravemente, e parlando a mia madre con tono austero, con accento di composto cordoglio. Era stato in carcere una volta, anni prima, e ci spiegò ogni cosa: i cibi che si potevano far avere ai detenuti in certi giorni della settimana, e come bisognava, a casa, sgusciare noci e nocciole, sbucciare le mele, gli aranci, e tagliare il pane a fettine sottili, perché in prigione non era possibile avere coltelli. Ci spiegò ogni cosa: e poi si trattenne ancora a conversare garbatamente con mia madre, le gambe accavallate, il grande paltò sbotto- nato, le folte sopracciglia aggrottate sulla fronte. Mia madre gli disse che io scrivevo novelle; e volle che io gli mostrassi un mio quadernetto, dove avevo ricopiato, in accurata calli- grafia, le mie tre o quattro novelle. Pitigrilli, sempre con quella sua aria misteriosa, altera e contristata, lo sfogliò un poco.

Poi arrivarono Alberto e Vittorio; e mia madre li presentò a Pitigrilli tutt'e due. E Pitigrilli uscí in mezzo a loro, sul cor- so re Umberto, col suo passo pesante, l'aria altera e contristata, il grande e lungo paltò sulle spalle.

Mio padre rimase in carcere, mi sembra, quindici o venti giorni; Gino, due mesi. Mia madre andava al mattino alle car- ceri, con un fagotto di biancheria; e con pacchi di aranci sbuc- ciati e di noci sgusciate, in quei giorni che si poteva portare del cibo.

Poi andava in questura. Veniva ricevuta, a volte da un cer- to Finucci, e a volte da un certo Lutri: e questi due personaggi le sembravano potentissimi, le sembrava avessero in mano le

sorti della nostra famiglia. – Oggi c'era il Finucci! – diceva
tornando a casa, tutta contenta, perché il Finucci l'aveva ras-
sicurata: e le aveva detto che a carico di mio padre e di Gino
non c'era nulla, e che presto li avrebbero messi fuori. – Oggi
c'era il Lutri! – diceva ugualmente contenta: perché il Lutri
era di maniere ruvide, ma, pensava mia madre, d'indole forse
piú sincera. Si sentiva poi lusingata dal fatto che entrambi quei
personaggi ci chiamassero tutti per nome, e sembrassero conoscerci tutti a fondo; dicevano « Gino », « Mario », « la Piera »,
« la Paola ». Di mio padre dicevano « il professore », e quando
lei gli spiegava che era un uomo di scienza, e mai s'era occupato di politica, e pensava soltanto alle sue cellule dei tessuti,
loro annuivano, e le dicevano di stare tranquilla. Mia madre
tuttavia, a poco a poco, cominciò a spaventarsi, perché mio padre non tornava a casa, e Gino neppure; e poi, a un certo punto, uscí sul giornale un articolo con questo titolo in grande:
« Scoperto a Torino un gruppo di antifascisti in combutta con
i fuorusciti di Parigi ». – In combutta! – ripeteva mia madre
angosciata: e quella parola « in combutta » le suonava carica
di oscure minacce. Piangeva, in salotto, circondata dalle sue
amiche, la Paola Carrara, la Frances, la signora Donati, e le altre piú giovani di lei e che lei usava proteggere e assistere, e
consolare quando erano senza soldi o quando i mariti le sgri-
davano; ora erano loro ad assisterla e a consolarla. La Paola
Carrara diceva che bisognava mandare una lettera al « Zurnàl
de Zenève ».

– Io l'ho scritto subito alla Gina! – diceva. – Ora vedrai
che uscirà una protesta sul « Zurnàl de Zenève »!

– È come l'Affare Dreyfus! – non faceva che ripetere mia
madre. – È come l'Affare Dreyfus!

C'era sempre in casa un andirivieni di gente, tra la Paola,
Adriano, Terni che era venuto apposta da Firenze, e la Frances,
e la Paola Carrara; la Piera, allora in lutto del suo proprio pa-

dre, e incinta, era venuta ad abitare da noi. La Natalina correva
tra la cucina e il salotto, portando tazze di caffè: ed era eccitata
e felice, essendo sempre felice quando c'era qualche trambusto,
gente in casa, rumore, giornate drammatiche, scampanellate e
molti letti da fare.

Poi mia madre partí con Adriano per Roma; perché Adriano aveva scoperto che c'era a Roma un certo dottor Veratti,
medico personale di Mussolini, il quale era antifascista e disposto ad aiutare gli antifascisti. Era però difficile arrivare a lui;
e Adriano aveva trovato due che lo conoscevano, Ambrosini e
Silvestri; e sperava di raggiungerlo per mezzo loro.

Restammo sole in casa con la Natalina, la Piera e io: e una
notte, fummo svegliate da una scampanellata, e ci alzammo piene di spavento. Erano dei militari, che venivano a cercare Alberto, allievo ufficiale a Cuneo: non era rientrato in caserma,
e non si sapeva dove fosse.

Poteva essere processato, diceva la Piera, per diserzione.
Almanaccammo tutta la notte, dove poteva essere finito Alberto; e la Piera pensava che si fosse spaventato, e fosse scappato
in Francia. Ma Vittorio il giorno dopo ci disse che Alberto era
semplicemente andato a trovare una ragazza, in montagna; aveva passato il tempo con lei, skiando tranquillamente, e scor-
dandosi di rientrare in caserma. Adesso era tornato a Cuneo,
ed era stato messo agli arresti.

Mia madre tornò da Roma sempre piú spaventata. Si era
però anche, in qualche modo, divertita a Roma, perché i viaggi
la divertivano sempre. Erano stati, lei e Adriano, ospiti in casa
di una certa signora Bondi, cugina di mio padre: e avevano cercato di entrare in contatto, oltre che col dottor Veratti, anche
con Margherita. Margherita era una delle tante Margherite e
Regine, che facevano parte della parentela di mio padre: ma
questa Margherita era famosa, essendo in amicizia con Mussolini. Tuttavia mio padre e mia madre non la vedevano da

molti anni. Mia madre non aveva potuto incontrarla, perché non si trovava a Roma in quel periodo; e nemmeno era riuscita a parlare col dottor Veratti. Ma quei due, Silvestri e Ambrosini, avevano dato speranze; e Adriano aveva un altro informatore – « un mio informatore » – diceva sempre – che gli aveva detto che tanto mio padre come Gino sarebbero usciti presto. Tra le persone arrestate, i soli veramente compromessi, e che si diceva sarebbero stati processati, erano Sion Segre e Ginzburg.

Mia madre non faceva che ripetere: – È come l'Affare Dreyfus!

Poi, una sera, mio padre ritornò a casa. Era senza cravatta, e senza lacci alle scarpe, perché in carcere li toglievano. Aveva, sotto il braccio, un fagotto di biancheria sporca, incartata in un foglio di giornale; aveva la barba lunga, ed era tutto contento d'essere stato in prigione.

Gino invece rimase dentro ancora due mesi; e un giorno che mia madre e la madre della Piera andavano a portargli alle carceri biancheria e roba da mangiare, in un taxi, capitò che questo taxi andasse a scontrarsi con un'altra macchina. Né mia madre né la madre della Piera si fecero nulla: ma si ritrovarono sedute nel taxi fracassato, coi loro pacchi sulle ginocchia, col tassista che imprecava, tutta una folla di gente intorno, e guardie. Erano a pochi metri dal carcere: e mia madre aveva solo paura che la gente capisse che loro andavano al carcere con quei pacchi, e le credesse parenti di qualche assassino. Adriano, quando gli raccontarono il fatto, disse che certo nella costellazione di mia madre c'era qualche scontro di astri, e per questo le toccavano in quel periodo tante e cosí pericolose avventure.

Poi anche Gino fu liberato. E mia madre disse:

– Ora si ricomincia con la vita noiosa!

Mio padre s'era infuriato, sapendo di Alberto che era agli

arresti, e rischiava di andare al Tribunale di Guerra. – Mascalzone! – diceva. – Mentre la sua famiglia era dentro, lui se ne andava con le ragazze a skiare!

– Sono preoccupato per Alberto! – diceva svegliandosi nella notte. – Non è mica uno scherzo, se lo passano al Tribunale di Guerra!

– Sono preoccupato per Mario! – diceva. – Sono molto preoccupato per Mario! Cosa farà?

Mio padre era però felice di avere un figlio cospiratore. Non se l'aspettava: e non aveva mai pensato a Mario come a un antifascista. Mario usava dargli sempre torto, quando discutevano, e usava parlar male dei socialisti di un tempo, cari a mio padre e a mia madre: usava dire che Turati era stato un grande ingenuo, e che aveva infilato sbagli su sbagli. E mio padre, che anche lui lo diceva, quando lo sentiva dire da Mario s'offendeva a morte.

– È fascista! – diceva a volte a mia madre. – In fondo è un fascista!

Ora non poteva più dire così. Ora Mario era diventato un famoso fuoruscito politico. Tuttavia a mio padre dispiaceva che il suo arresto e la sua fuga fossero avvenuti mentre Mario era un impiegato della fabbrica Olivetti, perché temeva che avesse compromesso la fabbrica, Adriano e il vecchio ingegnere.

– Lo dicevo io che non doveva entrare alla Olivetti! – urlava a mia madre. – Ora ha compromesso la fabbrica!

– Com'è buono Adriano! – diceva. – S'è dato tanto da fare per me. È molto buono! Tutti gli Olivetti son buoni!

La Paola ricevette, sempre attraverso non so che filiale Olivetti, un bigliettino scritto nella nota calligrafia di Mario, minuscola e quasi illeggibile. Il bigliettino diceva così: « Ai miei amici vegetali e minerali. Sto bene, e non ho bisogno di niente ».

Sion Segre e Ginzburg furono processati al Tribunale Speciale, e condannati uno a due anni, l'altro a quattro; la pena fu però dimezzata, per un'amnistia. Ginzburg fu mandato al penitenziario di Civitavecchia.

Alberto non fu poi passato al Tribunale di Guerra, e tornò a casa dal servizio militare; e ricominciò a passeggiare sul corso insieme a Vittorio. E mio padre gridava: – Mascalzone! Farabutto! – quando lo sentiva rientrare; e gridava cosí a qualunque ora lo sentisse rientrare, per abitudine.

Mia madre riprese le lezioni di pianoforte. E il suo maestro, uno coi baffetti neri, aveva una gran paura di mio padre e sgusciava lungo il corridoio con gli spartiti, in punta di piedi.

– Non posso soffrire quel tuo maestro di piano! – urlava mio padre. – Ha un'aria equivoca!

– Ma no Beppino, è tanto un brav'uomo! Vuole tanto bene alla sua bambina! – diceva mia madre. – Vuol bene alla sua bambina, le insegna il latino! È povero!

Aveva lasciato il russo, mia madre, non potendo piú prender lezione dalla sorella di Ginzburg, perché sarebbe stato compromettente. Erano entrate, in casa nostra, nuove parole. – Non si può invitare Salvatorelli! è compromettente! – dicevamo. – Non si può tenere in casa questo libro! può essere compromettente! possono fare una perquisizione! – E la Paola diceva che il nostro portone era « sorvegliato », che c'era sempre là fermo un tipo con l'impermeabile, e che si sentiva « pedinata » quando andava a spasso.

La « vita noiosa », del resto, non durò molto, perché un anno dopo vennero a casa ad arrestare Alberto; e si seppe che avevano arrestato Vittorio, e di nuovo tanta altra gente.

Vennero al mattino presto: erano, forse, le sei del mattino. Cominciò la perquisizione; e Alberto era là in pigiama, tra due agenti che lo sorvegliavano, mentre altri scartabellavano tra i suoi libri di medicina, le « Grandi Firme », e i romanzi gialli.

Io ebbi da quegli agenti il permesso di andare a scuola; e mia madre, nel vano d'una porta, m'infilò dentro la cartella le buste dei suoi conti, perché aveva paura che nel corso della perquisizione cadessero sotto gli occhi a mio padre, e che lui la sgridasse perché spendeva troppo.

– Alberto! hanno messo dentro Alberto! ma Alberto non s'è mai occupato di politica! – diceva mia madre sbalordita. Mio padre diceva: – L'hanno messo dentro perché è fratello di Mario! perché è mio figlio! Mica perché è lui!

Mia madre riprese ad andare alle carceri, con la biancheria; e là s'incontrava con i genitori di Vittorio, e con altri parenti di detenuti. – Gente cosí per bene! – diceva dei genitori di Vittorio. – Una famiglia cosí per bene! E hanno detto che quel Vittorio è tanto un bravo ragazzo. Aveva appena dato, benissimo, gli esami di procuratore. Alberto si è sempre scelto degli amici molto per bene!

– E anche Carlo Levi è dentro! – diceva, con una mescolanza di paura, d'allegria e d'orgoglio, perché la spaventava il fatto che fossero dentro in tanti, e che si preparasse magari un grande processo, ma l'idea che fossero dentro in tanti anche la confortava; ed era lusingata che Alberto si trovasse in compagnia di gente adulta, per bene e famosa. – È dentro anche il professor Giua!

– Però i quadri di Carlo Levi non mi piacciono! – diceva subito mio padre, che non perdeva mai un'occasione per dichiarare che i quadri di Carlo Levi non gli piacevano. – Ma no Beppino! invece son belli! – diceva mia madre. – Il ritratto della sua mamma è bello! Tu non l'hai visto!

– Sbrodeghezzi! – diceva mio padre. – Non posso soffrire la pittura moderna!

– Uh, ma Giua lo metteranno fuori subito! – disse mio padre. – Non è compromesso!

Mio padre non capiva mai quali erano i cospiratori veri,

perché infatti dopo qualche giorno si sentí dire che in casa dei
Giua avevano trovato lettere scritte con l'inchiostro simpatico,
e Giua era, fra tutti, quello piú in pericolo.

– Con l'inchiostro simpatico! – disse mio padre. – Già, lui
è un chimico, sa come si fa l'inchiostro simpatico!

Ed era profondamente stupito, e forse anche vagamente in-
vidioso; perché quel Giua, che usava incontrare in casa della
Paola Carrara, gli era sempre apparso come una persona posa-
ta, tranquilla e riflessiva. Ora Giua saliva, d'un tratto, al centro di quella vicenda politica. Dicevano che anche Vittorio si
trovava in una posizione estremamente pericolosa.

– Voci! – disse mio padre. – Tutte voci! Nessuno sa niente!

Erano stati arrestati anche Giulio Einaudi e Pavese: persone che mio padre conosceva poco, o conosceva soltanto di
nome. Si sentiva però anche lui, come mia madre, lusingato
che Alberto fosse tra loro: perché, trovandolo mescolato a quel
gruppo, di cui sapeva che facevano una rivista chiamata « La
Cultura », gli sembrava che Alberto, improvvisamente, fosse
entrato a far parte di una società piú degna.

– L'han messo dentro con quelli della « Cultura »! Lui che
legge soltanto « Le Grandi Firme »! – diceva mio padre.

– Doveva dare l'esame di biologia comparata! Adesso non
lo darà mai piú. Non si laurea piú! – diceva a mia madre nella
notte.

Poi Alberto, Vittorio e gli altri furono mandati a Roma,
ammanettati, con la tradotta. Li portarono nelle carceri di Regina Coeli.

Mia madre aveva ricominciato ad andare in questura, dal
Finucci e dal Lutri. Ma il Finucci e il Lutri dicevano che ormai
la cosa era passata alla questura di Roma, e che loro non sapevano nulla.

Adriano aveva saputo, da quel suo informatore, che tutte
le telefonate tra Alberto e Vittorio erano state registrate, una

per una. Vittorio e Alberto infatti si telefonavano di continuo, nei rari intervalli che non erano insieme, a spasso sul corso.

– Quelle telefonate cosí stupide! – disse mia madre. – Registrarle una per una!

Mia madre non sapeva cosa si dicessero, in quelle telefonate, perché Alberto, quand'era al telefono, parlava sussurrando. Tuttavia mia madre era persuasa che parlasse sempre di sciocchezze, e cosí anche mio padre.

– Alberto è un personaggio cosí futile! – diceva mio padre. – Metterlo dentro, lui che è la futilità in persona!

Si ricominciò a parlare del dottor Veratti, e di Margherita. Mio padre però, Margherita non voleva sentirla nominare. – Figurati se vado da Margherita! Non ci vado! Non mi sogno neanche! – Questa Margherita aveva scritto, anni prima, una biografia di Mussolini; e a mio padre il fatto che ci fosse, tra le sue cugine, una biografa di Mussolini, sembrava inaudito. – Magari non vuol nemmeno ricevermi! Figurati se vado da Margherita a mendicar piaceri!

Mio padre andò a Roma, in questura, per sentire notizie; e mancando assolutamente di ogni senso di diplomazia, e tuonando sempre con la sua voce forte e profonda, non credo riuscisse a ottenere gran cosa né quanto a colloqui, né quanto a informazioni. Era stato ricevuto da uno, che gli aveva detto di chiamarsi De Stefani; e mio padre, che sbagliava sempre i nomi, parlandone poi con mia madre lo chiamava « Di Stefano ». Le descrisse com'era fatto questo « Di Stefano ». Mia madre disse: – Ma quello non è De Stefani Beppino! quello è Anchise! ci sono stata anch'io l'anno scorso! – Macché Anchise! Mi ha detto di chiamarsi Di Stefano! Non può avermi dato generalità false! – Su Di Stefano e Anchise, ogni volta, mio padre e mia madre litigavano; e mio padre continuò a chiamarlo Di Stefano, benché fosse, senza nessun dubbio possibile a quanto diceva mia madre, Anchise.

Alberto, da Roma, scriveva che gli dispiaceva di non poter visitare la città. Difatti lui Roma l'aveva vista solo per mezz'ora, all'età di tre anni.

Una volta scrisse che si era lavato i capelli col latte, e dopo i suoi capelli puzzavano, e tutta la cella puzzava. Il direttore delle Carceri fermò quella lettera, e gli fece sapere che scrivesse, nelle sue lettere, meno sciocchezze.

Alberto fu mandato al confino, in un paese chiamato Ferrandina, in Lucania. Quanto a Giua e Vittorio, furono processati, e presero quindici anni per uno.

Mio padre diceva:

– Se Mario tornasse in Italia, si prenderebbe quindici anni! vent'anni!

Mario ora scriveva, da Parigi, nella sua calligrafia minuscola e illeggibile, lettere brevi e concise, che i miei genitori stentavano a decifrare.

Andarono a trovarlo. Mario viveva, a Parigi, in una soffitta. Indossava ancora quei panni, che portava quando s'era buttato nell'acqua a Ponte Tresa: ed erano stinti e frusti. Mia madre voleva che si comprasse un vestito: ma lui rifiutò di lasciare quegli abiti stinti. Chiese subito notizie di Sion Segre e di Ginzburg, che erano ancora in carcere; e di Ginzburg parlava con stima, e tuttavia come di persona lontana, che il suo pensiero e il suo affetto non avevano abbandonato ma avevano tuttavia un poco lasciato in disparte; e quanto alla sua propria avventura e fuga, sembrava averle dimenticate del tutto.

Si faceva da sé il bucato; non aveva che due camicie logore, e le lavava con grande cura, con l'attenzione meticolosa che usava un tempo nel maneggiare e riporre dentro ai cassetti la sua biancheria di seta.

Spazzava da sé la sua soffitta, con meticolosa attenzione. Era

sempre ben lavato, ben sbarbato, lindo, anche nei suoi panni
logori: e sembrava piú che mai, disse mia madre, un cinese.

Aveva un gatto. C'era, nella soffitta, in un angolo, la casset-
tina con la segatura; era un gatto molto pulito, disse Mario,
non faceva mai la cacca per terra. Aveva, disse mio padre, una
fissazione con quel gatto. Si alzava presto al mattino, per andare a comperargli il latte. Mio padre, come mia nonna, non
poteva soffrire i gatti; e anche mia madre non amava molto i
gatti, preferiva i cani.

Disse mia madre:

– Perché invece non ti tieni un cane?

– Macché cane! – urlò mio padre. – Ci mancherebbe altro
che tenesse un cane!

Mario, a Parigi, aveva rotto con i gruppi di Giustizia e
Libertà. Li aveva frequentati, per un periodo, e collaborava
al loro giornale; ma poi aveva visto che non gli piacevano
tanto.

Mario era quello che, da piccolo, aveva fatto la poesia sui
ragazzi Tosi, con i quali non gli piaceva giocare:

> E quando arrivano i ragazzi Tosi,
> Tutti antipatici, tutti noiosi.

Ora per lui i ragazzi Tosi erano i gruppi di Giustizia e Libertà. Tutto quello che dicevano, pensavano e scrivevano lo
indispettiva. Non faceva che criticarli. E diceva:

> ...Ché tra i lazzi sorbi
> Non si convien maturi il dolce fico.

Il dolce fico era lui, e i lazzi sorbi erano quelli di Giustizia
e Libertà.

– È proprio vero! – diceva. – È proprio cosí!

> ...Ché tra i lazzi sorbi
> Non si convien maturi il dolce fico.

Lo diceva ridendo e carezzandosi le mascelle, cosí come un tempo diceva « il baco del calo del malo ».

S'era messo a leggere Dante. Aveva scoperto che era bellissimo. S'era messo anche a studiare il greco, e a leggere Erodoto, e Omero.

Invece non poteva soffrire Pascoli, né Carducci. Carducci poi lo mandava in bestia. – Era monarchico! – diceva. – Era prima repubblicano, e poi è diventato monarchico, perché s'è innamorato di quella scema della regina Margherita!

– E pensare che è dello stesso tempo di Baudelaire, dello stesso secolo! Leopardi, sí, era un grande poeta. I soli poeti moderni sono Leopardi e Baudelaire! È ridicolo che nelle scuole italiane si studi ancora Carducci!

Andarono, mio padre e mia madre, a vedere il Louvre. Mario chiese se avevano visto Poussin.

Poussin, loro, non l'avevano guardato. Avevano guardato tante altre cose.

– Come! – disse Mario. – Non avete visto Poussin! Allora era inutile andàre al Louvre! L'unica cosa che vale la pena di vedere, al Louvre, è Poussin!

– Io questo Poussin, è la prima volta che ne sento parlare, – disse mia madre.

Mario aveva fatto amicizia, a Parigi, con un certo Cafi. Non parlava che di lui.

– Nuovo astro che sorge, – disse mio padre.

Cafi era mezzo russo e mezzo italiano, emigrato a Parigi da molti anni, poverissimo, e senza salute.

Cafi aveva riempito fiumi di fogli, e li dava da leggere agli amici, ma non si curava di farli stampare. Diceva che quando uno ha scritto una cosa, non occorre stamparla. Averla scritta, e leggerla agli amici, basta. Non c'è nessun bisogno che resti, per i posteri, perché i posteri non contano nulla.

Cosa ci fosse scritto su quei fogli, Mario non lo spiegava bene. Tutto c'era scritto, tutto.

Cafi non mangiava. Viveva di niente, viveva di un mandarino, e i suoi vestiti erano tutti a pezzi, le scarpe sfondate. Se aveva un po' di denaro, comprava allora cibi raffinati, e champagne.

– Che intollerante quel Mario! – diceva poi mio padre a mia madre. – Critica tutti, non gli va bene nessuno! Solo questo Cafi!

– Sembra che abbia scoperto lui che Carducci è noioso! io lo sapevo da un pezzo, – disse mia madre.

Poi erano offesi, mio padre e mia madre, dal fatto che Mario sembrasse non avere nessuna nostalgia dell'Italia. Era innamorato della Francia, e di Parigi. Mischiava al suo parlare, continuamente, parole francesi. Dell'Italia parlava incurvando le labbra, con profondo disprezzo.

Mio padre e mia madre non erano mai stati nazionalisti. Odiavano, anzi, il nazionalismo in tutte le sue forme. Ma quel disprezzo dell'Italia sembrava comprendere loro e tutti noi, e le nostre abitudini, tutta la nostra vita.

Poi a mio padre dispiaceva che Mario avesse rotto i rapporti con i gruppi di Giustizia e Libertà. Il capo dei gruppi di Giustizia e Libertà era Carlo Rosselli: e Rosselli, quando Mario era arrivato a Parigi, gli aveva dato del denaro e l'aveva ospitato. Mio padre e mia madre conoscevano i Rosselli da molti anni, ed erano amici della madre, la signora Amelia, che stava a Firenze. – Guai a te se fai qualche sgarbo a Rosselli! – disse a Mario mio padre.

Mario aveva, oltre a Cafi, due altri amici. Uno era Renzo Giua, il figlio di quel Giua che era in carcere: un ragazzo pallido, con gli occhi accesi, col ciuffo sulla fronte, che era scappato dall'Italia da solo, attraversando le montagne. L'altro era Chiaromonte, che mia madre aveva conosciuto anni prima in casa della Paola, d'estate, a Forte dei Marmi. Chiaromonte era grosso, tarchiato, con i riccioli neri. Tutt'e due questi amici di Mario erano in rotta con Giustizia e Libertà, e tutt'e due erano amici di Cafi, e passavano le giornate ad ascoltarlo quando leggeva quei suoi fogli, scritti a matita, e che non sarebbero mai diventati dei libri, perché lui i libri stampati li disprezzava.

Chiaromonte aveva una moglie molto malata, ed era molto povero; tuttavia aiutava Cafi, quando poteva. Anche Mario lo aiutava. Vivevano cosí, in stretta amicizia, dividendosi il poco che avevano, e senza appoggiarsi a nessun gruppo, senza fare progetti per il futuro, perché non c'era nessun futuro possibile; probabilmente sarebbe scoppiata la guerra, e l'avrebbero vinta gli stupidi; perché gli stupidi, Mario diceva, vincevano sempre.

– Quel Cafi, – disse mio padre a mia madre, – dev'essere un anarchico! Anche Mario è un anarchico! in fondo, è sempre stato un anarchico!

Dopo Parigi andarono, mio padre e mia madre, a Bruxelles, dove c'era un congresso di biologia. Là trovarono Terni, e altri amici di mio padre, e suoi allievi e assistenti: e mio padre si sentí sollevato, perché la compagnia di Mario lo stancava.

– Dà sempre torto! – diceva di Mario. – Appena apro bocca mi dà torto!

A mio padre piaceva molto fare quei viaggi, ogni tanto, quando c'erano congressi; e gli piaceva ritrovarsi con i biologi, discutere grattandosi la testa e la schiena, tirarsi dietro mia madre, in gran furia e senza mai permetterle di fermarsi, nelle gallerie e nei musei. Gli piaceva anche soggiornare negli alberghi. Soltanto, lui si svegliava sempre molto presto, al mattino, ed era, svegliandosi, sempre affamato. Finché non aveva fatto colazione, era di umore feroce; girava agitato per la stanza, guardando fuori, spiando le prime luci dell'alba. Quand'erano finalmente le cinque, si attaccava al telefono e ordinava, urlando, la colazione: – Deux thés! Deux thés complets! avec de l'eau chaude! – Si scordavano, in genere, di portargli l'«eau chaude», o di portargli la marmellata: essendo i camerieri, a quell'ora, ancora assonnati. Finalmente, quando aveva ottenuto tutto, divorava la sua colazione, marmellata e brioches; e poi faceva alzare mia madre: – Lidia, andiamo, è tardi! andiamo a visitare la città.

– Che asino quel Mario! – diceva ogni tanto. – È sempre stato un asino! È sempre stato un intollerante! Mi dispiace se fa qualche sgarbo a Rosselli!

– Sempre con quel Cafi! Cafi! Cafi! – diceva mia madre quand'erano di nuovo a casa, e raccontando di Mario alla Paola e a me. Diceva «con Cafi» come un tempo diceva: «con Pajetta!» lagnandosi di Alberto. E chiedeva alla Paola di Poussin: – Ma è davvero tanto bello questo Poussin?

Anche la Paola andò a trovare Mario. Litigarono; e non si piacevano piú. Non facevano piú, ora, insieme, il gioco dei minerali e dei vegetali. Non erano piú d'accordo su niente; su ogni cosa avevano un'opinione diversa. La Paola, a Parigi si comprò un vestito. Mario l'aveva sempre trovata elegante, aveva sempre lodato i suoi vestiti, il suo gusto; e tra loro due, era, in genere, la Paola a dar giudizi, e Mario a darle ragione. Quel vestito che la Paola comperò a Parigi, a Mario non piacque. Le disse che sembrava, con quel vestito, «la moglie d'un prefetto». La Paola restò molto offesa. Anche Chiaromonte, col quale usava incontrarsi in passato, in villeggiatura al mare, a Forte dei Marmi, adesso non le andava piú. Non riconosceva quel Chiaromonte, che un tempo usava venire a farle visita al mare, remare e nuotare, corteggiare le sue amiche, scherzare su tutto, andare la sera a ballare alla Capannina, in quel nuovo personaggio di emigrato politico, senza denari, con la moglie cosí malata, e tanto amico di Cafi. Mario le disse che lei era una borghese. – Sí, sono una borghese, – disse la Paola, – e non me ne importa niente!

Andò a vedere la tomba di Proust. Lui, Mario, non c'era mai andato. – Non gliene importa piú niente di Proust! – raccontò poi la Paola a mia madre, al suo ritorno. – Non se ne ricorda nemmeno, non gli piace piú. Gli piace solo Erodoto!

Aveva comperato a Mario un bellissimo impermeabile, vedendo che era senza; e Mario, immediatamente, l'aveva regalato a Cafi, perché diceva che non poteva Cafi bagnarsi quando pioveva, essendo malato di cuore.

– Cafi! Cafi! Cafi! – diceva anche la Paola disgustata; ed era d'accordo con mio padre che Mario aveva fatto malissimo ad allontanarsi dal gruppo di Rosselli, e diceva che erano, Mario e Chiaromonte a Parigi, due isolati, e senza piú nessun rapporto con la realtà.

Alberto era tornato dal confino, aveva preso la laurea e si era sposato. Contro ogni previsione di mio padre, diventò un medico, e si mise a curare la gente.

Aveva, ora, uno studio. Si arrabbiava con Miranda, sua moglie, se lo studio non era in ordine, e se c'erano giornali in giro. Si arrabbiava se non c'erano portacenere; perché lui fumava sempre una sigaretta dietro l'altra, e ora non buttava piú le cicche per terra.

Venivano i malati, e lui li esaminava; e intanto gli raccontavano i fatti loro. Lui stava a sentire, perché amava i fatti della gente.

Poi andava, in camice bianco e con lo stetoscopio penzolante al collo, nella stanza vicina. Là c'era Miranda, buttata su un divano con la borsa dell'acqua calda, ravviluppata in un plaid, perché era molto freddolosa e pigra. Lui si faceva fare un caffè.

Era sempre irrequieto, com'era stato da ragazzo, e beveva continuamente dei caffè. Fumava continuamente, a sorsate, senza aspirare, sempre come se bevesse la sigaretta.

Venivano amici a vederlo, e lui gli misurava la pressione, e gli regalava campioni di medicinali.

Trovava, in tutti, malattie. Solo in sua moglie non ne trovava nessuna. Lei gli diceva: – Dammi un ricostituente! Devo esser malata. Ho sempre mal di testa. Mi sento stanca! – E lui allora diceva:

– Non sei malata. Soltanto, sei fatta di un materiale di seconda qualità.

Miranda era piccola, magra e bionda, con gli occhi celesti. Usava stare molte ore in casa, con una vestaglia di Alberto, e ravviluppata nel plaid. Diceva:

– Quasi quasi vado a Ospedaletti, da Elena!

Sognava sempre di partire per Ospedaletti, dove Elena, sua sorella, passava i mesi invernali. Sua sorella, bionda e simile a lei, ma un poco piú energica, era in quel momento a Ospedaletti, al sole su una sdraia, con gli occhiali neri, e con un plaid sulle gambe. O forse, giocava a bridge.

Erano, Miranda e sua sorella, bravissime a giocare a bridge. Avevano vinto dei tornei. Miranda aveva la casa piena di portacenere, che aveva vinto in quei tornei.

Miranda, quando giocava a bridge, si scuoteva dal suo torpore. Faceva una faccia maliziosa e ilare, chinando sulle carte il piccolo naso ricurvo, e le brillavano gli occhi.

Tuttavia raramente riusciva a separarsi dalla sua poltrona, e dal plaid. Verso sera si alzava, andava in cucina e guardava dentro a una pentola, dove c'era a cuocere un pollo. Alberto diceva:

– Ma perché in questa casa si mangia sempre pollo lesso?

Alberto, anche lui giocava a bridge. Soltanto, lui perdeva sempre.

Miranda sapeva tutto sulla Borsa, essendo suo padre un agente di Cambio. Diceva a mia madre:

– Sai che forse vendo le mie Incet? – E le diceva:

– Tu dovresti vendere le tue Immobiliari! Cosa aspetti a vendere le Immobiliari?

Mia madre andava da mio padre e diceva:

– Bisogna vendere le Immobiliari! L'ha detto Miranda!

Mio padre diceva:

– Miranda! cosa vuoi che sappia Miranda!

Poi però quando vedeva Miranda diceva:

– Tu che te ne intendi di Borsa, credi davvero che farei bene a vendere le Immobiliari?

Diceva poi a mia madre: – Che impiastro quella Miranda! Ha sempre mal di testa! Però se ne intende di Borsa! Ha molto fiuto per gli affari!

Mio padre, quando Alberto aveva annunciato che si sposava, aveva fatto una gran sfuriata. Poi però s'era rassegnato. Ma diceva, svegliandosi nella notte:

– Come faranno, che non hanno un soldo? E Miranda è un impiastro!

Non avevano, infatti, molti soldi. Ma poi Alberto cominciò a guadagnare. Venivano da lui donnette, e si facevano visitare; e gli raccontavano i loro fastidi. Lui stava a sentire, con acuto interesse. Era dotato di curiosità e di pazienza. E amava, nella gente, i fastidi e le malattie.

Ormai non leggeva che riviste mediche. Non leggeva piú i romanzi di Pitigrilli. Li aveva già letti tutti; e Pitigrilli non ne aveva scritti di nuovi, essendo scomparso, e nessuno sapeva dove fosse.

Alberto non andava piú a passeggiare sul corso re Umberto. Il suo amico Vittorio era in carcere; e lui non ne aveva che rare notizie, quando i genitori di Vittorio avevano la bronchite e lo mandavano a chiamare.

Alberto si faceva fare i vestiti da un sarto, che si chiamava Vittorio Foa. Alberto diceva, mentre il sarto gli misurava il vestito:

– Io mi servo da loro per il nome!

E il sarto, compiaciuto, ringraziava.

Difatti anche Vittorio si chiamava Foa, come quel sarto.

Alberto diceva a Miranda:

– Sempre bronchiti! sempre malattie stupide! Mai che mi tocchi curare qualche bella malattia strana, un po' complicata, un po' strana! Io mi stufo! In fondo mi stufo! Non mi diverto abbastanza!

Invece, a fare il medico, si divertiva; non voleva però confessarlo. Mia madre diceva:

– Alberto ha una gran passione per la medicina!

Diceva: – Voglio andare da Alberto a farmi visitare. Oggi ho un po' di mal di stomaco.

E mio padre diceva:

– Macché! cosa vuoi che sappia quel salame di Alberto!

Diceva: – Hai mal di stomaco, perché ieri hai mangiato troppo! Prendi una pillola! Ti do io una pillola!

Mia madre ogni giorno passava da Alberto, che abitava, di casa, vicino a loro. Trovava Miranda sulla poltrona. Alberto usciva un momento dal suo studio, in camice, con lo stetoscopio sul petto; e si scaldava al termosifone. Avevano, lui e mia madre, lo stesso vizio di star sempre attaccati ai termosifoni.

Miranda se ne stava ravviluppata nel plaid. Mia madre le diceva: – Muoviti! Lavati la faccia con l'acqua fresca! Andiamo a spasso. Ti porto al cinematografo!

Miranda diceva: – Non posso. Devo restare a casa. Aspetto mia cugina. E poi, ho troppo mal di testa.

Alberto allora diceva: – Miranda manca di vita. È pigra. È fatta di un materiale di seconda qualità.

Miranda aspettava sempre le sue cugine. Ne aveva tante. Alberto diceva:

– Sono stufo di curare le tue cugine!

E diceva: – Che città noiosa Torino! Come ci si annoia! Non succede mai niente! Almeno una volta ci arrestavano! Ora non ci arrestano piú. Ci hanno dimenticato. Mi sento dimenticato, lasciato nell'ombra!

La Paola ora era venuta anche lei a stare a Torino. Stava in collina, in una grande casa bianca, con una terrazza circolare, che guardava sul Po.

La Paola amava il Po, le strade e la collina di Torino, e i viali del Valentino, dove un tempo usava passeggiare col giovane piccolo. Ne aveva avuta sempre una grande nostalgia. Ma ora anche a lei Torino sembrava diventata piú grigia, piú noiosa, piú triste. Tanta gente, tanti amici erano lontano, in carcere. La Paola non riconosceva le strade della sua giovinezza, quando aveva pochi vestiti, e leggeva Proust.

Adesso aveva molti vestiti. Se li faceva nelle sartorie; ma faceva venire in casa la Tersilla, anche lei, e se la disputavano, lei e mia madre. La Paola diceva che la Tersilla le dava un senso di sicurezza. Le dava il senso della continuità della vita.

Invitava a pranzo, a volte, Alberto e Miranda, e Sion Segre, che era tornato dal carcere. Sion Segre aveva una sorella, Ilda, che stava di solito, col marito e i figli, in Palestina; ma veniva a Torino di tanto in tanto.

La Paola e questa Ilda avevano fatto amicizia. Ilda era bella, alta, bionda; e andavano, lei e la Paola, con passi lunghi a spasso per la città.

I figli di Ilda si chiamavano Ben e Ariel; e andavano a scuola a Gerusalemme. Ilda, a Gerusalemme, faceva una vita austera, e parlava soltanto di problemi ebraici; ma quando veniva a Torino a stare un po' dal fratello, le piaceva parlare anche di vestiti, e andare a spasso.

Mia madre, delle amiche della Paola era sempre un po' gelosa; e quando la Paola aveva una nuova amica, lei diventava di cattivo umore, sentendosi messa in disparte.

Si alzava allora al mattino con un viso grigio, con le palpebre tutte pestate; e diceva: – Ho la catramonaccia –. Quell'insieme di tetraggine e di senso di solitudine, mescolato anche di solito a un'indigestione, mia madre lo chiamava « la catramonaccia ». Con « la catramonaccia », stava rintanata in salotto, e aveva freddo, si avviluppava negli scialli di lana; e pensava che la Paola non le voleva piú bene, non veniva a trovarla, e andava con le sue amiche a spasso.

– Mi stufo! – diceva mia madre. – Non mi diverto! Sono stufa! Non c'è niente di peggio che stufarsi! Se almeno mi venisse qualche bella malattia!

A volte, le veniva l'influenza. Era contenta, perché le sembrava, l'influenza, una malattia piú nobile delle sue solite indigestioni. Si misurava la febbre: aveva trentasette e quattro. – Sai che son malata? – diceva contenta a mio padre. – Ho trentasette e quattro!

– Trentasette e quattro? è poco! – diceva mio padre. – Io vado in laboratorio anche con trentanove!

Mia madre diceva: – Speriamo stasera! – Ma non aspettava la sera, si misurava tutti i minuti la febbre. – Sempre trentasette e quattro! Eppure mi sento male!

La Paola era poi, dal canto suo, anche lei gelosa delle amiche di mia madre. Non della Frances, o della Paola Carrara. Era gelosa delle amiche giovani, quelle che mia madre proteggeva e assisteva, e che si tirava dietro a spasso, e al cinematografo. La Paola veniva a trovare mia madre, e le dicevano che era uscita con una di quelle sue giovani amiche. La

Paola s'arrabbiava: – Ma è sempre a spasso! non è mai a casa!

E poi s'arrabbiava, la Paola, quando mia madre dava la Tersilla a una di quelle sue amiche giovani. – Non gli dovevi dare
la Tersilla! – le diceva. – Ne avevo bisogno io per aggiustare i
paltò dei bambini!

– La nostra mamma è troppo giovane! – si lamentava a volte la Paola con me. – Io invece avrei voglia di avere una mamma vecchia, grassa, con tutti i capelli bianchi! una che stesse
sempre a casa, che ricamasse delle tovaglie. Come è la mamma
di Adriano. Mi darebbe un tale senso di sicurezza, avere una
mamma molto vecchia, tranquilla. Una che non fosse cosí gelosa delle mie amiche. Io la verrei a trovare, e sarebbe lí, sempre serena, col ricamo, tutta vestita di nero, e mi darebbe dei
buoni consigli!

Le diceva: – Se ti stufi tanto, perché non impari a ricama-
re? Mia suocera ricama! passa le giornate ricamando!

E mia madre diceva:

– Ma la tua suocera è sorda! Cosa ci posso fare io, se non
sono sorda come la tua suocera? Io mi annoio a star sempre
chiusa in casa! Ho voglia di andare a spasso!

Diceva: – Figurati se imparo il ricamo! Non son buona!
Non so punciottare! Quando rammendo le calze al papà, mi
vengono fuori dei brutti punciotti, che poi la Natalina deve di-
sfarli!

Aveva ripreso a studiare il russo, da sola, e a sillabare sul
divano; e quando veniva la Paola a trovarla, le diceva le frasi
della grammatica, sillabando.

La Paola diceva: – Uff! che noiosa la mamma con questo
russo!

La Paola era anche gelosa di Miranda. Le diceva: – Vai
sempre da Miranda! Non vieni mai da me!

Miranda aveva avuto un bambino, l'avevano chiamato Vittorio. La Paola aveva avuto, nella stessa epoca, una bambina.

La Paola diceva che il bambino di Miranda era brutto. – Ha dei lineamenti brutti, grossolani, – diceva. – Sembra il figlio d'un ferroviere!

Mia madre, ora, quando andava a vedere il bambino di Miranda, diceva:

– Vado a vedere come sta il ferroviere!

Mia madre, i bambini piccoli le piacevano tutti. Le piacevano anche le balie.

Le balie le ricordavano il tempo che aveva, piccoli, i suoi bambini. Aveva avuto una collezione di balie, asciutte e da latte; e le avevano insegnato canzoni. Cantava, per la casa, e diceva: – Questa qui era della balia di Mario! Questa, della balia di Gino!

Il bambino di Gino, Arturo, nato nell'anno che mio padre era stato arrestato, veniva in villeggiatura con noi, e veniva anche la sua balia. Mia madre, quando c'era in casa questa balia di Arturo, stava sempre a chiacchierare con lei.

Mio padre diceva:

– Sei sempre con le serve! Prendi la scusa di guardare i bambini, e intanto chiacchieri con le serve!

– Ma è una donna cosí simpatica Beppino! È antifascista! Ragiona come noi!

– Ti proibisco di parlare di politica con le serve!

A mio padre gli piaceva, dei suoi nipoti, soltanto Roberto. Quando gli facevano vedere un nuovo nipote, diceva:

– Però è piú bello Roberto!

Forse, essendo Roberto il suo primo nipote, era anche il solo che avesse guardato con un po' d'attenzione.

Quando veniva il tempo della villeggiatura, mio padre prendeva in affitto una casa, sempre la stessa; ormai, da anni, non voleva piú cambiar posto. Era una grande casa di pietre grige, che guardava su un prato: ed era a Gressoney, nella frazione di Perlotoa.

Venivano con noi i bambini della Paola, il bambino di Gino; ma il bambino di Alberto, il ferroviere, lo portavano a Bardonecchia, perché Elena, la sorella di Miranda, aveva là una casa.

Mio padre e mia madre disprezzavano Bardonecchia, non so perché. Dicevano che non c'era sole, e che era un posto orribile. A sentirli, sembrava che fosse un cesso.

Mio padre diceva: – Una gran sempia quella Miranda! poteva venir qui. Il bambino stava meglio qui che a Bardonecchia, di certo.

E mia madre diceva: – Povero ferroviere!

Il bambino tornava da Bardonecchia che stava benissimo. Era un bambino molto bello, florido e biondo. Non sembrava niente un ferroviere.

Mio padre diceva:

– Non sta mica male però. Curioso, Bardonecchia non gli ha fatto male.

Eravamo andati, qualche anno, a Forte dei Marmi, perché Roberto aveva bisogno d'aria di mare. Ma mio padre al mare stava malvolentieri. Si metteva a leggere sotto l'ombrellone, vestito come in città: arrabbiato, perché non gli piaceva la gente in costume da bagno. Mia madre, lei, faceva il bagno, però a riva, perché non sapeva nuotare: e finché era nell'acqua se la godeva, prendeva le onde. Ma poi tornando a sedere accanto a mio padre, s'immusoniva anche lei. Era gelosa della Paola, che se ne andava via in pattino, in alto mare, e non tornava mai.

La sera, la Paola andava a ballare alla Capannina. E mio padre diceva:

– Tutte le sere va a ballare? Che asina!

Invece in montagna, nella casa di Perlotoa, mio padre era sempre contento; e cosí anche mia madre. Non venivano la Paola o la Piera, se non per visite brevi: c'erano soltanto i bambini. Mia madre con i bambini, con la Natalina e le balie, stava benissimo.

C'ero anch'io, e mi annoiavo a morte, in quelle villeggiature. E c'erano, nella casa accanto alla nostra, Lucio e la Frances. Andavano, tutti vestiti di bianco, in paese a giocare a tennis.

E c'era anche l'Adele Rasetti, in un albergo in paese: sempre uguale, piccola, magra, identica al figlio nel viso verde e tirato, dagli occhi acuti come punte di spillo. Raccoglieva insetti nel suo fazzoletto, e li metteva in una zolla di muschio sul davanzale della finestra.

Mia madre diceva:

— Come mi piace l'Adele!

Suo figlio ora lavorava a Roma con Fermi, ed era un fisico famoso.

Mio padre diceva: — L'ho sempre detto che Rasetti è molto intelligente. Però è arido! molto arido!

La Frances veniva a sedersi nel prato su una panchina, accanto a mia madre: aveva ancora la racchetta nella sua custodia, la testa stretta in un elastico bianco. Parlava d'una sua cognata ch'era in Argentina, la moglie dello zio Mauro, e diceva, rifacendole il verso:

— *Commo* no!

Mio padre le diceva:

— Si ricorda quando da giovani andavamo in gita con la Paola Carrara, e la Paola Carrara i crepacci li chiamava « Quelle buche dove ci si casca dentro »?

E mia madre diceva:

— E ti ricordi quando Lucio era piccolo, e gli avevamo spiegato che in gita non bisogna mai dire d'aver sete, e lui diceva: « Ho sete ma non lo dico »?

E la Frances diceva:

— *Commo* no!

– Lidia, non strapparti le pipite! – tuonava di tanto in tanto mio padre. – Non far malagrazie!

– Un po' con la Frances, un po' con l'Adele Rasetti, – diceva mia madre, – le giornate passano!

Ma quando veniva la Paola a vedere i suoi bambini, mia madre diventava subito irrequieta e scontenta. Andava dietro alla Paola passo per passo, la guardava mentre tirava fuori i suoi vasetti di creme per la pelle. Mia madre aveva anche lei tante creme per la pelle, le stesse; ma non si ricordava mai di metterle.

– Hai la pelle tutta screpolata, – le diceva la Paola, – curati un po' la pelle. Devi metterti una buona crema nutriente, tutte le sere.

Mia madre portava, in montagna, sottane pesanti e pelose; e la Paola le diceva:

– Ti vesti troppo da svizzera!

– Che malinconia queste montagne! – diceva la Paola. – Non le posso soffrire!

– Tutti minerali! – diceva poi con me, ricordando il gioco che usavamo fare con Mario. – L'Adele Rasetti è proprio un minerale puro. Io con la gente cosí minerale non son piú buona di starci!

Ripartiva dopo qualche giorno; e mio padre le diceva: – Perché non ti fermi un po' di piú? Che asina che sei!

Andammo, in autunno, io e mia madre a trovare Mario, che adesso stava in un paesetto vicino a Clermont-Ferrand. Faceva l'istitutore in un collegio.

Aveva fatto grande amicizia col direttore del collegio e sua moglie. Diceva che erano persone straordinarie, coltissime, oneste, come se ne trovano soltanto in Francia.

Aveva, nel collegio, una stanzetta, con una stufa a carbone.

Si vedeva, dalle finestre, la campagna coperta di neve. Mario scriveva lunghe lettere, a Parigi, a Chiaromonte e a Cafi. Traduceva Erodoto, e armeggiava con la stufa. Portava, sotto la giacca, un maglione scuro col collo rivoltato, che gli aveva fatto la moglie del direttore. Lui le aveva regalato, per ringraziamento, un cestello da lavoro.

In paese lo conoscevano tutti; lui con tutti si fermava a discorrere, e lo portavano nelle case a bere « le vin blanc ».

Mia madre diceva: – Com'è diventato francese!

La sera, giocava a carte col direttore del collegio e sua moglie. Ascoltava i loro discorsi, e ragionava con loro sui sistemi d'insegnamento. Parlavano anche a lungo della *soupe* che era stata servita a cena, se c'era o no abbastanza cipolla.

– Com'è diventato paziente! – diceva mia madre. – Come ha pazienza con questi qua! Con noi non aveva mai pazienza, ci trovava noiosi quand'era a casa. A me mi pare che questi sono anche piú noiosi di noi!

E diceva: – Ha pazienza, soltanto perché sono francesi!

Alla fine dell'inverno, Leone Ginzburg tornò a Torino dal penitenziario di Civitavecchia, dove aveva scontato la pena. Aveva un paltò troppo corto, un cappello frusto: il cappello piantato un po' storto sulla nera capigliatura. Camminava adagio, con le mani in tasca: e scrutava attorno con gli occhi neri e penetranti, le labbra strette, la fronte aggrottata, gli occhiali cerchiati di tartaruga nera, piantati un po' bassi sul suo grande naso.

Andò a stare, con sua sorella e sua madre, in un alloggio dalle parti di corso Francia. Era vigilato speciale: cioè doveva rientrare appena faceva buio, e venivano agenti a controllare se era in casa.

Passava le serate con Pavese; erano amici da molti anni. Pavese era tornato da poco dal confino; ed era, allora, molto malinconico, avendo sofferto una delusione d'amore. Veniva da Leone ogni sera; appendeva all'attaccapanni la sua sciarpetta color lilla, il suo paltò a martingala, e sedeva al tavolo. Leone stava sul divano, appoggiandosi col gomito alla parete.

Pavese spiegava che veniva là non per coraggio, perché lui di coraggio non ne aveva; e nemmeno per spirito di sacrificio. Veniva perché se no non avrebbe saputo come passar le serate; e non tollerava di passar le serate in solitudine.

E spiegava che non veniva per sentir parlare di politica, perché, lui, della politica, « se ne infischiava ».

A volte fumava la pipa, tutta la sera, in silenzio. A volte, avviluppandosi i capelli attorno alle dita, raccontava i fatti suoi.

Leone, la sua capacità d'ascoltare era incommensurabile e infinita; e sapeva ascoltare i fatti degli altri con profonda attenzione, anche quando era profondamente assorto a pensare a se stesso.

Poi veniva la sorella di Leone a portare il tè. Lei e la madre avevano insegnato a Pavese a dire in russo: – Io amo il tè con lo zucchero e col limone.

A mezzanotte, Pavese agguantava dall'attaccapanni la sua sciarpa, se la buttava svelto intorno al collo; e agguantava il paltò. Se ne andava giú per il corso Francia, alto, pallido, col bavero alzato, la pipa spenta fra i denti bianchi e robusti, il passo lungo e rapido, la spalla scontrosa.

Leone stava ancora un pezzo in piedi accanto allo scaffale, tirava fuori un libro e si metteva a sfogliarlo, e vi leggeva come a caso, lungamente, con le sopracciglia aggrottate. Stava cosí, leggendo come a caso, fino alle tre.

Leone cominciò a lavorare con un editore suo amico. Erano soltanto lui, l'editore, un magazziniere e una dattilografa, che si chiamava signorina Coppa. L'editore era giovane, roseo, timido, e arrossiva spesso. Aveva però, quando chiamava la dattilografa, un urlo selvaggio:

– Coppaaa!

Cercarono di convincere Pavese a lavorare con loro. Pavese recalcitrava. Diceva:

– Me ne infischio!

Diceva: – Non ho bisogno di uno stipendio. Non devo mantenere nessuno. Per me, mi basta un piatto di minestra, e il tabacco.

Aveva una supplenza in un liceo. Guadagnava poco, ma gli bastava.

Poi faceva traduzioni dall'inglese. Aveva tradotto *Moby Dick*. L'aveva tradotto, diceva, per suo puro piacere; e l'avevano sí pagato, ma l'avrebbe fatto anche per niente, anzi avrebbe pagato lui stesso per poterlo tradurre.

Scriveva poesie. Le sue poesie avevano un ritmo lungo, strascicato, pigro, una specie di amara cantilena. Il mondo delle sue poesie era Torino, il Po, le colline, la nebbia e le osterie di barriera.

Alla fine si persuase, entrò anche lui a lavorare con Leone in quella piccola casa editrice.

Diventò un impiegato puntiglioso, meticoloso, brontolando contro gli altri due che venivano tardi nella mattinata e se ne andavano magari a pranzo alle tre. Lui predicava un orario diverso: veniva presto, e se ne andava all'una precisa: perché all'una, la sorella con la quale viveva metteva la minestra in tavola.

Leone e l'editore, ogni tanto, si litigavano. Non si parlavano per qualche giorno. Poi si scrivevano lunghe lettere, e si riconciliavano cosí. Pavese, lui, « se ne infischiava ».

Leone, la sua passione vera era la politica. Tuttavia aveva, oltre a questa vocazione essenziale, altre appassionate vocazioni, la poesia, la filologia e la storia.

Essendo venuto in Italia bambino, parlava l'italiano come il russo. Parlava tuttavia sempre il russo in casa, con la sorella e la madre. Loro uscivano poco, e non vedevano mai nessuno; e lui raccontava, nei piú minuti particolari, di ogni cosa che aveva fatto e di ogni persona che aveva incontrato.

Gli piaceva, prima di andare in carcere, frequentare salotti. Era un conversatore brillante, benché parlasse con una leggera balbuzie; ed era, benché sempre profondamente assorto a pensare e a fare cose serie, tuttavia disposto a seguire la gente nei pettegolezzi piú futili; essendo curioso della gente, e dotato di una grande memoria, che accoglieva anche le piú futili cose.

Ma quando ritornò dal carcere, non lo invitarono piú nei salotti, e anzi la gente lo sfuggiva: perché era ormai noto a Torino come un pericoloso cospiratore. Non gliene importava niente; sembrava, quei salotti, averli totalmente dimenticati.

Ci sposammo, Leone ed io; e andammo a vivere nella casa di via Pallamaglio.

Mio padre, quando mia madre gli aveva detto che lui voleva sposarmi, aveva fatto la solita sfuriata, che usava fare in occasione d'ogni nostro matrimonio. Questa volta non disse che lui era brutto. Disse:

– Ma non ha una posizione sicura!

Leone infatti non aveva una posizione sicura; l'aveva anzi quanto mai incerta. Potevano arrestarlo e incarcerarlo di nuovo; potevano, con un pretesto qualsiasi, mandarlo al confino. Se però finiva il fascismo, disse mia madre, Leone sarebbe diventato un grande uomo politico. Inoltre la piccola casa editrice in cui lavorava, era, benché ancora cosí piccola e povera, tuttavia rigogliosa di energie promettenti.

Disse mia madre:

– Stampano anche i libri di Salvatorelli!

Il nome di Salvatorelli era, per mio padre e mia madre, dotato di magici poteri. Mio padre si faceva, a quel nome, benevolo e mansueto.

Mi sposai; e immediatamente dopo che mi ero sposata, mio padre diceva, parlando di me con estranei: « mia figlia Ginzburg ». Perché lui era sempre prontissimo a definire i cambiamenti di situazione, e usava dare subito il cognome del marito alle donne che si sposavano. Aveva due assistenti, un uomo e una donna, che si chiamavano, lui Olivo, e lei Porta. Olivo e la Porta poi si sposarono insieme. Noi continuammo tuttavia a chiamarli « Olivo e la Porta », e mio padre ogni volta s'arrabbiava: – Non è piú la Porta! dite la Olivo!

Era morto in Spagna, in combattimento, il figlio di Giua, quel ragazzo pallido, con gli occhi accesi, che a Parigi stava sempre con Mario. Suo padre, in carcere a Civitavecchia, rischiava di diventare cieco, per un tracoma.

La signora Giua veniva spesso a trovare mia madre: si erano conosciute in casa della Paola Carrara, e avevano fatto amicizia. Decisero di darsi del tu; mia madre però continuò a chiamarla, come prima, « signora Giua »; le diceva: – Tu, signora Giua, – perché aveva cominciato cosí e le riusciva difficile cambiare.

La signora Giua veniva con la sua bambina, che si chiamava Lisetta e aveva circa sette anni meno di me.

Lisetta era identica al fratello Renzo, alta, magra, pallida, diritta, con gli occhi accesi, con i capelli corti e un ciuffo sulla fronte. Andavamo insieme in bicicletta; e mi raccontò che vedeva a volte un antico compagno di scuola di suo fratello Renzo al liceo D'Azeglio, che veniva a trovarla e le imprestava i libri di Croce, ed era molto intelligente.

Fu cosí che io sentii parlare di Balbo per la prima volta. Era un conte, mi disse Lisetta. Me lo indicò una volta per strada, sul corso Umberto, piccolo, col naso rosso. Balbo doveva diventare, tanti anni dopo, il mio migliore amico: ma io allora, certo, non lo sapevo: e lo guardai senza nessun interesse, quel piccolo conte, che imprestava a Lisetta i libri di Croce.

Vedevo a volte passare, sul corso re Umberto, una ragazza che mi sembrava odiosa e bellissima, con un viso come intagliato nel bronzo, un piccolo naso aquilino che tagliava l'aria, gli occhi socchiusi, i passi lenti e sprezzanti. Chiesi a Lisetta se sapeva chi era. – Quella, – mi disse Lisetta, – è una del D'Azeglio, che va bene in montagna e che si dà molta importanza. – È odiosa, – dissi, – odiosa, e molto bella –. La ragazza odiosa abitava in una traversa del corso, al pianterreno; e io la vedevo, a volte, d'estate, affacciata alla finestra, che mi guardava con gli occhi socchiusi, le labbra sprezzanti e disgustate, i bruni capelli tagliati alla paggio intorno alle bronzee gote, l'espressione annoiata e misteriosa.

Dissi a Lisetta: – È proprio una faccia da schiaffi!

Per molti anni, quando fui lontana da Torino, portai dentro di me l'immagine di quella faccia da schiaffi; e quando piú tardi mi dissero che la « faccia da schiaffi » s'era impiegata alla casa editrice, e che lavorava con Pavese e con l'editore, rimasi stupita che una ragazza tanto superba e sprezzante avesse degnato di scendere fra persone cosí umili e vicine a me. Poi seppi che era stata arrestata, in un gruppo di cospiratori; e rimasi ancora piú stupita. Ma dovevano passare ancora anni prima che ci rincontrassimo; e prima che diventasse, lei, la « faccia da schiaffi », la mia amica piú cara.

Lisetta, oltre a leggere i libri di Croce, leggeva anche i romanzi di Salgari. Era allora sui quattordici anni: cioè un'età in cui uno va e viene di continuo, incessantemente, tra la maturità e l'infanzia. Io, i romanzi di Salgari, li avevo letti e dimenticati: e Lisetta me li raccontava, quando, posate le biciclette sull'erba, sedevamo a riposarci nella campagna. Nei suoi sogni

e nei suoi discorsi si mescolavano marajà indiani, frecce av-
velenate, i fascisti, e quel piccolo conte di nome Balbo che la
domenica veniva a trovarla e le portava i libri di Croce; e io
l'ascoltavo con orecchio tra divertito e distratto. Quanto a me,
io di Croce non avevo letto nulla, se non *La letteratura della
Nuova Italia*: o meglio avevo letto, nella *Letteratura della Nuova Italia*, i sunti dei romanzi e le citazioni. Tuttavia all'età di
tredici anni, avevo scritto a Croce una lettera, e gli avevo mandato alcune mie poesie: e lui mi aveva risposto, con grande
gentilezza, spiegandomi garbatamente che le mie poesie non
erano troppo belle.

Mi guardavo bene dal confessare a Lisetta che non conoscevo i libri di Croce, perché non volevo deluderla, data la stima che lei m'accordava; e mi confortava il pensiero che, se io
non avevo letto Croce, Leone l'aveva però letto tutto, da cima
a fondo.

Il fascismo non aveva l'aria di finire presto. Anzi non aveva
l'aria di finire mai.

Erano stati uccisi, a Bagnole de l'Orne, i fratelli Rosselli.

Torino, da anni, era piena di ebrei tedeschi, fuggiti dalla
Germania. Anche mio padre ne aveva alcuni, nel suo laboratorio, come assistenti.

Erano dei senza patria. Forse, tra poco, saremmo stati anche noi dei senza patria, costretti a girare da un paese all'altro,
da una questura all'altra, senza piú lavoro né radici, né famiglia, né case.

Alberto mi chiese, dopo ch'ero sposata da qualche tempo:
– Ti senti piú ricca o piú povera, adesso che sei sposata?
– Piú ricca, – dissi.

– Anch'io! e pensare che invece siamo tanto piú poveri!

Io compravo la roba da mangiare, e trovavo che tutto costava poco. Ero stupita, perché avevo sempre sentito dire che i prezzi erano alti. Soltanto, a volte, prima della fine del mese, mi ritrovavo senza un soldo, avendo speso, a forza di trenta centesimi, tutti i soldi che avevo.

Ero contenta, adesso. quando qualcuno ci invitava a pranzo. Anche se erano persone che non mi piacevano. Ero contenta di poter mangiare, una volta tanto, cibi imprevisti e gratuiti, e che io non avevo né pensato, né comperato, né guardato cuocere.

Avevo una donna, che si chiamava Martina. Mi era molto simpatica. Pensavo, però:

« Chissà se fa bene la pulizia? Chissà se spolvera bene? »

Nella mia totale inesperienza, non riuscivo a capire se la mia casa era pulita o no.

Quando andavo a trovare la Paola o mia madre, vedevo, nelle loro case, vestiti appesi nella stanza da stiro, per essere spazzolati e smacchiati con la benzina. Subito mi chiedevo preoccupata: « Chissà se la Martina, i nostri vestiti, li spazzola, qualche volta, e li smacchia? » In cucina da noi c'era sí una spazzola, e anche una boccetta di benzina, tappata con uno straccio; ma quella boccetta era sempre piena, non vedevo che la Martina la usasse mai.

Volevo, a volte, dire alla Martina di fare grosse pulizie in casa: come vedevo fare in casa di mia madre, quando la Natalina, con un turbante in testa come un pirata, buttava all'aria i mobili e li scudisciava col battipanni. Ma non trovavo mai il momento giusto di dare ordini alla Martina; ero timida con la Martina, la quale era, dal canto suo, timidissima e mite.

Scambiavo con lei, incontrandola nel corridoio, lunghi e affettuosi sorrisi. Ma rimandavo da un giorno all'altro il proposito di suggerirle grandi pulizie. Non osavo d'altronde darle

alcun ordine, io che da ragazza, in casa di mia madre, davo ordini con indifferenza, esprimevo ad ogni istante la mia volontà.
Ricordavo che quand'eravamo in villeggiatura in montagna, mi
facevo portare in camera, ogni mattina, grandi secchi e broc-
che d'acqua calda, perché non essendovi là il bagno, mi lavavo
in camera in una specie di semicupio. Mio padre predicava che
ci si lavasse con l'acqua fredda; ma nessuno di noi, salvo mia
madre, aveva l'abitudine di lavarsi con l'acqua fredda, anzi
tutti noi figli avevamo in odio l'acqua fredda, fin dalla piú lontana infanzia, per spirito di contraddizione. Ora io mi stupivo
d'aver potuto costringere la Natalina a scaldar l'acqua sulla
stufa a legna, e a far le scale con quei grandi secchi. Alla Martina, non avrei osato ordinare di portarmi nemmeno un bic-
chier d'acqua. Avevo di colpo scoperto, sposandomi, la fatica
e il lavoro: e me ne era venuta una pigrizia, che illanguidiva
la mia volontà e anchilosava, nel mio pensiero, le persone che
mi circondavano; per cui non sognavo intorno a me che un'assoluta inerzia; e alla Martina mi studiavo di ordinare, per il
pranzo, pietanze che si preparavano in fretta e sporcavano pochi tegami. Avevo scoperto anche il denaro: non che fossi diventata avara – sono stata sempre, come mia madre, con le
mani bucate – ma avevo individuato, dietro alle cose, la presenza del denaro come una faticosa e tortuosa complicazione,
che sulla traccia di trenta centesimi poteva portare chissà dove,
a destinazione ignota; e anche da questo ricavavo un senso di
fatica, di pigrizia e di languore. Tuttavia non mancavo, quando avevo del denaro in mano, di spenderlo subito, pentendomi
immediatamente d'averlo speso.

Avevo avuto, nella mia adolescenza, tre amiche. Le mie
amiche erano chiamate, in famiglia, « le squinzie ». « Squinzie »
significava, nel linguaggio di mia madre, ragazzine smorfiose e
vestite di fronzoli. Quelle mie amiche non erano, a me sembrava, né tanto smorfiose, né tanto vestite di fronzoli: ma mia

madre le chiamava cosí riferendosi al tempo della mia infanzia, e a certe bambine smorfiose e in fronzoli che forse allora usavano giocare con me. – Dov'è la Natalia? – È dalle sue squinzie! – si diceva sempre in famiglia. Quelle mie amiche, le avevo dagli anni del liceo; e passavo, prima di sposarmi, le giornate con loro. Erano povere. Anzi forse tra le cose che m'attraevano in loro, c'era proprio la povertà, che io non conoscevo, ma che amavo e avrei voluto conoscere. Dopo sposata, continuai a frequentare quelle tre ragazze, ma un po' meno, e lasciando passare giorni e giorni senza cercarle, cosa che loro usavano rimproverarmi, pur comprendendo che era inevitabile che fosse cosí. Tuttavia vederle ogni tanto mi rallegrava, e mi restituiva per un attimo alla mia adolescenza, che sentivo fuggire alle mie spalle.

Tutt'e tre quelle mie amiche, per varie ragioni, vivevano in aperto dissidio con la società. La società si configurava, ai loro occhi, nella vita facile, ordinata, borghese, fatta di orari regolari, di cure ricostituenti, di studi sistematici e controllati in famiglia. Io, questa vita facile, prima di sposarmi l'avevo, e ne godevo i molti privilegi; ma non l'amavo, e aspiravo a uscirne. Cercavo, con quelle mie amiche, nella città, i luoghi piú tristi per i nostri convegni: i piú desolati giardini pubblici, le piú squallide latterie, i cinematografi piú sudici, i caffè piú disadorni e deserti; e ci sentivamo, al fondo di quelle squallide penombre o in quelle fredde panchine, come su una nave che abbia spezzato gli ormeggi e navighi alla deriva.

Due delle squinzie erano sorelle, e vivevano sole con un vecchio padre, il quale era stato ricchissimo in passato ed era andato in rovina, e aveva traffici con avvocati per una sua causa. Assorto sempre a scrivere lunghi memoriali, e a fare la spola fra Torino e Sassi e fra Sassi e Torino, avendo ancora a Sassi una piccola proprietà, cucinando complicati piatti ebraici che alle figlie non piacevano, questo vecchio padre viveva nell'as-

soluta ignoranza di quello che facevano le sue figlie, le quali
d'altronde non facevano nulla di straordinario, essendosi creato un codice di vita nel quale l'autorità paterna, fatta soltanto
di qualche strillo occasionale e querulo, non aveva il minimo
peso. Erano due ragazze alte, belle, brune e floride; una era
pigra e sempre sdraiata su un letto, l'altra energica e risoluta;
quella pigra, trattava il padre con insofferenza bonaria; l'altra
lo trattava con insofferenza recisa e sprezzante.

Quella pigra aveva occhi lunghi da araba, boccoli neri e
molli e una tendenza alla pinguedine, e un grande amore per
i ciondoli e gli orecchini; e benché affermasse di esecrare la
sua pinguedine non faceva nulla per combatterla, ed era nella sua pinguedine profondamente lieta e serena; e usava dire di
sé, con un sorriso che le scopriva i denti candidi, grossi e spor-
genti sulle labbra: – Nigra sum, sed formosa –. L'altra era
magra e voleva essere ancora piú magra, esaminando preoccupata nello specchio le sue gambe che erano forti come co-
lonne; perché aveva, nella sua magrezza conquistata con la
forza di volontà, fianchi robusti e una solida e prepotente os-
satura. Se aveva un appuntamento con un ragazzo che le stava
un po' a cuore, digiunava a pranzo, o mangiava solo una mela,
perché si faceva da sé i vestiti e se li faceva cosí stretti, che
temeva si squarciassero se mangiava un intero pasto. Dedicava
a quei vestiti un'attenzione meticolosa e nervosa, fronte aggrottata e bocca piena di spilli, e voleva che fossero il piú possibile semplici e sobri, odiando nella sorella, oltre alla pinguedine, anche la tendenza a vestirsi di sete vistose.

Il padre usava lasciare sul tavolo di cucina, ogni volta che
usciva, lunghe lettere di querimonie, scritte nella sua calligrafia notarile puntuta e pendente, o contro la serva, « che aveva
ricevuto il fidanzato con la grazia di mezzo popone scomparso
che riscontrai stasera », o contro la contadina di Sassi, che aveva lasciato morire per incuria certi conigli « piccoli e carini »,

o contro una vicina di casa, che s'era offesa per una coperta da loro chiesta in prestito e restituita bruciacchiata, « l'aveva rimproverato e non aveva avuto per nulla parole di protezione ».

Le ragazze frequentavano dei profughi ebrei tedeschi, con i quali dividevano a volte quelle scure pietanze, che il padre usava cucinare e abbandonare in cucina, in larghi e neri tegami. Io incontravo a volte a casa loro quegli studenti, che vivevano alla giornata e non sapevano cos'avrebbero fatto il mese dopo, se sarebbero riusciti a partire per la Palestina o se avrebbero raggiunto, in America, qualche cugino sconosciuto. Il fascino di quella casa sempre aperta a tutti, con lo stretto e buio corridoio in cui s'inciampava nella bicicletta del padre, col salottino ingombro di mobili fastosi e consunti, di lumi ebraici e di piccole mele rosse della proprietà di Sassi, stese a terra sui logori tappeti, era su di me profondo e costante. S'incontrava a volte il vecchio padre sulle scale o nel corridoio, sempre assorto nei suoi traffici d'avvocati e carte da bollo, e sempre indaffarato a trasportare su e giú per le scale sporte piene di mele e peperoni: usava intrattenerci sulla sua causa, in piemontese, lisciandosi la grigia barba incolta e asciugandosi sotto al cappello la nobile fronte di vecchio profeta; mentre le figlie, impazienti, gli dicevano di andarsene nella sua stanza.

S'avvicendavano di solito, in quella casa, donne di servizio spettrali e idiote, alle quali tuttavia non era consentito cucinare perché il padre voleva regnare da solo sulle vivande; e siccome non era loro consentito nemmeno spazzare il salotto, per via dei lumi ebraici che potevano rompere, e per via delle mele che potevan rubare, non si capiva bene cosa facessero. D'altronde, ciascuna veniva licenziata dopo qualche settimana e sostituita da un'altra, non meno idiota e spettrale.

La casa si trovava in via Governolo. Fu distrutta, nella guerra, e io andai a vederla tornando dopo la guerra a Torino, e non c'era che un mucchio di rovine nel vecchio cortile, e delle scale sventrate non restava che la ringhiera, là dove il vecchio padre saliva e scendeva con la bicicletta e le sporte. Il vecchio padre era morto da tempo, durante la guerra ma prima dell'occupazione tedesca. S'era ammalato ed era entrato all'ospedale israelitico, portandosi dietro un pollo, che sperava gli lasciassero cucinare. Era morto solo, perché le figlie erano, una in Africa dove s'era sposata, e l'altra, quella risoluta, a Roma, dove studiava legge.

L'altra mia amica si chiamava Marisa, e abitava in corso re Umberto ma al fondo, in un punto dove il corso formava come uno spiazzo erboso, finivano i viali e c'erano i capolinea dei tram. Era piccola e graziosa, non faceva che fumare e farsi ai ferri certi bei berrettini, che calzava poi con molta grazia sulla testa rossa e riccioluta. Si faceva anche dei pull-over. – Mi favò un bel pull-ovev, – diceva con la sua pronuncia blesa, e aveva gran varietà di questi « bei pull-ovev » col collo alto e rivoltato, che portava sotto al paltò di cammello. Aveva avuto un'infanzia ricca, soggiornando in stazioni climatiche e alberghi di lusso, e ballando, quasi ancora bambina, negli stabilimenti balneari. Poi la sua famiglia aveva avuto un dissesto economico. Lei conservava, di quella vita vicina ma antica, un ricordo insieme affettuoso e ironico, del tutto privo d'amarezza o rimpianto. Aveva una natura pigra, fidente e serena.

Marisa, nell'occupazione tedesca, fece la partigiana e mostrò un coraggio straordinario, che non si sarebbe mai sospettato nella ragazzina pigra e fragile che era stata sempre. Poi diventò una funzionaria del partito comunista, e votò la propria vita al partito, ma restando nell'ombra, perché era priva d'ogni ambizione e modesta, umile e generosa. Ragionava soltanto di questioni di partito, diceva « il pavtito » con la sua pronuncia blesa, e lo diceva con lo stesso accento di attesa serena e fidente, col quale diceva: – Mi favò un bel pull-ovev –. Non volle mai sposarsi, perché mai un uomo le parve coincidere con l'ideale d'uomo che lei aveva e conservava nel tempo, un uomo che non sapeva descrivere, ma i cui connotati erano, nella sua immaginazione, inconfondibili.

Quelle mie tre amiche erano ebree. Cominciò in Italia la campagna razziale; ma loro, frequentando quegli ebrei stranieri, si erano inconsciamente preparate a un futuro incerto. D'altronde erano abbastanza spensierate da accettare una simile situazione senz'ombra di panico. Andavamo, loro e io, ancora all'università; ma, esclusa quella energica e risoluta, studiavamo con disordine e senza impegno.

Quanto al vecchio padre delle mie due amiche di via Governolo, all'inizio della campagna razziale ricevette un modulo, dov'era scritto « segnalare onorificenze e meriti speciali ». Rispose cosí:

« Ho fatto parte, nel 1911, del club dei " rari nantes ", e mi sono tuffato nel Po in pieno inverno.

« In occasione di certi lavori effettuati nella mia casa, l'ingegner Casella mi ha nominato capomastro ».

Mia madre non era gelosa di quelle mie amiche, com'era invece sempre gelosa delle amiche della Paola. Mia madre, quando io mi sposai, non sofferse, come invece aveva pianto e sofferto quando la Paola s'era sposata. Non aveva con me, mia madre, un rapporto di parità, ma aveva invece un rapporto materno e protettivo; e non sentí la mia mancanza in casa, un poco perché io, come sempre diceva, « non le davo spago », e un poco perché, essendo invecchiata, s'era ormai rassegnata al vuoto che lasciano i figli quando se ne vanno, e aveva difeso e ovattato la sua vita in modo da non sentire tanto l'urto di quel distacco.

Sembrava che i soli ottimisti rimasti al mondo fossero Adriano e mia madre. La Paola Carrara, tutta imbronciata nel suo salottino, invitava ancora Salvatorelli, la sera, aspettando inutilmente da lui parole di speranza. Ma Salvatorelli appariva buio, tutti erano sempre piú bui e piú tetri, non si dicevano parole di speranza, circolava attorno un oscuro spavento.

Adriano tuttavia sapeva « da un suo informatore » che il fascismo aveva vita breve. Mia madre si rallegrava ascoltandolo, batteva le mani; ma le veniva a volte il sospetto che quel famoso informatore fosse, in realtà, una chiromante. Adriano usava consultare certe chiromanti, ne aveva una in ogni città dove andava; e diceva che alcune erano bravissime, e avevano indovinato cose sue del passato, alcune anche « leggevano nel pensiero ». Adriano trovava, del resto, abbastanza usuale il fatto che la gente « leggesse nel pensiero »; diceva di qualcosa che suo padre sapeva, gli si chiedeva come avesse fatto a saperlo; « l'ha letto nel pensiero » rispondeva con tranquillità. Mia madre accoglieva Adriano sempre con la piú viva gioia, perché gli voleva bene, e perché sempre aspettava da lui notizie che alimentassero il suo proprio ottimismo; Adriano, infatti, usava pronosticare per noi tutti il piú alto e fortunato destino. Leone sarebbe diventato, diceva, un grandissimo uomo di governo. – Che bellezza! – diceva mia madre giungendo le mani, e come se la cosa fosse già avvenuta. – Diventerà Presidente del Consiglio! – E Mario? – chiedeva. – Mario cosa diventerà? – Adriano su Mario aveva piú modesti progetti. Non sentiva grande simpatia per Mario, diceva che aveva troppo spirito critico, e anche lui trovava che aveva fatto male a staccarsi dal gruppo dei Rosselli. E forse inconsciamente gli serbava rancore di essersi impiegato alla fabbrica, tanti anni prima, per subito cospirare, farsi arrestare e fuggire. – E Gino? E Alberto? – continuava a chiedere mia madre; e Adriano, con pazienza, pronosticava.

Mia madre nelle chiromanti non credeva; faceva però ogni mattina, mentre beveva il caffè in vestaglia nella sala da pranzo, molti *solitaires*. Diceva: – Vediamo se Leone diventa un grande uomo di governo. – Vediamo se Alberto diventa un grande medico. – Vediamo se qualcuno mi regala un bel villino –. Chi dovesse regalarle un bel villino, non era ben chiaro; non certo mio padre, il quale era sempre piú preoccupato dei soldi e di nuovo gli sembrava d'averne pochissimi, ora che c'era la campagna razziale. – Vediamo se il fascismo dura un pezzo, – diceva mia madre rimestando le carte e scuotendo i grigi capelli, al mattino sempre inzuppati d'acqua, e versandosi ancora caffè.

Al principio della campagna razziale, i Lopez erano partiti per l'Argentina. Tutti gli ebrei che conoscevamo partivano, o si preparavano a partire. Nicola, il fratello di Leone, era emigrato in America con la moglie. Avevano là uno zio, lo zio Kahn; un vecchio zio che non avevano mai visto in faccia, perché era partito dalla Russia ragazzo. Leone e io, a volte, parlavamo di andare anche noi « in America, dallo zio Kahn ». Ci avevano levato però, a lui e a me, il passaporto. Lui aveva perso la cittadinanza italiana, era diventato apolide. – Se avessimo il passaporto Nansen! – io dicevo sempre, – se avessimo il passaporto Nansen! – Era un passaporto speciale, che concedevano a certi apolidi importanti. Lui una volta me ne aveva accennato. Avere il passaporto Nansen mi sembrava la cosa piú bella del mondo: eppure in fondo non avremmo voluto, né lui né io, andarcene dall'Italia. Lui aveva avuto, quando ancora forse gli sarebbe stato possibile partire, l'offerta di lavorare a Parigi, nel gruppo che era stato di Rosselli. Aveva rifiutato. Non voleva diventare un emigrato, un fuoruscito.

Pensavamo tuttavia ai fuorusciti di Parigi come a esseri meravigliosi, miracolosi, e ci sembrava straordinario il fatto che là qualcuno potesse incontrarli per strada, toccarli, stringergli

la mano. Io non vedevo Mario da anni, non sapevo quando
l'avrei rivisto. Anche lui faceva parte di quella folla meravi-
gliosa. Poi c'erano Garosci, Lussu, Chiaromonte, Cafi. Salvo
Chiaromonte, che avevo conosciuto dalla Paola al mare, io gli
altri non li avevo mai visti. – Com'è fatto Garosci? – chiedevo
a Leone. Parigi era là, non tanto lontano, io pensavo andando
sul corso Francia: pensavo si trovasse proprio al fondo di corso Francia, di là dalle montagne, in quel velo di nebbioline azzurre. E tuttavia ci separava, da Parigi, un bàratro.

Altrettanto irraggiungibili e miracolosi ci sembravano quelli che erano in carcere: Bauer e Rossi, Vinciguerra, Vittorio.
Sembravano sempre piú lontani; sembravano sprofondare in
una lontananza sempre piú buia, che assomigliava alla lontananza dei morti. Possibile che in un passato ancora cosí prossimo, Vittorio camminasse nel corso re Umberto, col suo mento prominente? Possibile che avessimo fatto, con lui e con
Mario, il gioco dei vegetali e dei minerali?

Mio padre, anche lui aveva perso la cattedra. Fu invitato
a Liegi, a lavorare in un istituto. Partí, e lo accompagnò mia
madre.

Mia madre rimase nel Belgio qualche mese. Era però tri-
stissima, e scriveva lettere disperate. A Liegi pioveva sempre.
– Malignazzo d'un Liegi! – diceva mia madre. – Malignazzo Belgio! – Mario da Parigi le scrisse che anche Baudelaire non poteva soffrire il Belgio. Mia madre non amava molto Baudelaire, il
suo poeta era Paul Verlaine: ma subito prese Baudelaire in grande simpatia. Mio padre invece a Liegi lavorava bene, e s'era fatto anche un allievo, un giovane, che si chiamava Chèvremont.

– Salvo Chèvremont e la padrona di casa, i belgi non mi
piacciono, – disse mia madre al suo ritorno in Italia.

Riprese dunque la solita vita. Mi veniva a trovare, andava

a trovare Miranda e la Paola Carrara, e andava al cinematografo. La Paola, mia sorella, aveva preso un appartamento a Parigi, e svernava là.

– Ora che non c'è Beppino e son sola, farò economia, – dichiarava ogni momento mia madre, sentendosi povera. – Mangerò poco. Una minestrina, una braciola, un frutto.

Recitava ogni giorno questo *menu*. Credo che le piacesse dire « un frutto », perché ne ricavava un senso di frugalità. Riguardo alla frutta, usava comprare sempre certe mele chiamate, a Torino, « carpandue ». Diceva « son carpandue! » come diceva di una maglia « è di Neuberg! » e di un paltò: « è del signor Belom! » Quando capitava che mio padre si lamentasse delle mele che venivano in tavola, trovandole cattive, mia madre diceva stupita: – Cattive? son carpandue!

– Chissà perché mi piace tanto spendere, – sospirava a volte mia madre. Difatti non riusciva ad attenersi al regime d'economia che s'era prescritto. Al mattino, in sala da pranzo, faceva i conti con la Natalina, dopo i *solitaires*; e litigavano, la Natalina e mia madre, perché anche alla Natalina le piaceva spendere, aveva le mani bucate. La Natalina, facendo da mangiare, ne faceva, diceva mia madre, anche per i poveri della parrocchia.

– Ieri hai fatto un piatto di carne, che ce n'era anche per i poveri della parrocchia! – diceva. – Se faccio poco lui mi sgrida, se faccio di piú lui mi sgrida, ieri lui mi aveva detto che veniva anche la Tersilla, – diceva la Natalina muovendo le grosse labbra e gesticolando concitata. – Stai ferma! non agitar le mani! Hai il grembiale sporco, perché non ti cambi, con tanti grembiali che t'ho comprato, che ne hai anche per i poveri della parrocchia.

– Oh povera Lidia, – sospirava mia madre rimestando le carte e versandosi ancora caffè. – Mi hai fatto un caffè che è una sbroscia, non potresti farlo piú forte? – È la macchinetta

che non è buona. Se lui mi compra un'altra macchinetta, glie-
l'ho detto centomila volte, questa ha i buchi troppo grossi,
passa giú troppo presto, invece lei deve passare adagio, lei è
delicato il caffè.

– Come vorrei essere un re fanciullo, – diceva mia madre
con un sospiro e un sorriso, perché le cose che piú la seduce-
vano al mondo erano la potenza e l'infanzia, ma le amava com-
binate insieme, cosí che la seconda mitigasse la prima con la
sua grazia, e la prima arricchisse la seconda di autonomia e di
prestigio. – Ma guarda che brutta « vegia » che son diventata!
– diceva infilandosi il cappello davanti allo specchio, cappello
che metteva semplicemente perché se l'era comprato e costava
molto, ma che si sarebbe levato sul primo angolo di strada.
– Pensare che mi piaceva tanto esser giovane! Oggi mi sembra
di aver quarant'anni! – diceva alla Natalina sulla porta. – Lui
ne ha altro che quaranta, lui ne ha quasi sessanta perché ne
ha sei piú di me, – diceva la Natalina agitando la scopa minac-
ciosamente, perché usava parlare sempre in tono concitato, e
con espressione minacciosa. – Con quel fazzoletto, – le diceva
mia madre, – non sembri Luigi undicesimo. Sembri Marat –.
E usciva di casa.

Passava da Miranda. Miranda girava per casa, stanca, esangue, con i biondi capelli spioventi sulle guance; e sembrava
scampata da un naufragio.

– Ma lavati la faccia con l'acqua fresca! Ma vieni a spasso!
– le diceva mia madre.

L'acqua fresca era, per mia madre, un rimedio sicuro contro la pigrizia, le malinconie e i malumori. Lei stessa si lavava
la faccia « con l'acqua fresca » piú volte nella giornata.

– Spendo poco. Io e la Natalina, sole, spendiamo poco. Un
brodo, una braciola, un frutto, – recitava mia madre. – Figurati se spendi poco! una spendacciona come sei! – diceva Miranda. E diceva: – Io per oggi ho comprato un pollo. Io il

pollo lo trovo conveniente –. Miranda diceva « il pollo » con
un'intonazione particolare, una cantilena strascicata e nasale,
che aveva quando opponeva le abitudini di casa sua a quelle di
casa nostra, e quando provava nei nostri confronti un senso
di superiorità. – Oltre è essere sola come sei te, oltre è avere
Alberto che non è mai sazio, – continuava Miranda, che diceva
sempre « oltre » per « altro », quando voleva mettere a confronto due situazioni diverse.

Mio padre rimase nel Belgio due anni. Accaddero, in quei
due anni, molte cose.

Mia madre andava, sul principio, a trovarlo ogni tanto; ma
a parte il fatto che il Belgio le metteva malinconia, era anche
sempre timorosa che gli avvenimenti internazionali « la taglias-
sero fuori » dall'Italia e da me. Mia madre sentiva per me un
senso di protezione, che non sentiva per gli altri suoi figli, forse perché io ero, dei suoi figli, la minore; e quando nacquero
i miei bambini, estese anche a loro il medesimo senso di protezione. Inoltre le sembrava sempre che io fossi in pericolo,
perché Leone, di tanto in tanto, lo arrestavano. Lo arrestavano, per ragioni precauzionali, ogni volta che veniva a Torino
qualche autorità politica, o il re. Lo trattenevano in carcere per
tre o quattro giorni, poi lo rilasciavano, appena quell'autorità
ripartiva; e Leone tornava a casa, con le guance nere di barba,
e un involto di biancheria sotto il braccio. – Malignazzo re! se
ne stia un po' a casa sua! – diceva mia madre. Il re, di solito,
la faceva sorridere, e non le era antipatico; le piaceva che avesse le gambe tanto corte e storte, e che fosse tanto stizzoso.
Però la indispettiva che arrestassero Leone ogni volta, « per
colpa di quel sempio ». Quanto alla regina Elena, non la poteva soffrire. – Una bellona! – diceva: termine per lei dispre-
giativo. – Una paisana! una stupida!

I miei due primi bambini nacquero, a un anno di distanza l'uno dall'altro, nel tempo che mio padre era in Belgio. Mia madre, con la Natalina, lasciò la sua casa e venne a stare con me.

– Sono di nuovo nella via Pallamaglio! – disse mia madre. – Ma ora mi sembra un po' meno brutta la via Pallamaglio, forse perché faccio il confronto col Belgio! Liegi è peggio della via Pallamaglio!

I miei due bambini le piacevano molto: – Mi piacciono tutt'e due e non saprei quale scegliere, – diceva, come fosse tenuta a sceglierne uno. – Oggi lui è bellissimo! – diceva, e io chiedevo: – Quale? – Quale? il mio! – diceva mia madre, e io continuavo a non capire a chi si riferisse, perché spostava ogni momento la sua predilezione dall'uno all'altro dei due bambini. Quanto alla Natalina, diceva « lei » parlando di ciascuno dei bambini, perché erano tutt'e due maschi; diceva: – Lei non bisogna mica svegliarlo, resta strano se lo svegliano, lei tocca poi passeggiarlo due ore perché resta strano.

Siccome io mi stancavo con quei due bambini piccoli, e la Natalina era troppo sbadata e concitata per occuparsene, mia madre mi consigliò di prendere una balia asciutta. Scrisse lei stessa in Toscana a certe sue antiche balie, con le quali aveva conservato rapporti; e la balia arrivò, ma proprio nei giorni che i tedeschi avevano invaso il Belgio, per cui eravamo tutti angustiati e poco inclini a dar retta a una balia, con le sue esigenze di grembiali ricamati e di gonne a campana. Tuttavia mia madre, benché in ansia per mio padre di cui non aveva notizie, trovò modo di comprare i grembiali e anche di rallegrarsi al vedere la grande balia toscana con la gonna larga e frusciante aggirarsi per casa. Io invece mi sentivo, con quella balia, profondamente a disagio, e rimpiangevo l'antica Martina, che era tornata al suo paese in Liguria, perché con la Natalina non andava d'accordo. Mi sentivo a disagio perché quella balia avevo continuamente paura di perderla, paura che ci giudicasse, noi con le nostre modeste abitudini, indegni di lei. E inoltre quella balia, grande, con quei grembiali tutti ricamati e le maniche a sbuffo, mi ricordava la precarietà della mia situazione e mi ricordava che ero povera, e che non avrei potuto senza il soccorso di mia madre tenere una balia; e mi sembrava di essere, nei *Divoratori*, Nancy, quando guarda dalla finestra la sua bambina camminare per mano alla sontuosa balia sul viale, e sa intanto che hanno perduto al casinò tutti i loro denari.

Noi eravamo, al momento dell'invasione del Belgio, spaventati ma ancora fiduciosi che l'avanzata tedesca si fermasse; e la sera ascoltavamo la radio francese, sempre sperando in qualche notizia rassicurante. La nostra angoscia cresceva a misura che i tedeschi avanzavano. Venivano da noi, la sera, Pavese e Rognetta, un nostro amico che a quel tempo vedevamo spesso. Rognetta era un ragazzo alto e colorito in viso, che parlava con l'*erre*. Si occupava di non so che industria, e viaggiava molto fra Torino e la Rumenia; e noi che facevamo una vita chiusa e sedentaria, ammiravamo in lui l'aria che aveva di esser sempre sul punto di salire in treno, o di esserne sceso in quell'istante; e lui, forse conscio della nostra ammirazione, accentuava con noi quell'aria, giocava un poco a fare il grande uomo d'affari e il grande viaggiatore. Rognetta raccoglieva, nei suoi viaggi, notizie. Fino all'invasione del Belgio, le sue notizie erano state sempre di natura ottimistica; dopo l'invasione si tinsero d'un pessimismo color d'inchiostro.

Rognetta diceva che la Germania avrebbe invaso tra poco non solo la Francia e anche certo l'Italia, ma tutto il mondo, per cui non sarebbe rimasto al mondo un palmo di terra dove sopravvivere. Mi chiedeva, prima d'andarsene, come stavano i miei bambini, e io dicevo che stavano bene, e cosí una volta mia madre gli disse: — Ma cosa importa che stiano bene se fra poco viene Hitler e ci ammazza tutti? — Rognetta era sempre

molto compito e usava, nell'andarsene, baciare la mano a mia
madre. Quella sera baciandole la mano le disse che però si
poteva sempre andare, forse, nel Madagascar. – Perché proprio nel Madagascar? – chiese mia madre. Rognetta rispose che
un'altra volta gliel'avrebbe spiegato, ora non ne aveva il tempo, doveva prendere il treno. E mia madre, che nutriva in lui
grande fiducia e d'altronde in quel periodo, nella sua ansia, beveva ogni parola che gli altri dicevano, quella sera e tutto il
giorno dopo continuava a ripetere: – Ma chissà perché proprio
nel Madagascar!

Rognetta non ebbe mai tempo di spiegarci perché. Non
l'avrei rivisto che molti anni piú tardi; e Leone, credo che non
lo rivide mai. Mussolini dichiarò la guerra, come da vari giorni
aspettavamo. La sera stessa la balia partí, e io guardai con grande sollievo sparire in fondo alle scale la sua larga schiena, senza
piú il costume da balia e vestita di percalle nero. Venne a trovarci Pavese. Lo salutammo con l'idea che per un pezzo non
l'avremmo rivisto. Pavese odiava gli addii e nell'andarsene sa-
lutò come sempre, porgendo appena due dita della sua mano
scontrosa.

Pavese, quella primavera, era solito arrivare da noi mangiando ciliege. Amava le prime ciliege, quelle ancora piccole
e acquose, che avevano, lui diceva, « sapore di cielo ». Lo vedevamo dalla finestra apparire in fondo alla strada, alto, col
suo passo rapido; mangiava ciliege e scagliava i nòccioli contro
i muri con un tiro secco e fulmineo. La sconfitta della Francia,
per me, rimase legata per sempre a quelle sue ciliege, che arri-
vando ci faceva assaggiare, traendole a una a una di tasca con
la mano parsimoniosa e scontrosa.

La guerra, noi pensavamo che avrebbe immediatamente rovesciato e capovolto la vita di tutti. Invece per anni molta gente rimase indisturbata nella sua casa, seguitando a fare quello che aveva fatto sempre. Quando ormai ciascuno pensava che in fondo se l'era cavata con poco e non ci sarebbero stati sconvolgimenti di sorta, né case distrutte, né fughe o persecuzioni, di colpo esplosero bombe e mine dovunque e le case crollarono, e le strade furono piene di rovine, di soldati e di profughi. E non c'era piú uno che potesse far finta di niente, chiuder gli occhi e tapparsi le orecchie e cacciare la testa sotto al guanciale, non c'era. In Italia fu cosí la guerra.

Mario tornò in Italia nel '45. Era, forse, commosso e malinconico, ma non lo lasciava vedere; e porse a mia madre che lo abbracciava la mascella ironica, la fronte abbronzata e solcata di ironiche rughe. Era ormai tutto calvo, col cranio nudo e lucido e come di bronzo, e vestiva una casacca linda e lisa di una seta grigia che sembrava fodera, come si vedono nei film indosso a certi negozianti cinesi.

Faceva ora un viso corrugato e serio quando approvava persone e cose che gli sembravano serie, o quando mostrava d'apprezzare nuovi romanzieri o nuovi poeti. Diceva di un romanzo: – È buono! non c'è male, è abbastanza buono! – (Parlava sempre come se traducesse dal francese). Aveva abbandonato Erodoto, i classici greci: o almeno, non ne parlava piú. I romanzi nuovi che apprezzava erano, in genere, romanzi francesi sulla resistenza. Ma sembrava diventato piú cauto, nei suoi apprezzamenti: o almeno era piú cauto nelle sue simpatie, non come una volta soggetto a infatuazioni improvvise. Non era però diventato piú cauto nel deprecare e nel condannare, e mostrava nell'odio l'antica, incontrollata violenza.

Non gli piaceva l'Italia. Quasi tutto in Italia gli sembrava ridicolo, fatuo, mal congegnato e mal costruito. – La scuola in Italia fa pena! In Francia è migliore! In Francia non è perfetta, ma è però migliore! Si sa, qui c'è troppi preti. È tutto in mano ai preti!

– Quanti preti! – diceva ogni volta che usciva. – Quanti preti avete in Italia! Noi in Francia, possiamo fare chilometri senza incontrare un prete!

Mia madre gli raccontò un fatto che era successo al bambino d'una sua amica, molti anni prima, ancora prima della guerra e prima anche della campagna razziale. Questo bambino era ebreo, e i suoi l'avevano messo alla scuola pubblica; avevano però chiesto alla maestra di esentarlo dalle lezioni di religione. Un giorno la sua maestra non c'era in classe e c'era invece una supplente, che non era stata avvertita e quando venne l'ora di religione, si meravigliò a vedere quel bambino prendere la cartella e prepararsi a uscire. – Tu perché te ne vai? – chiese. – Me ne vado, – disse il bambino, – perché io vado sempre a casa quando c'è l'ora di religione. – E perché? – domandò la supplente. – Perché io, – rispose quel bambino, – non voglio bene alla Madonna. – Non vuoi bene alla Madonna! – gridò scandalizzata la maestra. – Avete sentito bambini? Non vuol bene alla Madonna!

– Non vuoi bene alla Madonna! non vuoi bene alla Madonna! – gridava ora tutta la classe. I genitori s'erano trovati costretti a levare il bambino da quella scuola.

A Mario questa storia piacque immensamente. Non finiva piú di estasiarsene, e chiedeva se era proprio vera. – Inaudito! – diceva battendosi la mano sul ginocchio. – Una cosa inaudita!

Mia madre era contenta che la sua storia gli fosse tanto piaciuta; ma poi si stancò di sentirlo ripetere che in Francia maestre cosí non esistevano e non si potevano nemmeno pensare. Era stufa di sentirgli dire: « Da noi, in Francia », e stufa anche di sentirlo parlare contro i preti. – Sempre meglio un governo di preti che il fascismo, – diceva mia madre. – È lo stesso! Non capisci che è lo stesso! La stessa cosa!

Negli anni della guerra che non l'avevamo rivisto, Mario s'era sposato. La notizia del suo matrimonio arrivò ai miei genitori poco prima della fine della guerra; s'era sposato, raccontò qualcuno, con la figlia del pittore Amedeo Modigliani. Mio padre, per la prima volta alla notizia del matrimonio d'uno di noi, rimase tranquillo: cosa che parve, a noi e a mia madre, stranissima, inesplicabile, e che restò per sempre senza spiegazione. Ma forse mio padre aveva avuto tanta paura per Mario, in quegli anni, pensandolo o prigioniero dei tedeschi, o morto, che ora il fatto che fosse soltanto sposato gli sembrava un incidente d'infima importanza. Mia madre era tutta contenta, e almanaccava su quel matrimonio, e su quella Jeanne, che non aveva mai visto, ma di cui le avevano detto che sembrava un quadro di Modigliani, pettinata come son pettinate le donne in quei quadri. Mio padre osservò soltanto che i quadri di Modigliani erano un orrore: – Sgarabazzi! sbrodeghezzi! – e non disse altro. Ma sembrava guardare a quel matrimonio con vaga approvazione.

Finita la guerra, arrivò da Mario una lettera, poche laconiche righe. Diceva che s'era sposato per ragioni connesse con la sua residenza in Francia, e s'era già divorziato. – Peccato! – disse mia madre. – Come mi dispiace! – Mio padre non disse nulla.

Quando lo rividero, Mario di quel suo matrimonio e di quel suo divorzio non sembrava disposto a parlare. Lasciava intendere che era tutto scontato in partenza, matrimonio e divorzio, e aveva l'aria di voler affermare che fossero, matrimoni e divorzi, la cosa piú semplice e piú naturale del mondo. D'altronde non sembrava disposto a parlare di nulla che gli fosse accaduto in quegli anni. Se aveva avuto privazioni o spaventi, delusioni o mortificazioni, non lo disse. Ma apparivano a volte sul suo viso indurito solchi malinconici, quand'era in riposo, con le mani unite e strette fra le ginocchia in un atteggiamento che gli era sempre stato consueto, il bronzeo cranio appoggiato al dorso della poltrona, le labbra incurvate in una piega delusa, una sorta di sorriso amaro e mite.

– Non vai a trovare Sion Segre? – gli chiese mio padre. S'era immaginato che corresse subito in cerca di Sion Segre, suo compagno nell'antica avventura. – Non ci vado. Non sapremmo piú cosa dirci, – Mario disse.

Neppure volle andare a trovare i suoi fratelli nelle varie città, benché non li rivedesse da molti anni. Disse, come aveva detto di Sion Segre: – Ormai non sapremmo piú cosa dirci!

Tuttavia sembrò contento di vedere Alberto, che era tornato, dopo la guerra, a Torino. Ora non lo disprezzava piú. – Dev'essere un buon medico! – disse. – Non c'è male, come medico dev'essere abbastanza buono!

Gli chiese qualche informazione riguardo alla malattia di Cafi, descrivendogliene i sintomi e riferendo le opinioni dei medici che lo curavano. Cafi abitava a Bordeaux, e ormai non poteva piú lasciare il letto, aveva perduto ogni forza e quasi non parlava piú.

Come aveva vissuto Mario in quegli anni, lo sapemmo a poco a poco, a strappi, dalle frasi laconiche e spazientite che buttava là ogni tanto, sbuffando e alzando le spalle, quasi irritato che non sapessimo nulla. Durante l'avanzata tedesca, si trovava a Parigi, avendo lasciato quel collegio in campagna dove insegnava; ed era tornato a vivere, col gatto, nella sua soffitta. Di giorno in giorno i tedeschi avanzavano, e Mario disse a Cafi che bisognava lasciare Parigi; ma Cafi aveva un piede malato, e non voleva muoversi. Chiaromonte, sua moglie morí all'ospedale proprio in quei giorni, e lui decise di andare in America. S'imbarcò a Marsiglia, sull'ultima nave civile che ancora salpava.

Mario infine persuase Cafi a venirsene via. Lasciarono Parigi a piedi, quando ormai c'erano i tedeschi a un chilometro, e non era piú possibile trovare un mezzo di trasporto. Cafi zoppicava e s'appoggiava a Mario, e procedevano con esasperante lentezza. Di tanto in tanto Cafi si sedeva a riposare sul ciglio della strada, e Mario gli rifaceva la fasciatura. Poi riprendevano a camminare e Cafi trascinava nella polvere il piede dolorante, calzato d'una pantofola e d'un calzerotto rammendato col filo rosso.

Finirono in un villaggio nei dintorni di Bordeaux. Mario fu internato in un campo di profughi stranieri. Lasciato libero, entrò nel *maquis*. Alla fine della guerra era a Marsiglia, e faceva parte del Consiglio d'epurazione. Chiaromonte lasciò l'America e tornò a Parigi, ed erano, con Mario e Cafi, sempre amici. Mario non ci pensava neppure a tornare a stabilirsi in Italia. Anzi aveva fatto richiesta per avere la cittadinanza francese.

Era consulente economico di un industriale, un francese, ed era venuto in Italia in automobile con questo francese, e lo portava in giro a vedere i musei e le fabbriche, ma il francese era lui che guidava l'automobile, perché Mario continuava a non saper guidare. Mio padre e mia madre si domandavano inquieti se quell'impiego aveva qualche carattere di stabilità o se era cosa temporanea e precaria.

– Ho paura che abbia finito col fare un mestierolino! – diceva mia madre. – Peccato! lui che è cosí intelligente! – Ma chi è quel francese? – diceva mio padre. – Mi pare che abbia un'aria equivoca!

Mario si fermò in Italia non piú di una settimana; poi ripartí col francese, e non lo vedemmo per molto tempo.

La piccola casa editrice d'una volta era diventata grande e importante. Vi lavorava ora molta gente. Aveva una nuova sede, in corso re Umberto, la sede antica essendo crollata in un bombardamento. Pavese aveva ora una stanza da solo, e sulla

sua porta c'era un cartellino con scritto « Direzione editoriale ».
Pavese stava al tavolo, con la pipa, e rivedeva bozze con la rapidità d'un fulmine. Leggeva l'*Iliade* in greco, nelle ore d'ozio,
salmodiando i versi ad alta voce con triste cantilena. Oppure
scriveva, cancellando con rapidità e con violenza, i suoi romanzi. Era diventato uno scrittore famoso.

Nella stanza accanto alla sua, c'era l'editore, bello, roseo,
col collo lungo, i capelli lievemente ingrigiti sulle tempie come
ali di tortora. Aveva ora molti campanelli sul tavolo, e telefoni,
e non urlava piú: – Coppaaa! – Del resto la signorina Coppa
non c'era piú. Non c'era piú l'antico magazziniere. Ora quando
voleva chiamare qualcuno, l'editore premeva un bottone e parlava nel telefono interno, col piano di sotto, dove c'erano molte dattilografe e molti magazzinieri. Di tanto in tanto, l'editore
prendeva a passeggiare avanti e indietro nel corridoio, con le
mani dietro la schiena, la testa un po' reclina sulla spalla, s'affacciava alle stanze degli impiegati e diceva qualcosa con la sua
voce nasale. L'editore non era piú timido, o meglio la sua timidezza si ridestava solo a tratti quando doveva avere colloqui
con estranei, e non sembrava piú timidezza, ma un freddo e
silenzioso mistero. Per cui la sua timidezza intimidiva gli estranei, i quali si sentivano avvolti d'uno sguardo azzurro, lumi-
noso e glaciale, che li indagava e li soppesava di là dal grande
tavolo di vetro, a una glaciale e luminosa distanza. Quella timidezza era cosí diventata un grande strumento di lavoro. Quella timidezza era diventata una forza, contro la quale gli estranei
venivano a sbattere come farfalle sbattono abbagliate su un
lume, e se erano venuti là sicuri di sé con bagagli di proposte
e progetti, si ritrovavano poi al termine del colloquio stranamente spossati e sconcertati, col dubbio sgradevole d'essere
forse un po' stupidi e ingenui, e d'aver mulinato progetti senza
nessun fondamento, alla presenza d'una fredda indagine che li
aveva scrutati e sceverati in silenzio.

Pavese raramente accettava di ricevere estranei. Diceva:
– Ho da fare! Non voglio nessuno! S'impicchino! Me ne infischio!

Invece i nuovi impiegati, i giovani, erano favorevoli ai colloqui con gli estranei. Potevano, gli estranei, portare idee.

Pavese diceva: – Qui non c'è bisogno di idee! Ne abbiamo
anche troppe di idee!

Squillava il telefono interno sul suo tavolo, e diceva nel ri-
cevitore la nota voce nasale:
– Di sotto c'è il tale. Ricevilo. C'è caso che abbia qualche
proposta.

Pavese diceva: – Che bisogno c'è di proposte? Siamo pieni
di proposte fino al collo! Me ne infischio delle proposte! Non
voglio idee!
– Giralo allora a Balbo, – diceva la voce.

Balbo, lui, dava retta a tutti. Non rifiutava mai un nuovo
incontro. Balbo non aveva difese contro le proposte e le idee.
Tutte le proposte e tutte le idee gli piacevano, lo sollecitavano,
lo mettevano in fermento, e veniva ad esporle a Pavese. Veniva là, piccolo, col suo naso rosso, serio come diventava serio
quando aveva una proposta da esporre, quando credeva d'aver
messo gli occhi su un caso umano nuovo, stupito come sempre
si stupiva dinanzi ad ogni nuova forma umana che si delineava
sul suo orizzonte, sempre disposto a scorgere l'intelligenza dovunque, a vederla pullulare in ogni angolo dove s'eran posati
i suoi piccoli occhi celesti, acuti e ingenui, sprovveduti e profondi. Balbo parlava, parlava, e Pavese fumava la pipa, e s'ar-
ricciolava intorno al dito i capelli.

Pavese diceva: – Mi sembra una proposta cretina! Difen-
diti dai cretini!

E Balbo rispondeva che, sí, era infatti in parte una proposta
cretina ma era però anche insieme non tanto cretina, e aveva
un nòcciolo buono, vitale, fecondo, Balbo parlava e parlava

perché parlava sempre, non taceva mai. Quando aveva finito di parlare con Pavese andava nella stanza dell'editore e anche con lui parlava, piccolo, serio, col piccolo naso rosso, e l'editore si dondolava sulla poltrona, dardeggiava a tratti su di lui lo sguardo chiaro e freddo, scarabocchiava su un foglio segni geometrici, la sigaretta spenta fra le labbra, le gambe accavallate.

Balbo non correggeva mai le bozze. Diceva: – Non sono capace di correggere le bozze! Vado troppo adagio. Non è colpa mia!

Non leggeva mai un libro per intero. Ne leggeva qualche frase qua e là, e subito s'alzava per andare a parlarne a qualcuno, perché bastava un niente a sollecitarlo, a farlo fermentare, a mettere in moto il suo pensiero che subito correva correva, e lui era là fino alle nove di sera, parlando fra i tavoli, perché non aveva orari, non si ricordava mai di andare a pranzo. Finché i tavoli si facevano vuoti, l'ufficio deserto; allora guardava l'orologio, trasaliva, s'infilava il cappotto e metteva il suo cappello verde, ben calcato sulla fronte. Se ne andava giú per il corso re Umberto, piccolo, dritto, con la sua cartella sotto il braccio, e si fermava però a guardare le motociclette e le motorette nei posteggi, perché aveva grande curiosità di tutte le macchine, e per le motociclette una tenerezza speciale.

Pavese diceva di lui: – Ma perché deve sempre parlare mentre gli altri lavorano?

E l'editore diceva: – Lascialo in pace!

L'editore aveva appeso alla parete, nella sua stanza, un ritrattino di Leone, col capo un po' chino, gli occhiali bassi sul naso, la folta capigliatura nera, la profonda fossetta nella guancia, la mano femminea. Leone era morto in carcere, nel braccio tedesco delle carceri di Regina Coeli, a Roma durante l'occupazione tedesca, un gelido febbraio.

Io non li avevo mai rivisti tutti e tre insieme, Leone e l'e-

ditore e Pavese, dopo quella primavera che i tedeschi prendevano la Francia, se non una volta sola, che eravamo venuti Leone e io dal confino, dove l'avevano mandato subito dopo ch'era
entrata in guerra l'Italia. Eravamo venuti dal confino con un
permesso di pochi giorni, e allora eravamo stati spesso a cena
insieme, noi, Pavese e l'editore, con altri che cominciavano a
diventare, nella casa editrice, importanti, altra gente venuta
da Milano e da Roma, con progetti e idee. Non Balbo, perché
allora Balbo era in guerra, sul fronte albanese.

Pavese non parlava quasi mai di Leone. Non amava parlare
degli assenti, e dei morti. Lo diceva. Diceva: – Quando uno se
ne va via, o muore, io cerco di non pensarci, perché non mi
piace soffrire.

Tuttavia forse, a volte, soffriva per averlo perduto. Era stato il suo migliore amico. Forse annoverava quella perdita fra
le cose che lo straziavano. E certo era incapace di risparmiarsi
alla sofferenza, cadendo nelle piú acerbe e crudeli sofferenze,
ogni volta che s'innamorava.

L'amore lo coglieva come un travaglio di febbre. Durava un
anno, due anni; e poi ne era guarito, ma stralunato e stremato,
come chi si rialza dopo una malattia grave.

Quella primavera, l'ultima primavera che Leone aveva lavorato stabilmente nella casa editrice, quando i tedeschi prendevano la Francia, e in Italia si aspettava la guerra, quella primavera sembrava sempre piú lontana. Anche la guerra, a poco
a poco, si faceva lontana. C'erano state per molto tempo, nella
casa editrice, stufe di mattoni, quando il riscaldamento non
funzionava per via della guerra; poi furono aggiustate le cal-
daie dei termosifoni, ma quelle stufe, ancora per lungo tempo,
restarono. Poi l'editore le fece portare via. C'erano nelle stanze tutti i manoscritti ammucchiati, in disordine, non essendovi
abbastanza scaffali; infine vennero fatti scaffali svedesi, con assi
intercambiabili, che arrivavano fino al soffitto. Nel corridoio,

al fondo, fu dipinta una parete di nero, e vi vennero appese
con puntine da disegno stampe e riproduzioni di quadri. Poi
furono buttate via le puntine da disegno, e si appesero, in lu-
cide cornici, veri quadri.

Mio padre, lui, era nel Belgio, durante l'invasione tedesca.
Rimase a Liegi fino all'ultimo, a lavorare nel suo istituto, in-
credulo che arrivassero i tedeschi cosí presto, perché si ricordava dell'altra guerra, quando i tedeschi eran rimasti fermi alle
porte di Liegi per quindici giorni. Ora però i tedeschi stavano
per entrare nella città; e infine lui si decise a chiudere l'istituto
ormai deserto e ad andarsene, e se ne andò a Ostenda, un po'
a piedi, un po' con mezzi di fortuna, nella folla che invadeva
le strade. A Ostenda, fu raccolto da un'autoambulanza della
Croce Rossa, dove c'era qualcuno che l'aveva riconosciuto. Gli
fecero indossare un camice; e andò, con quell'autoambulanza,
fino a Boulogne. Qui l'autoambulanza fu fatta prigioniera dai
tedeschi. Mio padre andò a presentarsi ai tedeschi, disse il suo
nome. Quei tedeschi non fecero caso al suo nome, che era in-
confondibilmente un nome ebreo, e gli chiesero cosa intendes-
se fare. Lui rispose che intendeva ritornare a Liegi. Lo ripor-
tarono là.

A Liegi rimase ancora un anno. Era solo, non essendovi piú
nessuno all'istituto, quell'anno, neppure il suo allievo e amico
Chèvremont. Gli fu poi consigliato di tornare in Italia, e cosí
lui tornò in Italia, da mia madre, a Torino.

Rimasero, lui e mia madre, a Torino, finché i bombardamenti danneggiarono la casa. A Torino, nei bombardamenti,
lui non voleva mai scendere in cantina. Mia madre ogni volta
doveva scongiurarlo di scendere, e gli diceva che, se lui non scendeva, non sarebbe scesa neppur lei. — Sempiezzi! — lui diceva
nelle scale. — Tanto se crolla la casa, crolla anche la cantina,

di certo! Non c'è mica sicurezza in cantina! È un sempiezzo!

Poi sfollarono a Ivrea. Venne l'armistizio; e mia madre si trovava, in quei giorni, a Firenze, e lui le mandò a dire di non muoversi. Lui rimase a Ivrea, nella casa d'una zia della Piera, sfollata altrove. Vennero a dirgli di nascondersi, perché i tedeschi stavano cercando e prendendo gli ebrei. Si nascose in campagna, in una casa vuota che amici gli avevano ceduto, e aveva infine acconsentito a farsi fare una carta d'identità falsa, nella quale si chiamava Giuseppe Lovisatto. Quando andava a far visita a conoscenti, e la donna che apriva la porta gli chiedeva chi doveva annunciare, lui diceva però il suo vero nome, diceva: – Levi. No, via, cioè, Lovisatto –. Poi lo avvisarono ch'era stato riconosciuto, e se ne andò a Firenze.

Rimasero a Firenze, mio padre e mia madre, finché non venne liberato il Nord. A Firenze si trovava poco da mangiare; e diceva mia madre, alla fine del pranzo, dando ai miei bambini una mela per uno:

– Ai piccoli una mela, ai grandi il diavolo che li pela –. E raccontava della Grassi che nell'altra guerra, ogni sera, prendeva una noce e la divideva in quattro: – Una noce Lidia! – e ne dava, uno spicchio ciascuno, ai suoi quattro figli, Erika, Dina, Clara e Franz.

Mia madre, quando io e Leone vivevamo in Abruzzo, al confino, le piaceva molto venire a trovarci. Andava anche a trovare Alberto, che era poco lontano, a Rocca di Mezzo; e confrontava un paese con l'altro, e declamava *La figlia di Jorio*, che le veniva in mente in quei luoghi.

Da noi, siccome non avevamo posto in casa, dormiva all'albergo: l'unico albergo del paese, poche stanze raggruppate intorno a una cucina, con un pergolato, un orto, e una terrazza; e alle spalle i campi e le colline, basse, spoglie, battute dal vento. Le proprietarie dell'albergo, madre e figlia, erano diventate nostre amiche; e noi usavamo passar le giornate, vi fosse o no mia madre, in quella cucina e su quella terrazza. Si commentava, in quella cucina nelle sere invernali, e sulla terrazza d'estate, l'intero paese e gl'internati, ch'erano venuti, con la guerra, come noi, a mescolarsi alla vita del paese dividendone le fortune e i problemi. Mia madre, come noi, aveva imparato i soprannomi che usavano dare nel paese agl'internati e ai paesani. Gl'internati erano molti, e ce n'erano di ricchi e di poverissimi: e i ricchi mangiavano meglio, comperavano farina e pane alla borsa nera, ma a parte il mangiare, facevano la stessa vita dei poveri, sedendo a volte nella cucina o sulla terrazza dell'albergo, a volte nella bottega di Ciancaglini, che era un merciaio.

C'erano gli Amodaj, ricchi commercianti di calze di Belgrado; un calzolaio di Fiume, un prete di Zara, un dentista; e due fratelli ebrei tedeschi, l'uno maestro di ballo e l'altro filatelico, chiamati Bernardo e Villi; e c'era poi una vecchia olandese pazza, che in paese chiamavano Stinchi Leggeri, perché aveva le caviglie magre; e ancora tanti altri.

Stinchi Leggeri aveva pubblicato, negli anni precedenti alla guerra, volumi di poesie in lode di Mussolini.

– Ho scritto versi per Mussolini! Che sbaglio! – diceva a mia madre incontrandola sulla strada, e alzava al cielo le sue lunghe mani calzate di guanti bianchi alla moschettiera, che aveva ricevuto in regalo da non so che associazione per i profughi ebrei. L'intero giorno Stinchi Leggeri percorreva la strada avanti e indietro, camminando allucinata e fermandosi a parlare con la gente, alla quale raccontava, alzando al cielo le mani guantate, le sue disgrazie. Tutti gl'internati camminavano cosí avanti e indietro, facevano e rifacevano cento volte al giorno lo stesso percorso, perché gli era proibito addentrarsi nella campagna.

– Ti ricordi la Stinchi Leggeri? che fine avrà fatto? – mi diceva mia madre molti anni piú tardi.

Mia madre, quando veniva in Abruzzo a trovarci, portava sempre con sé un *tub*, perché là non esistevano bagni e la sua costante preoccupazione era poter fare in qualche modo il bagno, al mattino. Ne aveva portato uno anche a noi, e mi faceva lavare i bambini piú volte nella giornata, perché mio padre in ogni lettera che scriveva raccomandava di lavarli moltissimo, trattandosi d'un paese primitivo e senza norme igieniche; e una donna che allora avevamo diceva con aria disgustata, quando vedeva che lavavamo i bambini:

– Son puliti come l'oro. Li stanno sempre a lavà.

Questa donna, grossa, vestita di nero e ormai sulla cinquantina, aveva ancora vivi suo padre e sua madre, e li chiamava « quel vecchio » e « quella vecchia ». La sera, prima d'andarsene, radunava in un fagotto cartocci di zucchero e di caffè, e si metteva sotto il braccio una bottiglia di vino: – Permettete? Porto qualcosa a quella vecchia! Porto un po' di vino a quel vecchio, che gli piace il vino!

Alberto, lo trasferirono in un luogo di confino piú a Nord. Era considerato, il trasferimento al Nord, una buona cosa; chi veniva trasferito al Nord, con ogni probabilità sarebbe stato presto lasciato libero. Facevamo anche noi, di tanto in tanto, qualche richiesta per essere trasferiti al Nord; ma avremmo lasciato l'Abruzzo con dispiacere, come l'avevano lasciato con dispiacere Miranda e Alberto, i quali trovavano stupido il loro nuovo confino nel Canavese. Comunque, le nostre richieste d'un trasferimento caddero inascoltate.

Mio padre, anche lui veniva a volte a trovarci. Quel paese, lo trovava sporco. Gli ricordava l'India.

– È come l'India! – diceva. – Lo sporco che c'era in India non si può immaginare! Lo sporco che ho visto a Calcutta! a Bombay!

Ed era tutto contento di parlare dell'India. S'illuminava, nominando Calcutta, d'un vivo piacere.

Quando nacque là mia figlia Alessandra, mia madre rimase a lungo con noi. Non le andava di ripartire. Era l'estate del '43. Si sperava in una fine prossima della guerra. Fu un periodo sereno, e furono gli ultimi mesi che passavamo insieme, Leone e io. Mia madre infine partí e io andai ad accompagnarla ad Aquila, e mentre aspettavamo la corriera sulla piazza, io avevo la sensazione di prepararmi a un lungo distacco. Avevo anzi la confusa sensazione di non doverla rivedere mai piú.

Venne poi il 25 luglio, e Leone lasciò il confino e andò a Roma. Io restai ancora là. C'era là un prato, che mia madre chiamava « del cavallo morto », perché vi avevamo trovato un cavallo morto un mattino. Usavo andare su quel prato ogni giorno, coi bambini. Sentivo la mancanza di Leone, e di mia madre; e quel prato, dov'ero stata tante volte con loro, mi metteva una grande melanconia. Avevo l'animo pieno dei piú tristi presentimenti. Lungo la strada polverosa, fra le colline bruciate dal sole estivo, passava e ripassava Stinchi Leggeri, col suo passo storto e veloce, col suo cappello di paglia; e i fratelli Bernardo e Villi, vestiti di lunghi paltò a martingala regalati da quell'associazione ebraica, e che portavano anche in piena estate, avendo abiti rotti. Salvo Leone, gl'internati erano rimasti là, perché non sapevano dove andare.

Poi venne l'armistizio, la breve esultanza e il delirio dell'armistizio; e poi, due giorni dopo, i tedeschi. Sulla strada correvano camion tedeschi, le colline e il paese erano pieni di soldati. C'erano soldati nell'albergo, sulla terrazza, sotto il pergolato e in cucina. Il paese era impietrito dalla paura. Sempre portavo i bambini sul prato del cavallo morto, e quando passavano gli aeroplani ci buttavamo nell'erba. Incontravo sempre, sulla strada, gli altri internati, e ci interrogavamo con lo sguardo in silenzio, chiedendoci dove andare e che cosa fare.

Ricevetti una lettera di mia madre. Era anche lei spaventata e non sapeva come aiutarmi Pensai allora per la prima volta nella mia vita che non c'era per me protezione possibile, che dovevo sbrogliarmela da sola. Capii che c'era stata sempre in me, nel mio affetto per mia madre, la sensazione che lei m'avrebbe, nelle disgrazie, protetto e difeso. Ma ora restava in me l'affetto soltanto, e ogni richiesta e attesa di protezione era da quell'affetto scomparsa, e anzi pensavo che forse avrei dovuto io in avvenire proteggerla e difenderla, perché era ormai, mia madre, molto vecchia, avvilita e indifesa.

Partii dal paese il primo di novembre. Avevo avuto da Leone una lettera, portatami a mano da una persona venuta da Roma, in cui mi diceva di lasciare il paese immediatamente, perché là era difficile nascondersi e i tedeschi ci avrebbero individuato e portato via. S'erano nascosti ora, qua e là nella campagna o nelle città piú vicine, anche gli altri internati.

Mi venne in aiuto la gente del paese. Si concertarono fra loro e mi aiutarono tutti. La proprietaria dell'albergo, che aveva tedeschi accampati nelle poche stanze e seduti in cucina attorno al fuoco, là dove tante volte eravamo stati seduti noi quietamente, raccontò a quei soldati che ero una sfollata di Napoli, sua parente, che avevo perduto le carte nei bombardamenti e che dovevo raggiungere Roma. Camion tedeschi andavano a Roma ogni giorno. Cosí salii su uno di quei camion una mattina, e la gente venne a baciare i miei bambini che aveva visto crescere, e ci si disse addio.

Arrivata a Roma, tirai il fiato e credetti che sarebbe cominciato per noi un tempo felice. Non avevo molti elementi per crederlo, ma lo credetti. Avevamo un alloggio nei dintorni di piazza Bologna. Leone dirigeva un giornale clandestino ed era sempre fuori di casa. Lo arrestarono, venti giorni dopo il nostro arrivo; e non lo rividi mai piú.

Mi ritrovai con mia madre a Firenze. Aveva sempre, nelle

disgrazie, un gran freddo; e si ravviluppava nel suo scialle. Non scambiammo, sulla morte di Leone, molte parole. Lei gli aveva voluto molto bene; ma non amava parlare dei morti, e la sua costante preoccupazione era sempre lavare, pettinare e tenere ben caldi i bambini.

– Ti ricordi la Stinchi Leggeri? Villi? – diceva. – Cosa ne sarà successo?

Stinchi Leggeri, come seppi piú tardi, era morta di polmonite in un cascinale di contadini. Gli Amodaj, Bernardo e Villi s'erano nascosti ad Aquila. Ma altri internati vennero presi, ammanettati e caricati su un camion, e scomparvero nella polvere della strada.

Apparivano tutt'e due invecchiati, mio padre e mia madre, alla fine della guerra. Mia madre, gli spaventi e le disgrazie la invecchiavano di colpo, nello spazio d'un giorno. Aveva sempre in quegli anni uno scialle di lana d'angora viola, comprato dalla Parisini, e si ravviluppava in quello scialle. Aveva freddo, negli spaventi e nelle disgrazie, e diventava pallida, con larghi cerchi scuri sotto gli occhi. Le disgrazie la sbattevano e l'avvilivano, la facevano camminare adagio, mortificando il suo passo trionfante, e le scavavano nelle gote due buche profonde.

Tornarono a Torino, nella casa di via Pallamaglio che ora si chiamava via Morgari. La fabbrica di vernici sulla piazza era bruciata in un bombardamento; e cosí lo stabilimento di bagni pubblici. Ma la chiesa era stata appena un poco danneggiata ed era sempre là, sostenuta ora da intravature di ferro.

– Peccato! – disse mia madre, – poteva crollare! È cosí brutta! Nossignore, è rimasta in piedi!

La nostra casa venne riparata e rimessa in ordine. C'era legno compensato al posto di qualche vetro rotto, e mio padre fece mettere delle stufe nelle stanze, perché non funzionavano i termosifoni. Mia madre chiamò subito la Tersilla, e quando ebbe la Tersilla nella stanza da stiro, davanti alla macchina da cucire, tirò il fiato e le parve che la vita potesse riprendere il suo ritmo antico. Prese stoffe a fiori per coprire le poltrone, che erano state in cantina e avevano, in qualche punto, macchie di muffa. Infine fu riappeso, nella sala da pranzo, sopra il divano, il ritratto della zia Regina, che ora di nuovo guardava dall'alto con gli occhi tondi e chiari, coi guanti, la pappagorgia e il ventaglio.

– Ai piccoli una mela, ai grandi il diavolo che li pela! – diceva sempre mia madre alla fine del pranzo. Poi smise di dire cosí, perché di nuovo c'erano mele per tutti. – Non sanno di niente queste mele! – diceva mio padre. E mia madre diceva: – Ma Beppino, son carpandue!

Mio padre informò Chèvremont che intendeva far dono all'università di Liegi della sua biblioteca, ch'era rimasta là: per gratitudine, perché l'avevano ospitato mentre c'era in Italia la campagna razziale.

Era sempre in corrispondenza con Chèvremont. Si scrivevano, e Chèvremont gli mandava le sue pubblicazioni.

Mia madre, i luoghi li pensava soltanto in funzione della gente che vi conosceva. In tutto il Belgio, per lei non esisteva che Chèvremont. Quando in Belgio succedeva qualcosa, alluvioni o cambiamenti di governo, mia madre diceva:

– Chissà cosa dirà Chèvremont!

In Francia, prima che ci andasse Mario, per lei non c'era che un certo signor Polikar, che avevano incontrato lei e mio padre a un congresso. Diceva sempre: – Chissà Polikar!

In Spagna conosceva uno che si chiamava Di Castro. Se leggeva di temporali o di mareggiate in Spagna, diceva: – Chissà Di Castro!

Quel Di Castro, in uno dei suoi soggiorni a Torino, una volta s'era ammalato, e non si capiva che malattia avesse. Mio padre lo fece entrare in una clinica e chiamò a vederlo un mucchio di medici. Qualcuno diceva che aveva forse una cosa al cuore. Di Castro aveva la febbre alta, delirava e non riconosceva nessuno. Sua moglie, venuta da Madrid, continuava a ripetere:

– Non è il corazon! è la cabezza!

Guarito, Di Castro ritornò in Spagna, venne il governo franchista, poi la guerra mondiale e non se ne seppe piú nulla. – Non è il corazon! è la cabezza! – diceva però sempre mia madre, evocando la Spagna e la signora Di Castro. La guerra inghiottí anche il signor Polikar. Nemmeno della Grassi, che viveva a Friburgo, in Germania, si seppe piú nulla. Mia madre la evocava spesso. Diceva:

– Chissà cosa farà in questo momento la Grassi?

– Sarà morta! – a volte diceva. – Oh che senso che forse è morta la Grassi!

La sua geografia era tutta sconvolta, dopo la guerra. Non si poteva piú evocare tranquillamente la Grassi e il signor Polikar. Essi avevano un tempo il potere di trasformare agli occhi di mia madre paesi lontani e ignoti in qualcosa di domestico, di usuale e lieto, di fare del mondo come un borgo o una strada che si poteva percorrere in un attimo col pensiero, sulla traccia di quei pochi nomi usuali e rassicuranti.

Il mondo appariva invece, dopo la guerra, enorme, inconoscibile e senza confini. Mia madre tuttavia riprese ad abitarlo come poteva. Riprese ad abitarlo con lietezza, perché il suo temperamento era lieto. Il suo animo non sapeva invecchiare e non conobbe mai la vecchiaia, che è starsene ripiegati in disparte piangendo lo sfacelo del passato. Mia madre guardò lo sfacelo del passato senza lagrime, e non ne portò il lutto. Non amava, del resto, vestirsi in lutto. Quand'era morta sua madre, lei stava allora a Palermo, e se ne venne a Firenze, dove sua madre era morta all'improvviso e da sola. Ebbe un grande dolore nel vederla morta. Poi uscí per comprarsi un vestito da lutto. Ma invece di comprare un vestito nero, come s'era proposto, si comprò un vestito rosso, e tornò a Palermo con quel vestito rosso nella valigia. Disse alla Paola: – Cosa vuoi, la mia mamma non poteva soffrire i vestiti neri e sarebbe contentissima, se mi vedesse con questo bellissimo vestito rosso!

> Alla Cía venne male a un piede,
> Pus ne sgorgava a volte la sera,
> La Mutua la mandò a Vercelli.

Giovani poeti scrivevano, e portavano in lettura alla casa editrice, versi di questa specie. In particolare la terzina sulla Cía faceva parte d'un lungo poema sulle mondine. Era, il dopoguerra, un tempo in cui tutti pensavano d'essere dei poeti, e tutti pensavano d'essere dei politici; tutti s'immaginavano che si potesse e si dovesse anzi far poesia di tutto, dopo tanti anni in cui era sembrato che il mondo fosse ammutolito e pietrificato e la realtà era stata guardata come di là da un vetro, in una vitrea, cristallina e muta immobilità. Romanzieri e poeti avevano, negli anni del fascismo, digiunato, non essendovi intorno molte parole che fosse consentito usare; e i pochi che ancora avevano usato parole le avevano scelte con ogni cura nel magro patrimonio di briciole che ancora restava. Nel tempo del fascismo, i poeti s'erano trovati ad esprimere solo il mondo arido, chiuso e sibillino dei sogni. Ora c'erano di nuovo molte parole in circolazione, e la realtà di nuovo appariva a portata di mano; perciò quegli antichi digiunatori si diedero a vendemmiarvi con delizia. E la vendemmia fu generale, perché tutti ebbero l'idea di prendervi parte; e si determinò una confusione di linguaggio fra poesia e politica, le quali erano apparse mescolate insieme. Ma poi avvenne che la realtà si rivelò complessa e segreta, indecifrabile e oscura non meno che il mondo dei sogni; e si rivelò ancora situata di là dal vetro, e l'illusione di aver spezzato quel vetro si rivelò effimera. Cosí molti si ritrassero presto sconfortati e scorati; e ripiombarono in un amaro digiuno e in un profondo silenzio. Cosí il dopoguerra fu triste, pieno di sconforto dopo le allegre vendemmie dei primi tempi. Molti si appartarono e si isolarono di nuovo o nel mondo dei loro sogni, o in un lavoro qualsiasi che fruttasse da vivere, un lavoro assunto a caso e in fretta, e che sembrava piccolo e grigio dopo tanto clamore; e comunque tutti scordarono quella breve, illusoria compartecipazione alla vita del prossimo. Certo, per molti anni, nessuno fece piú il proprio mestiere, ma tutti credettero di poterne e doverne fare mille altri insieme; e passò del tempo prima che ciascuno riprendesse sulle sue spalle il proprio mestiere e ne accettasse il peso e la quotidiana fatica, e la quotidiana solitudine, che è l'unico mezzo che noi abbiamo di partecipare alla vita del prossimo, perduto e stretto in una solitudine uguale.

Quanto ai versi della Cía che aveva male al piede, essi non ci sembrarono allora belli, anzi ci sembrarono, come sono, bruttissimi, ma oggi ci appaiono tuttavia commoventi, parlando alle nostre orecchie il linguaggio di quell'epoca. C'erano allora due modi di scrivere, e uno era una semplice enumerazione di fatti, sulle tracce d'una realtà grigia, piovosa, avara, nello schermo d'un paesaggio disadorno e mortificato; l'altro era un mescolarsi ai fatti con violenza e con delirio di lagrime, di sospiri convulsi, di singhiozzi. Nell'un caso e nell'altro, non si sceglievano piú le parole; perché nell'un caso le parole si confondevano nel grigiore, e nell'altro si perdevano nei gemiti e nei singhiozzi. Ma l'errore comune era sempre credere che tutto si potesse trasformare in poesia e parole. Ne conseguí un disgusto di poesia e parole, cosí forte che incluse anche la vera poesia e le vere parole, per cui alla fine ognuno tacque, impietrito di noia e di nausea. Era necessario tornare a scegliere le parole, a scrutarle per sentire se erano false o vere, se avevano o no vere radici in noi, o se avevano soltanto le effimere radici della comune illusione. Era dunque necessario, se uno scriveva, tornare ad assumere il proprio mestiere che aveva, nella generale ubriachezza, dimenticato. E il tempo che seguí fu come il tempo che segue all'ubriachezza, e che è di nausea, di languore e di tedio; e tutti si sentirono, in un modo o nell'altro, ingannati e traditi: sia quelli che abitavano la realtà, sia quelli che possedevano, o credevano di possedere, i mezzi per raccontarla. Cosí ciascuno riprese, solo e malcontento, la sua strada.

Adriano capitava a volte nella casa editrice. Gli piacevano le case editrici e voleva anche lui farne una. Ma la casa editrice che aveva in testa di fare era diversa da quella, perché lui non intendeva pubblicare né poesie, né romanzi. Aveva amato, nella sua giovinezza, un solo romanzo: *I sognatori del Ghetto* di Israel Zangwill. Tutti gli altri che aveva letto dopo non l'avevano scosso. Mostrava gran rispetto per i romanzieri e i poeti, ma non li leggeva; e le sole cose che lo attraevano al mondo erano l'urbanistica, la psicanalisi, la filosofia e la religione.

Adriano era ormai un grande e famoso industriale. Conservava tuttavia ancora, nell'aspetto, qualcosa di randagio, come da ragazzo quando faceva il soldato; e si muoveva sempre col passo strascicato e solitario d'un vagabondo. Ed era ancora timido; e della sua timidezza non sapeva giovarsi come d'una forza, al modo dell'editore, perciò usava ricacciarla indietro, in presenza di persone che incontrava per la prima volta: fossero autorità politiche, o poveri ragazzi venuti a domandargli un posto alla fabbrica; buttava indietro le spalle, raddrizzava

la testa e accendeva i suoi occhi d'uno sguardo immobile, freddo e puro.

Lo incontrai a Roma per la strada, un giorno, durante l'occupazione tedesca. Era a piedi; andava solo, col suo passo randagio; gli occhi perduti nei suoi sogni perenni, che li velavano
di nebbie azzurre. Era vestito come tutti gli altri, ma sembrava, nella folla, un mendicante; e sembrava, nel tempo stesso,
anche un re. Un re in esilio, sembrava.

Leone fu arrestato in una tipografia clandestina. Avevamo
quell'appartamento nei pressi di piazza Bologna; ed ero sola
in casa con i miei bambini, e aspettavo, e le ore passavano; e
capii così a poco a poco, non vedendolo ritornare, che dovevano averlo arrestato. Passò quel giorno, e la notte; e la mattina dopo, venne da me Adriano, e mi disse di lasciar subito
quell'alloggio, perché Leone infatti era stato arrestato, e là poteva venire, da un momento all'altro, la polizia. M'aiutò a fare
le valige, a vestire i bambini; e scappammo via, e mi condusse
da amici che acconsentivano ad ospitarmi.

Io ricorderò sempre, tutta la vita, il grande conforto che
sentii nel vedermi davanti, quel mattino, la sua figura che mi
era così familiare, che conoscevo dall'infanzia, dopo tante ore
di solitudine e di paura, ore in cui avevo pensato ai miei che
erano lontani, al Nord, e che non sapevo se avrei mai riveduto;
e ricorderò sempre la sua schiena china a raccogliere, per le
stanze, i nostri indumenti sparsi, le scarpe dei bambini, con
gesti di bontà umile, pietosa e paziente. E aveva, quando scappammo da quella casa, il viso di quella volta che era venuto
da noi a prendere Turati, il viso trafelato, spaventato e felice
di quando portava in salvo qualcuno.

Quando veniva alla casa editrice, Adriano usava intratte-
nersi con Balbo; perché Balbo era un filosofo, e lui aveva una
profonda attrazione per i filosofi, e Balbo, dal canto suo, aveva
una profonda attrazione per tutti gl'industriali e gl'ingegneri,

per le fabbriche, i problemi di fabbrica, le macchine e i moto-
ri: attrazione e passione di cui si vantava con noi, con Pavese
e con me, dicendo che eravamo degli intellettuali e che lui
non lo era; perché noi non capivamo nulla di fabbriche e di
macchine. Attrazione e passione, che finiva nella contemplazione delle motociclette nei posteggi, quando ritornava a casa
la sera.

Adriano e la Paola si erano divorziati, dopo la guerra. Lei
viveva a Firenze, sulle colline di Fiesole, e lui a Ivrea. Lui era
tuttavia rimasto amico di Gino, e si vedevano sempre; benché
Gino avesse, dopo la guerra, lasciato Ivrea e la fabbrica, e la-
vorasse a Milano. Gino era anzi, forse, uno dei suoi pochissimi
amici, perché lui era fedele agli amici e alle cose scoperte e conosciute nella sua giovinezza, cosí come era rimasto fedele, nel-
l'intimità del suo spirito, al romanziere Israel Zangwill. La sua
fedeltà era però puramente affettiva, e non si estendeva al mondo della realizzazione: dove invece era sempre pronto a disfare quello che aveva fatto e a cercare sempre nuove e piú mo-
derne strade e tecniche, sembrandogli che le cose che attuava
gl'invecchiassero tra le mani: e rassomigliava, in questo, al-
l'editore, anche lui sempre pronto a mandare in polvere quello
che solo ieri aveva scelto e creato, sempre ansioso e inquieto
nella ricerca del nuovo, ricerca che metteva avanti a tutto, e di
fronte alla quale non c'era nulla che lo fermasse, né la conside-
razione della fortuna ottenuta con le antiche invenzioni, né lo
sgomento e le proteste di quanti lo circondavano, i quali s'e-
rano affezionati a quelle invenzioni antiche e non capivano perché mai si dovessero buttar via.

Ora lavoravo anch'io nella casa editrice. La casa editrice, e
il fatto che io vi lavorassi, eran visti da mio padre con approvazione e simpatia, e da mia madre con diffidenza e sospetto.
Mia madre infatti trovava che c'era là un ambiente troppo di
sinistra; perché, dopo la guerra, s'era messa ad aver paura del

comunismo, al quale, prima, non aveva mai pensato. Non le piaceva nemmeno il socialismo di Nenni, che trovava troppo rassomigliante al comunismo; preferiva i saragattiani, ma anche loro non le andavano del tutto a genio, e le pareva che Saragat « avesse una faccia che non sapeva di niente ».

– Turati! Bissolati! – diceva. – La Kuliscioff! Quelli sí che erano simpatici! La politica, oggi, non mi piace!

Andava a trovare la Paola Carrara, che era là nel suo salottino, sempre buio e pieno di uccellini finti, di cartoline e di bambole; ed era là imbronciata, perché anche lei ce l'aveva coi comunisti, e temeva che s'impadronissero dell'Italia. Sua sorella e suo cognato erano morti, e lei non aveva piú ragione di andare a Ginevra, né leggeva piú il « Zurnàl de Zenève »; né aspettava piú la fine del fascismo, o la morte di Mussolini, essendo Mussolini e il fascismo periti da tempo; perciò in lei restava una viva antipatia per i comunisti, e il rammarico che le opere di Guglielmo Ferrero, suo cognato, non fossero state in Italia, dopo la fine del fascismo, rivalutate come meritavano. Non invitava piú la gente, la sera, nel suo salottino: gli abituali frequentatori del suo salottino, gli antifascisti d'una volta, erano andati ad abitare a Roma, avendo avuto mansioni politiche: restavano i miei genitori, e pochi altri, che lei ancora certe sere invitava, ma senza piú l'antico piacere: tutti li trovava troppo « di sinistra », salvo mia madre; e perciò finiva con l'addormentarsi, imbronciata, nel suo abito di seta grigia, le mani raccolte nello scialle grigio, lavorato al crochet.

– Ti fai metter su contro i comunisti dalla Paola Carrara! – diceva mio padre a mia madre.

– A me non mi piacciono i comunisti! – mia madre diceva. – La Paola Carrara non c'entra. Non mi piacciono! Io amo la libertà! In Russia non c'è libertà!

Mio padre ammetteva che in Russia non ci fosse, forse, grande libertà. Era però attratto dalle sinistre. Olivo, il suo antico assistente, che ora aveva la cattedra a Modena, era di sinistra.

— Anche Olivo è di sinistra! — diceva mio padre a mia madre. E mia madre diceva: — Vedi che sei tu che ti fai metter su da Olivo!

Mio padre e mia madre dunque erano tornati a stare, dopo la guerra, in via Pallamaglio, che ora si chiamava via Morgari. Io abitavo con loro, insieme ai miei bambini. Non c'era piú la Natalina, perché subito dopo la guerra la Natalina s'era messa su una soffitta, con certi mobili che le aveva dato mia madre, e faceva servizi a ore.

— Non voglio piú essere schiava, — aveva detto la Natalina, — voglio la libertà!

— Stupida che sei! — le diceva mia madre. — Figurati se io ti tengo schiava! Sei piú libera di me!

— Son schiava! son schiava! — diceva la Natalina, col suo tono concitato e minaccioso, scuotendo la scopa; e mia madre allora usciva di casa, dicendo:

— Esco perché non ti posso vedere! Sei proprio diventata antipatica!

E andava a sfogarsi dal verduriere, dal macellaio. — Da me sta al caldo, non le manca niente! — spiegava. — È proprio una stupida!

Andava da Alberto e Miranda, che abitavano poco lontano, sul corso Valentino; e anche con loro si sfogava. — Non ha tutta la libertà che vuole? Io non tengo in schiavitú nessuno! — diceva.

E diceva: — Ma io, senza la Natalina, come farò?

La Natalina si trasferí nella sua soffitta. Veniva tuttavia sempre a trovare mia madre, la quale sul principio aveva sperato che si pentisse e tornasse da lei. Poi s'era rassegnata. Aveva, ora, un'altra donna.

— Addio Luigi undicesimo, — diceva alla Natalina che se ne

andava, per rientrare alla sua soffitta che era, a quanto raccontava, « splendida », e dove invitava, la sera, la Tersilla e suo marito a prendere il caffè. – Addio Luigi undicesimo! addio, Marat!

Molti degli amici di mio padre e mia madre erano morti. Era morto Carrara, il marito della Paola Carrara, ancora prima della guerra: uomo alto, magro, dai candidi baffi a spazzola, che andava sempre in bicicletta, con una mantellina nera che svolazzava; di lui mia madre diceva sempre che era cosí per bene, « per bene come Carrara », diceva quando voleva indicare il sommo della rettitudine; e anche dopo ch'era morto continuò a dire cosí. Anche i genitori di Adriano erano morti, il vecchio ingegner Olivetti e sua moglie, proprio nei mesi ch'erano seguiti all'armistizio, in una campagna vicino a Ivrea dov'erano nascosti, prima lui e poi lei poco tempo dopo. Era morto Lopez, appena ritornato, alla fine della guerra, dall'Argentina; e anche Terni era morto, a Firenze. Mio padre era sempre in corrispondenza con sua moglie, Mary, che però non vedeva da diversi anni.

– Hai scritto a Mary? – diceva a mia madre. – Bisogna scrivere a Mary! Ricordati di scrivere a Mary!

– Sei andata a trovare la Frances? – le diceva. – Vai a trovare la Frances! Oggi vai a trovare la Frances!

– Scrivi a Mario! – le diceva. – Guai a te se oggi non scrivi a Mario!

Mario non lavorava piú con quel francese; aveva, ora, un impiego alla Radio. Aveva la cittadinanza francese, e s'era sposato un'altra volta.

Quando fece sapere che s'era sposato un'altra volta, mio padre, questa volta, s'arrabbiò. Tuttavia non molto. Andarono, lui e mia madre, a Parigi, per conoscere la nuova moglie. Mario abitava in una casa nei dintorni della Senna. Quella casa era piuttosto buia, e mio padre non riusciva a veder bene la moglie di Mario; vide soltanto che era piccolissima, e che aveva una frangia sugli occhi. Chiese a Mario, un momento che lei non c'era:

– Ma perché hai sposato una donna tanto piú vecchia di te?

In verità, la moglie di Mario non aveva nemmeno vent'anni. Lui, Mario, ne aveva quaranta ormai.

Ebbero una bambina. Tornarono a Parigi, mio padre e mia madre, per la nascita della bambina. Mario andava matto per la bambina, e la cullava su e giú per le stanze. – Elle pleure, il faut lui donner sa tétée! – diceva concitato alla moglie. E mia madre diceva: – Ma com'è diventato francese!

Questa volta, mio padre s'infuriò trovando un giorno nella casa di Mario, con la bambina e la moglie, l'altra moglie di Mario, quella Jeanne, dalla quale s'era divorziato, e con cui aveva mantenuto rapporti amichevoli.

A mio padre non piaceva quella casa sulla Senna. Diceva ch'era buia e che doveva essere umida. Quanto alla moglie di Mario, gli sembrava troppo piccola. – È troppo piccola! – continuava a dire. Mia madre diceva: – È piccola, ma è graziosa! I piedi li ha un po' troppo piccoli. A me non mi piacciono i piedi piccoli.

Mio padre su questo non era d'accordo. Sua madre aveva avuto i piedi piccoli.

– Hai torto! I piedi piccoli, nelle donne, sono una grande bellezza! Mia mamma, poveretta, si vantava sempre d'avere i piedi piccoli!

– Parlano troppo di mangiare! – diceva mio padre di Mario e sua moglie. – Hanno una casa troppo umida! digli che cambino casa!

– Ma sei matto Beppino! A loro gli piace tanto star lí!

– Anche questo della Radio, ho paura che sia un mestierolino! – diceva mia madre. E mio padre diceva: – Peccato! con la sua intelligenza! avrebbe potuto fare una bellissima carriera!

Cafi era morto, a Bordeaux. Mario e Chiaromonte avevano radunato tutti i suoi fogli sparsi, scritti a matita, e cercavano di decifrarli.

Chiaromonte, in America, si era risposato. Lasciò Parigi e venne a stabilirsi, con la moglie, in Italia.

Mario trovò che era stupido; che non poteva fare una cosa piú stupida. Rimasero tuttavia molto amici; e s'incontravano, ogni estate, a Bocca di Magra. Giocavano a scacchi. Mario ora aveva due bambini, e lavorava all'Unesco. Mio padre scrisse a Chiaromonte per chiedergli che tipo di lavoro faceva Mario, e se era cosa che presentava qualche garanzia di sicurezza.

– Forse questo non è un mestierolino! Forse è un buon mestiere! – disse mia madre. Ma mio padre, nonostante avesse ricevuto da Chiaromonte informazioni confortevoli, scuoteva la testa deluso, essendo mio padre molto testardo, ed essendo sempre incapace di spostarsi dalle prime impressioni che aveva avuto, per cui sempre conservò l'idea che Mario avesse mancato una brillante e fortunata carriera.

E pur essendo ancora sempre fiero dell'aver avuto, in Mario, un figlio cospiratore, che aveva piú volte passato la frontiera con opuscoli clandestini, e pur essendo ancora sempre fiero del suo arresto e della sua drammatica fuga, tuttavia conservò sempre qualche rincrescimento all'idea che, allora, aveva però fatto correre un rischio agli Olivetti e compromesso la fabbrica. Per cui alcuni anni dopo, quando morí Adriano, e Mario da Parigi mandò a mio padre un telegramma: « Dimmi se opportuna mia presenza funerali Adriano », mio padre gli rispose subito con quest'altro brusco telegramma: « Inopportuna tua presenza funerali ».

Mio padre, d'altronde, era sempre molto preoccupato per qualcuno dei suoi figli. Si svegliava la notte e almanaccava su Gino. Lasciata la Olivetti, Gino s'era stabilito a Milano, ed era direttore e consulente di grandi aziende. – L'ultima volta

che è venuto mi è sembrato scuro, – diceva di Gino mio padre.
– Non vorrei che avesse delle noie! Sai che ha mansioni di
grande responsabilità!

Gino era, di noi, il piú fedele alle antiche abitudini familiari. Continuava ad andare, la domenica, in montagna, d'inverno
e d'estate. Andava a volte ancora con Franco Rasetti, il quale
ora abitava in America, ma ricompariva di tanto in tanto in
Italia.

– Come va bene in montagna Gino! – diceva mio padre. –
Va molto bene in montagna! Va benissimo anche in ski!

– No, – diceva Gino, – in ski non vado bene affatto. Vado
alla vecchia maniera. I giovani di adesso sí vanno bene!

– Tu sei sempre modesto! – diceva mio padre, e dopo che
se n'era andato ancora ripeteva: – Com'è modesto Gino!

– Che intollerante quel Mario! – diceva ogni volta che veniva Mario da Parigi. – Non c'è mai nessuno che gli piace!
Solo Chiaromonte gli piace!

– Non vorrei che lo mandassero via dall'Unesco! – diceva.
– La situazione politica in Francia non è mica sicura! Io non
sono tranquillo! Che stupido è stato a prendere la cittadinanza
francese! Chiaromonte non l'ha mica presa! Mario è stato proprio uno stupido!

Mia madre tuttavia s'inteneriva sui bambini di Mario, quando lui glieli portava. – Com'è carino Mario con i suoi bambini!
– diceva. – Come gli piacciono!

– Sa tétée! Il faut lui donner sa tétée! – diceva. – Son proprio francesi!

– La bambina è bellissima, – diceva, – ma è scatenata! è
un vero satanasso!

– Non li sanno educare, – diceva mio padre, – sono troppo
viziati.

– E a cosa serve avere i bambini se non si viziano? – mia
madre diceva.

– M'ha detto che sono una borghese! – diceva mia madre quando Mario era partito. – Gli sembro borghese, perché tengo gli armadi in ordine. Loro hanno un gran disordine in casa. Mario che era cosí meticoloso, cosí preciso! lui che era come il Silvio! Adesso è diventato tutto diverso. Però è contento!

– Stupido! m'ha detto che son troppo di destra! Mi trattava come se fossi una democristiana!

– Ma è vero che sei di destra! – diceva mio padre. – Hai paura del comunismo. Ti lasci metter su dalla Paola Carrara!

– Non mi piacciono a me i comunisti, – diceva mia madre. – Mi piacevano i socialisti, quelli d'una volta. Turati! Bissolati! com'era carino Bissolati! Ci andavo, la domenica, col mio papà!

– Forse questo Saragat non è tanto male. Peccato che ha una faccia che non sa di niente! – diceva ancora mia madre, e mio padre tuonava:

– Non dir sempiezzi! Non crederai mica che sia socialista Saragat! Saragat è di destra! Il socialismo vero è quello di Nenni, non quello di Saragat!

– Nenni non mi piace! Nenni è come se fosse comunista! dà sempre ragione a Togliatti! Io quel Togliatti non lo posso soffrire!

– Perché sei di destra!

– Io non sono né di destra, né di sinistra. Io sono per la pace!

E usciva, col suo passo di nuovo giovane, ritmato, glorioso, i capelli ormai bianchi al vento, il cappello in mano.

Si fermava sempre un po' a casa di Miranda, la mattina quando andava a ordinare la spesa, e il pomeriggio, quando andava al cinematografo.

– Hai paura dei comunisti, – le diceva Miranda, – perché hai paura che ti levino via la serva.

– Certo se viene Stalin a tirarmi via la serva, lo ammazzo,

– diceva mia madre. – Come faccio a stare senza la serva, io che non son buona di far niente?

Miranda era sempre là in fondo alla poltrona, col plaid, con la borsa dell'acqua calda, i biondi capelli spioventi sulle guance, la voce modulata, cantilenante, infantile.

I suoi genitori erano stati presi dai tedeschi. Erano stati presi, come tanti sventurati ebrei che non avevano creduto alla persecuzione. Si trovavano a Torino, al freddo; e se n'erano andati a Bordighera, per non aver piú tanto freddo. Bordighera era un luogo piccolo, e tutti li conoscevano; qualcuno li aveva denunciati ai tedeschi, e i tedeschi li avevano presi.

Miranda, quando aveva saputo ch'erano a Bordighera, gli aveva scritto che per carità se ne andassero, perché là tutti li conoscevano. Le città grandi erano piú sicure. Ma loro avevano scritto, in risposta, che non facesse la stupida.

– Noi siamo gente tranquilla! Alla gente tranquilla non gli fa niente nessuno!

Non vollero saperne di nomi falsi, di carte false. Gli sembrava una scorrettezza. Dicevano: – Chi ci tocca a noi? Siamo gente tranquilla!

Cosí i tedeschi se li portarono via, lei la madre piccola, candida e ilare, malata di cuore, lui il padre grande, pesante, tranquillo.

Miranda ebbe notizia che si trovavano nelle carceri di Milano. Andarono là, lei e Alberto, cercando di arrivare a loro con lettere, viveri, indumenti. Non ottennero alcuna sorta di comunicazione con l'interno del carcere, e seppero poi che tutti gli ebrei di San Vittore erano stati fatti partire per destinazione ignota.

Se ne andarono, lei e Alberto e il bambino, a Firenze, con falso nome. Avevano due stanze vicino a Campo di Marte. Il bambino si prese il tifo; e c'erano i bombardamenti e dovevano portarlo, involtato in una coperta e febbricitante, al rifugio.

Finita la guerra, tornarono a stare a Torino. Alberto riaperse lo studio. C'erano sempre, nell'ingresso, molti malati; e Alberto, col camice bianco, lo stetoscopio penzolante sul petto, scappava ogni tanto in salotto a scaldarsi al termosifone e a farsi fare il caffè.

Era ingrassato, ed era diventato quasi calvo, ma aveva ancora, sulla sommità del capo, pennacchietti biondi, soffici e scomposti. Decideva a volte di fare la cura dimagrante: stava a dieta, e provava su di sé certe specialità mediche, ricevute in omaggio. Ma nella notte gli veniva fame: e andava in cucina a cercare, nel frigorifero, avanzi del pranzo.

Avevano un grande frigorifero molto bello, che gli aveva regalato Adriano, perché Alberto l'aveva curato una volta che era stato male; e Miranda, che si lamentava sempre, s'era lamentata anche di quel regalo: – È troppo grande! – diceva. – Cosa ci metterò? Io compro sempre solo un etto di burro alla volta!

Ricordavano sempre quegli anni che erano stati in Abruzzo, al confino. Rimpiangevano sempre quegli anni. – Come si stava bene al confino, a Rocca di Mezzo! – diceva Alberto. – Davvero che si stava bene! – Miranda diceva. – Io non ero pigra, skiavo, me ne andavo col bambino a skiare! La mattina mi alzavo presto, accendevo la stufa. Non avevo mai mal di testa. Adesso son di nuovo sempre stanca!

– Non ti alzavi tanto presto, – diceva Alberto, – non idealizziamo! La stufa non l'accendevi. Veniva la donna!

– Che donna? Se non l'avevamo la donna!

Il bambino, l'antico ferroviere, era ormai un ragazzo. Andava a giocare, con i miei figli, a foot-ball al Valentino.

Era grosso, biondo, con la voce grossa. Aveva tuttavia, nella grossa voce, un'eco della cantilena di sua madre.

– Mamma, – diceva, – posso andare al Valentino coi cuginetti?

– Guardate di non farvi male! – diceva mia madre.

Miranda diceva: – Non aver paura! son prudenti come serpenti!

– Però è abbastanza beneducato, – dicevano Alberto e Miranda del loro bambino. – Chissà chi l'avrà educato? Mica noi! Si vede che s'è educato da solo!

– Forse domenica vado in montagna, – diceva Alberto stropicciandosi le mani.

Alberto andava, anche lui come Gino, in montagna: ma non ci andava alla maniera di Gino, che era quella che ci aveva insegnato mio padre. Gino in montagna andava solo, o tutt'al piú a volte col suo amico Rasetti; e il suo piacere, nell'andare in montagna, era il freddo, il vento, la stanchezza, lo scomodo, il dormire poco e male, il mangiare poco e in fretta. Alberto invece andava con gruppi d'amici; si alzava tardi, se ne stava a lungo nelle hall degli alberghi, a chiacchierare e a fumare, e faceva, al caldo nei ristoranti, pranzi caldi e buoni, si riposava a lungo in pantofole, e infine skiava. Quando skiava, skiava anche lui buttandosi con furia nella fatica, come aveva imparato a fare nell'infanzia; e non sapendo dosare la sua fatica, né misurare le sue proprie forze, tornava a casa stanchissimo, nervoso, e con profondi solchi intorno agli occhi.

Quanto a Miranda, della montagna non voleva saperne: perché aveva in odio il freddo, e la neve, salvo quell'antica neve di Rocca di Mezzo, sulla quale diceva d'aver skiato cosí bene, e che rimpiangeva sempre.

– Com'è stupido quell'Alberto! – diceva. – Va in montagna e spera sempre di divertirsi, e invece poi non si diverte mica tanto, e si stanca! Che divertimento è? E poi cosa vuole divertirsi adesso! Da giovani ci divertivamo, a skiare, a fare qualunque cosa! Ora non siamo piú tanto giovani, e non ci divertiamo piú!

– Oltre era far le cose da giovani, oltre è farle adesso!

– Com'è deprimente questa Miranda! – diceva Alberto. – Tu mi deprimi! Tu mi tarpi le ali!

Veniva a volte Vittorio la sera da loro, quand'era di passaggio a Torino. Vittorio era uscito dal carcere durante il governo Badoglio. Era stato poi uno dei capi della Resistenza, in Piemonte. Era del Partito d'Azione. Aveva sposato Lisetta, la figlia di Giua. Morto il Partito d'Azione, era diventato socialista. L'avevano eletto deputato. Viveva a Roma.

Lisetta non era molto cambiata, dal tempo che andavamo in bicicletta e mi raccontava i romanzi di Salgari. Era sempre magra, dritta e pallida, con gli occhi accesi e col ciuffo sugli occhi. Sognava, a quattordici anni, imprese avventurose: e aveva avuto qualcosa di quello che aveva sognato, durante la Resistenza. Era stata arrestata, a Milano, e incarcerata a Villa Triste. L'aveva interrogata la Ferida. Amici travestiti da infermieri l'avevano aiutata a fuggire. Poi si era ossigenata i capelli, per non essere riconosciuta. Aveva avuto, tra fughe e travestimenti, una bambina. Per molto tempo, finita la guerra, le eran rimaste ciocche ossigenate fra i corti capelli castani.

Quanto a suo padre, era diventato anche lui deputato, e andava e veniva tra Roma e Torino; e sua madre, la signora Giua, veniva ancora sempre a trovare mia madre, ma si litigavano, perché mia madre la trovava troppo di sinistra; discutevano sui confini dell'Asia, e la signora Giua le portava il calendario-atlante De Agostini, per dimostrarle, documenti alla mano, che aveva torto. La signora Giua si occupava della bambina di Lisetta, perché Lisetta, essendo molto giovane, non aveva ancora tanta voglia di far da madre a quella sua figlia, che le era nata senza che lei quasi avesse avuto il tempo di accorgersene, passata com'era di colpo dai sogni fanciulleschi alla vita adulta senza un attimo per fermarsi a pensare.

Lisetta era comunista e vedeva dovunque, e in tutti, pericolosi resti del Partito d'Azione. Ormai non esisteva piú il Partito d'Azione, il pi.-di-a., come lei lo chiamava: ma ne vedeva profilarsi l'ombra in ogni angolo. – Siete dei pi.-di-a.! Avete un'inguaribile mentalità da pi.-di-a.! – diceva a Alberto e Miranda. Vittorio, suo marito, la guardava come si guarda un gatto giovane giocare con un rotolo di spago; e rideva di lei sussultando nel mento prepotente e prominente, nelle grosse spalle.

– Non si può piú vivere a Torino! che città noiosa! – diceva Lisetta. – Una città cosí pi.-di-a.! Io non ci potrei piú vivere!

– Hai proprio ragione! – diceva Alberto. – Si muore di noia! Sempre le stesse facce!

– Che stupida che è questa Lisetta! – Miranda diceva. – Come se ci fosse un posto dove ci si può divertire! Non ci si diverte piú!

– Andiamo a mangiare le lumache! – diceva Alberto stropicciandosi le mani. E uscivano, traversavano piazza Carlo Felice, i portici fiocamente illuminati, quasi deserti alle dieci di sera.

Entravano in una trattoria quasi vuota. Lumache non ce n'erano. Alberto si faceva portare un piatto di pasta asciutta.

– Non facevi la cura dimagrante? – diceva Miranda; e Alberto le diceva: – Sta' zitta! Tu mi tarpi le ali!

– Com'è faticoso quell'Alberto! – si lamentava Miranda con mia madre, al mattino. – È sempre irrequieto, vuole sempre fare qualcosa! Vuole sempre mangiar qualcosa, o bere qualcosa, o andare da qualche parte! Spera sempre di divertirsi!

– È come me, – diceva mia madre, – anch'io vorrei divertirmi! Vorrei fare un bel viaggio!

– Ma va'! – diceva Miranda. – Si sta cosí bene a casa!

– Forse per Natale andrò a San Remo da Elena, – diceva. – Ma non so se andarci. In fondo, cosa vado a fare? Tanto vale che resto qua!

– Sai che ho giocato al Casinò di San Remo? – raccontava

a mia madre al suo ritorno. – Ho perso! anche quello stupido di Alberto ha perso! Abbiamo perso diecimila lire!

– La Miranda, – raccontava mia madre a mio padre, – ha giocato al Casinò di San Remo. Hanno perso diecimila lire.

– Diecimila lire! – tuonava mio padre. – Ma guarda che imbecilli che sono! Digli di non giocare mai piú! Digli che glielo proibisco assolutamente!

E scriveva a Gino: « Quello stupido di Alberto ha perso una forte somma al Casinò di San Remo ».

Mio padre, le sue idee sul denaro erano diventate, dopo la guerra, piú che mai nebulose e confuse. Una volta, ancora durante la guerra, aveva chiesto a Alberto di comprargli dieci scatole di latte condensato. Alberto gliele aveva procurate alla borsa nera, pagandole piú di cento lire l'una. Mio padre gli aveva chiesto quanto gli doveva. – Niente, – aveva detto Alberto, – non importa –. Mio padre gli aveva messo in mano quaranta lire, e gli aveva detto: – Tieni pure il resto.

– Sai che sono andate molto giú le mie Incet? – diceva Miranda a mia madre. – Forse le vendo! – e faceva, come ogni volta che parlava di denaro vinto o perduto, un sorriso allegro, aguzzo e malizioso.

– Sai che la Miranda venderà le sue Incet? – raccontava mia madre a mio padre. – E dice che anche noi faremmo bene a vendere le Immobiliari!

– Cosa vuoi che sappia quella sempia di Miranda! – urlava mio padre.

Tuttavia ci ripensava. Chiedeva a Gino:

– Credi anche tu che dovrei vendere le Immobiliari? L'ha detto Miranda. Miranda, sai, se ne intende di Borsa. Ha molto fiuto. Suo padre, poveretto, era un agente di Cambio.

Gino diceva: – Io di Borsa non ne capisco proprio niente!

– Già, è vero, tu non ne capisci proprio niente! Noi in famiglia abbiamo poco fiuto per gli affari!

– Noi i soldi siamo buoni soltanto a spenderli, – diceva mia madre.

– Tu certo! – diceva mio padre. – Ma io non dirai certo che spendo troppo! Il vestito che porto, sono sette anni che ce l'ho!

– E infatti si vede Beppino! – diceva mia madre. – È tutto consumato, tutto rapato! Dovresti fartene uno nuovo!

– Non ci penso neanche! Figurati. Questo è ancora buonissimo. Guai a te se mi dici di farmi un vestito nuovo!

– Anche Gino, – diceva, – non è niente spendereccio. È modesto! Ha abitudini molto modeste! La Paola sí spende troppo. Voialtri tutti avete le mani bucate, meno Gino! Tutti megalomani siete voialtri!

– Gino, – diceva, – è generoso con gli altri, e per sé è modesto! Il meglio di tutti è Gino!

Veniva a volte, da Firenze, la Paola. Veniva in automobile, da sola.

– Da sola sei venuta? in automobile? – le diceva mio padre. – Hai fatto male! È pericoloso! Come fai se ti si rompe una gomma? Dovevi venire con Roberto! Roberto lui di macchine se ne intende molto. Aveva la mania delle automobili, fin da piccolo. Mi ricordo che non parlava d'altro!

E diceva: – Be', contami di Roberto!

Roberto era ormai un uomo, e andava all'università.

– Mi piace molto Roberto! ha un carattere cosí dolce! – diceva mio padre. E diceva: – Però gli piacciono troppo le donne. Guarda che non si sposi! Che non gli venga in testa di sposarsi!

Roberto aveva un motoscafo, e usava andare, d'estate, col suo amico Pier Mario, in giro con quel motoscafo. Una volta avevano avuto un guasto al motore e il mare era in burrasca, e se l'erano vista brutta.

– Non lasciarlo andare in motoscafo, solo con Pier Mario!

È pericoloso! – diceva mio padre alla Paola. – Devi importi! Non hai autorità!

– La Paola non sa educare i suoi figli, – diceva nella notte a mia madre. – Li ha viziati troppo, fanno tutto quello che vogliono! Spendono troppo! Sono dei megalomani!

– C'è la Tersilla! – diceva la Paola, entrando nella stanza da stiro. – Che bellezza vedere la Tersilla!

La Tersilla si alzava, sorrideva scoprendo le gengive, chiedeva alla Paola dei suoi figli, della Lidia, di Anna, di Roberto.

La Tersilla faceva calzoni per i miei bambini. Mia madre aveva sempre paura che restassero senza calzoni. – Sennò restano col culo di fuori! – diceva. Per la paura che si trovassero « col culo di fuori » gliene faceva sempre fare cinque o sei paia per volta. Litigavamo, io e mia madre, su questo argomento dei calzoni: – È inutile fargliene tante paia! – io dicevo. E lei diceva: – Già, tu sei sovietica! Tu sei per la vita austera! Ma io i bambini li voglio vedere in ordine! Non voglio mica che abbiano il culo di fuori!

Quando c'era la Paola, mia madre se ne andava con lei, a braccetto, sotto i portici, chiacchierando e guardando le vetrine.

Si sfogava con la Paola contro di me. – Non mi dà spago! – diceva, – non parla! E poi è troppo comunista! è una vera sovietica!

– Per fortuna che ho i miei bambini! – diceva, e intendeva dire i miei figli. – Come son carini! come mi piacciono! mi piacciono tutti e tre e non saprei quale scegliere!

– Per fortuna che ho i bambini, cosí non mi stufo. La Natalia, lei, li manderebbe sempre col culo di fuori, ma io no, io li tengo in ordine! Io faccio venire la Tersilla!

Il vecchio sarto Belom era morto da tempo. Ora mia madre i vestiti se li faceva fare in un negozio sotto i portici, chiamato Maria Cristina. Per i golf e le camicette, andava dalla Parisini.

– È della Parisini! – diceva mostrando alla Paola una camicetta che si era comprata; nello stesso modo come diceva delle mele che venivano in tavola: – Son carpandue!

– Vieni, – diceva alla Paola, – andiamo dalla Maria Cristina! avrei voglia di farmi un bel tailleur!

– Ma non farti un tailleur, – diceva la Paola, – ne hai tanti! Non vestirti troppo da svizzera! Fatti invece un bel paltò nero, elegante, un bel capo importante, che lo metti la sera quando vai dalla Frances!

Mia madre si ordinava un paltò nero. Poi trovava che le andava male di spalle; e lo faceva aggiustare in casa, dalla Tersilla. Poi non lo metteva lo stesso. – È troppo da madama! – diceva. – Forse lo regalo alla Natalina!

Appena era partita la Paola, si ordinava un tailleur. Compariva al mattino da Miranda, col nuovo tailleur.

– Ma come, – diceva Miranda, – ti sei fatta un altro tailleur!

E mia madre diceva:

– Molti vestiti, molto onore!

La Paola aveva, a Torino, le sue amiche: e a volte s'incontrava con loro. E mia madre era sempre un po' gelosa.

– Com'è che non sei con la Paola? – le chiedeva Miranda vedendola arrivare. E mia madre diceva: – Oggi se n'è andata con la Ilda. Non mi piace mica tanto a me quella Ilda. Non è tanto bella. È troppo alta! Non mi piacciono a me le donne tanto alte. E poi parla troppo della Palestina.

Ilda ora aveva lasciato la Palestina; ma ne parlava lo stesso. Il fratello, Sion Segre, aveva un'industria di prodotti farmaceutici. Erano, lui e Alberto, sempre amici.

Alberto diceva alla Paola:

– Stasera andiamo con la Ilda e Sion a mangiare le lumache?

– A me non mi piacciono le lumache, – diceva mia madre.

E se ne restava a casa, a guardare la televisione. Mio padre disprezzava la televisione, diceva che era un sempiezzo: però nello stesso tempo approvava che mia madre la guardasse, perché era un regalo di Gino. Anzi se lei una sera non l'accendeva e se ne stava in poltrona a leggere un libro, lui diceva:

– Com'è che non accendi la televisione? Accendila! Sennò è inutile averla! Gino te l'ha regalata, e tu non la guardi! Gli hai fatto buttar via soldi, ora almeno guardala!

Mio padre, la sera, leggeva nel suo studio. Mia madre, con la donna, guardava la televisione.

Dopo la Natalina, mia madre aveva avuto sempre donne venete. Se le faceva venire da un paese, chiamato Motta di Livenza.

Ne aveva avuta una, che una sera ebbe uno sbocco di sangue. Ci spaventammo moltissimo tutti; e Alberto, chiamato d'urgenza, disse che dovevamo farle fare, l'indomani, una radiografia. La donna piangeva, disperata; Alberto disse che però non gli sembrava un'emottisi, gli sembrava avesse un graffio in gola.

Difatti dalla radiografia non risultò nulla. Era un graffio in gola. La donna tuttavia piangeva, sempre disperata; e mio padre disse:

– Questi proletari, che paura che hanno di morire!

Mia madre, ogni volta che la Paola ripartiva, l'abbracciava piangendo:

– Come mi dispiace che te ne vai! Ora che mi ero abituata a averti qui!

E la Paola diceva:

– Vieni un po' da me a Firenze!

– Non posso, – diceva mia madre, – il papà non mi lascia. E poi la Natalia va al suo ufficio, e io devo badare ai miei bambini.

La Paola, quando le sentiva dire « i miei bambini » s'indispettiva, perché era un po' gelosa di loro.

– Non sono i tuoi bambini! Son tuoi nipoti! Anche i miei figli son tuoi nipoti! Vieni a stare un po' coi miei figli!

Mia madre, a volte, andava. – Vedrai anche Mary! – le diceva mio padre. – Guarda di andare subito a far visita a Mary!

– Ci vado di certo, – diceva mia madre. – Ho proprio voglia di veder Mary! Mi piace Mary!

– Com'è simpatica Mary! – diceva al ritorno. – È cosí per bene! Non ho mai visto nessuno cosí per bene come Mary! Mi sono molto divertita a Firenze. Mi piace Firenze. E la Paola ha quella bella casa!

– Io invece non posso soffrire Firenze. Non posso soffrire la Toscana, – diceva mio padre. Durante la guerra, quando l'olio non si trovava, la Paola gli mandava dell'olio, perché lei aveva olivi nel terreno intorno alla sua casa di Fiesole; e mio padre s'arrabbiava: – Non voglio olio! Non posso soffrire l'olio! Non posso soffrire la Toscana! Non voglio gentilezze!

– La Paola non è mica stata asina con te? – chiedeva a mia madre.

– No! Povera Paola! La mattina mi faceva portare la colazione a letto. Facevo una buona colazione, lí a letto, al caldo! Stavo benissimo!

– Meno male! perché la Paola certe volte è un'asina!

– E chi t'impedisce di far colazione a letto anche qui? – chiedeva Miranda a mia madre.

– Qui no, qui mi alzo! Faccio subito una bella doccia gelata. Poi mi faccio i miei *solitaires*, bene imbacuccata, ben coperta, e intanto mi scaldo!

Faceva i suoi *solitaires*, in sala da pranzo. Entrava Alessandra, la mia bambina: buia, arrabbiata, perché non le andava, al mattino, d'alzarsi, né d'andare a scuola. E mia madre diceva: – Ecco Maria Temporala!

– Vediamo se farò presto un bel viaggio. Vediamo se qualcuno mi regala un bel villino. Vediamo se Gino diventa molto famoso. Vediamo se a Mario, invece di quel posto all'Unesco, gliene dànno un altro ancora piú importante.

– Vaniloquio! – diceva mio padre passando. – Sempre questo eterno vaniloquio!

Metteva l'impermeabile, per andare al laboratorio; ora non andava piú al laboratorio prima dell'alba. Ora ci andava alle otto del mattino. Sulla porta alzava le spalle e diceva:

– Chi vuoi che ti regali un villino? Sempia che non sei altro!

Io passavo tutte le sere a casa dei Balbo. Ci trovavo, qualche volta, Lisetta: non Vittorio, perché lui veniva a Torino di rado, e quando era a Torino preferiva star la sera con Alberto, suo vecchio amico.

Lisetta e la moglie di Balbo erano amiche. Lola, la moglie di Balbo, era quella ragazza odiosa e bellissima, che vedevo un tempo alla finestra, o vedevo sul corso re Umberto camminare con passi lunghi e sdegnosi.

Lola e Lisetta erano diventate amiche in quegli anni che io ero al confino. Quando Lola avesse smesso di essere odiosa, lo ignoro. Quando diventammo amiche lei e io, mi spiegò che lo sapeva benissimo, in quel tempo antico, di essere odiosa, e anzi cercava di sembrare piú odiosa che poteva: ed era anchilosata nell'animo dalla timidezza, dall'insicurezza e dal tedio. E ancora, nella nostra amicizia, io torno sempre con profondo stupore a quell'antica immagine odiosa e superba, tanto odiosa che io mi sentivo, nel raggio del suo sguardo, un verme: ed ero indotta a odiare, nello stesso istante, lei e me. Ritorno a quell'immagine, e la confronto con l'immagine familiare e fraterna della mia amica di oggi: fra le piú fraterne e familiari immagini che io possa contare al mondo.

Nel tempo che io ero al confino, Lola aveva lavorato, per

un breve periodo, come segretaria nella casa editrice. Era però una pessima segretaria, e si scordava di tutto. Poi l'avevano arrestata i fascisti ed era stata dentro due mesi. Aveva sposato Balbo, durante l'occupazione tedesca, tra fughe e travestimenti. Era sempre molto bella: ma ora non aveva piú i capelli tagliati alla paggio, compatti, come un elmo di ferro; ora aveva i capelli disordinati e spioventi sulle guance, capelli da indiano, non da donna indiana ma da uomo indiano, frustati dal sole e dalla pioggia: e l'antico profilo duro e immobile s'era trasformato in un viso ansioso e corrugato, nudo e frustato dalle intemperie, dalla pioggia e dal sole. Tuttavia ancora a volte, per qualche attimo, ricompariva l'antico profilo sprezzante, l'antico passo dondolante e sdegnoso.

Mio padre, ogni volta che la nominavano, diceva subito che era bellissima.

– È molto bella quella Lola Balbo! ah, è molto bella!

E diceva: – So che i Balbo vanno benissimo in montagna. So che sono molto amici di Mottura.

Mottura era un biologo, che mio padre stimava. L'amicizia dei Balbo con Mottura lo rassicurava sulle mie serate. Ogni volta che io, la sera, uscivo, lui diceva a mia madre:

– Dove va? va dai Balbo? I Balbo sono molto amici di Mottura!

E diceva: – Com'è che sono tanto amici di Mottura? Come si conoscono?

Mio padre era sempre curioso di sapere perché uno era amico di un altro. – Come lo conosce? come si son conosciuti? – chiedeva inquieto. – Ah, forse per via della montagna! Si saranno conosciuti in montagna! – E stabilita cosí l'origine d'un rapporto fra due persone, si tranquillizzava; e se aveva stima d'una delle due, era pronto ad accogliere anche l'altra in una benevola approvazione.

– Anche Lisetta va dai Balbo? Come li conosce Lisetta?

I Balbo abitavano sul corso re Umberto. Avevano una casa al pianterreno; e la porta era sempre aperta. Gente di continuo entrava e usciva: amici di Balbo, i quali lo accompagnavano alla casa editrice, lo seguivano al caffè Platti, dove lui usava prendere il cappuccino, rincasavano con lui e parlavano con lui fino a tarda notte. Se, venendo, non lo trovavano in casa, sedevano ugualmente in salotto e parlavano fra loro, passeggiavano per i corridoi, s'appollaiavano sul tavolo dello studio, avendo imparato da lui a non avere orari, a non ricordarsi mai di andare a cena, e a discutere senza tregua.

Lola era quanto mai stufa d'aver sempre tanta gente per casa. Faceva tuttavia ugualmente le cose che aveva da fare; si occupava del suo bambino, con una mescolanza di apprensione e fastidio: perché anche lei, come Lisetta, non sapeva tanto bene far da madre, essendo passata dalle nebbie dell'adolescenza alle intemperie della vita adulta, bruscamente e senza soluzione di continuità.

Le piaceva, ogni tanto, affidato il bambino a sua madre o a sua suocera, vestirsi con grande eleganza, mettersi delle perle, dei gioielli, e uscire sul corso re Umberto, come un tempo, camminando a lenti passi e con gli occhi socchiusi, tagliando l'aria col profilo aquilino. Quando rientrava e trovava ancora in casa la gente che aveva lasciato, seduta a discutere sulla cassapanca dell'ingresso o appollaiata sui tavoli, lanciava uno strido esasperato, lungo, gutturale, al quale nessuno badava.

Usava, in assenza del marito, nominarlo con dolci appellativi, e lamentare la sua momentanea assenza con uno strido lungo e gutturale, ma tenero, come di colomba che chiama il compagno; ma poi, non appena lo vedeva, immediatamente lo rimbrottava, o perché lui arrivava sempre in ritardo a pranzo, o perché l'aveva lasciata, uscendo, senza un soldo per fare la spesa, o perché si diceva esasperata per quella porta di casa sempre aperta e quella gente che andava e veniva; cosí prendevano a litigare, lui armato di sottili cavilli e lei di null'altro che della sua furia, e le ragioni e i torti dell'uno e dell'altra si mescolavano in un viluppo inestricabile. Non erano del resto mai soli, nemmeno quando litigavano; e lei gettava anche sugli amici presenti, a caso, qualche insulto, gridando che se ne andassero via; ma quelli non si sognavano di muoversi, e aspettavano, calmi e divertiti, che la bufera fosse passata.

Balbo mangiava, a pranzo, sempre le stesse cose, e cioè: riso al burro; una bistecca; una patata; una mela. Queste eran le cose che lui doveva mangiare, avendo avuto, in guerra, l'ameba; – C'è la bistecca? – chiedeva inquieto, sedendosi a tavola; e appena veniva rassicurato su questo punto, si metteva a mangiare distratto, continuando insieme e a parlare con i suoi amici, sempre presenti al suo pasto, e a litigare, argomentando con sottili cavilli, con sua moglie. – È noioso! – diceva Lola rivolta agli amici. – Lo trovo noioso! Sí, c'è la bistecca! Che noia, sempre con queste bistecche! Se mangiasse, una volta, delle uova al tegame! – E rievocava il tempo della Resistenza a Roma, quando erano nascosti e senza una lira, e lei doveva correre la città per cercargli, alla borsa nera, il burro, la bistecca e il riso. Balbo spiegava che lui le uova al tegame non poteva mangiarle, gli facevano male; e mangiava serio, distratto, indifferente alla sorta di bistecca che stava mangiando, purché fosse, senza alcun dubbio possibile, una bistecca alla griglia.

– Non mi piacciono questi tuoi amici! – Lola si lamentava. – Non hanno una vita privata, non hanno mogli, figli, o se li hanno non se ne curano! Stanno sempre qua!

Il sabato e la domenica, la casa si faceva deserta. Lola affidava il suo bambino alla suocera, e andavano, lei e il marito, a skiare.

– Com'era carino ieri! – diceva Lola del marito al mattino del lunedí, rivolgendosi agli amici ricomparsi. – Era cosí carino, se l'aveste visto. Sa skiare come un maestro di ski! Sembra

un ballerino! Non era piú niente noioso, ci siamo cosí divertiti!
Adesso ecco che è di nuovo noioso!

Andavano a volte, lei e il marito, ai night club a ballare.
Ballavano, loro due, fino a notte tarda. – Ci siamo cosí divertiti! – Lola poi diceva. – Lui balla cosí bene il valzer! Balla
cosí leggero! – e lanciava, all'indirizzo del marito che in quel
momento si trovava all'ufficio, quel suo strido gutturale e tenero di colomba, appendendo nell'armadio il vestito da sera.

Balbo, a volte, diceva alla moglie: – Comprati un vestito
da sera nuovo. Mi diverte –. Lei, per divertirlo, si comprava
un vestito: e poi ne era scontenta, scopriva ch'era un vestito
assurdo, che non lo avrebbe messo mai. – Quello stupido! –
diceva. – Per divertirlo, m'è toccato comprarmí un vestito che
non ha nessun senso!

Lola non aveva mai piú lavorato, dopo quel breve periodo
ch'era stata segretaria alla casa editrice. Lei e il marito erano
d'accordo nell'affermare che era stata una pessima segretaria.
Ma entrambi erano anche d'accordo nell'affermare che un lavoro per lei doveva esistere; non si sapeva bene quale, bisognava scoprirlo, Balbo chiedeva anche a me di scoprire, fra i
mille lavori di cui formicolava la terra, un lavoro che Lola potesse far bene.

Lola usava sempre rievocare, con grande nostalgia, il tempo
ch'era stata in carcere. – Quand'ero in galera, – diceva spesso.
In galera, diceva, s'era sentita molto a suo agio, finalmente a
posto, in pace con se stessa, libera di complessi e d'inibizioni.
Aveva fatto amicizia con delle ragazze jugoslave, che erano
dentro per motivi politici, e anche con delle detenute comuni;
trovava, con loro, le parole giuste, e s'era conquistata la loro
fiducia; e le altre carcerate si stringevano tutte intorno a lei,
per averne aiuto e consiglio. I discorsi che facevano Balbo e
sua moglie intorno a un possibile lavoro di lei, finivano sempre
« sulla galera », e tutt'e due concludevano che occorreva cer-

care per lei un lavoro nel quale si sentisse, come quand'era in galera, del tutto a suo agio, libera e senza inibizioni, e pienamente padrona delle sue forze. Un lavoro cosí sembrava però non facile da scovare. Le accadde, piú tardi, d'ammalarsi, e dovette stare per breve tempo in un ospedale: e all'ospedale ritrovò un poco, fra le ragazze malate, la sua forza di capopopolo, che rinasceva, evidentemente, nei momenti drammatici, di tensione, di rischio e di emergenza.

Lisetta, a Roma, s'era trovata un lavoro: s'era impiegata all'associazione Italia-Urss. Aveva imparato il russo: s'era messa a studiarlo, subito dopo la guerra, insieme a Lola e a me; e lei l'aveva imparato, e invece noi ci eravamo fermate per strada. Lisetta, dunque, andava ogni giorno all'ufficio: e riusciva a mandare avanti la casa, e ora si occupava anche dei suoi bambini: dei bambini però fingeva di non occuparsene, e fingeva che fossero, benché piccolissimi, del tutto indipendenti da lei. Veniva ancora, nelle vacanze, a Torino: e portava i bambini con sé. Quando le chiedevamo dov'erano i bambini, prendeva un'aria distratta e svagata, e diceva che non si ricordava bene dove li avesse lasciati; le piaceva darci da intendere che li mandava da soli a giocare in strada. In verità i bambini erano al giardino pubblico, con la nonna e la bambinaia che li guardavano; e lei li andava a riprendere appena veniva buio, con sciarpe e berretti, essendo diventata, senza accorgersene e senza confessarlo né a sé né a nessuno, una madre tenera, scrupolosa e apprensiva.

Inoltre fingeva sempre d'essere in polemica, per motivi politici, col marito. In verità era, col marito, mite come un agnello, e sostanzialmente incapace d'avere un'opinione diversa da lui. D'altronde non c'era, fra le loro opinioni politiche, nessuna differenza reale. Il Partito d'Azione, il pi.-di-a., s'era ormai perso nella notte dei tempi, e non ne esisteva piú alcuna traccia all'intorno: ma Lisetta dichiarava sempre di veder la sua

ombra profilarsi dovunque, e specialmente fra le pareti di casa
sua. Non appena i suoi figli cominciarono a ragionare, lei entrò
subito in polemica anche con loro: soprattutto con la bambina
piú grande, che era sentenziosa e sarcastica, e la rimbeccava
aspramente: cosí che discutevano a lungo, madre e figlia, davanti a un piatto di carne, tirando in ballo i poveri e i ricchi,
le sinistre e le destre, Stalin, i preti e Gesú.

    – Non fare tanto la contessa! – diceva Lisetta alla sua ami-
ca Lola, quando la vedeva ingioiellarsi e tingersi davanti allo
specchio. Finiva poi per darsi anche lei un po' di nero agli occhi, poco, appena appena; e uscivano sul corso re Umberto,
sui viali, Lisetta con l'impermeabile aperto e i magri piedi fanciulleschi nudi nei sandali, Lola col suo paltò nero attillato dai
grossi bottoni, la spilla puntata sul bavero, il naso aquilino
proteso a tagliare l'aria, l'antico passo dondolante e sdegnoso.

    Andavano alla casa editrice. Trovavano Balbo nel corridoio
a parlare, o con qualche prete, o con Mottura, o con uno di
quei suoi amici che l'avevano seguito da casa.

    – Sta troppo coi preti, – diceva Lisetta di Balbo, – ne ha
troppi! – Di lui non diceva « ha una mentalità da pi.-di-a. », era
anzi una delle poche persone di cui non lo dicesse; e Balbo a
volte l'accusava d'essere lei stessa « un po' pi.-di-a. », l'accusava di essere forse l'ultimo pi.-di-a. rimasto ancora in giro.
Lei, invece, lo accusava d'essere troppo cattolico: ed era tuttavia disposta a perdonarlo per questo, come non avrebbe per-
donato, per questo, nessuno al mondo: perché conservava ancora, della propria infanzia, il ricordo di quando Balbo l'affa-
scinava con la sua loquela, venendo a portarle, la domenica, i
libri di Croce.

    – Un conte! In fondo è un conte! In fondo sono un conte
e una contessa! – diceva pensando ai Balbo quand'era a Roma,
lontano da loro. Vedeva, a Roma, altri amici, che le piacevano
molto di meno, e con i quali non aveva contrasti, ma neppure

stretti vincoli di memorie; con i quali, in verità, s'annoiava un poco. Ma non lo confessava a se stessa. Il fatto che Balbo fosse di famiglia nobile, e che fosse cattolico, le sembrava, da lontano, far vacillare tutti i ragionamenti che lui le teneva quando s'incontravano. Ma ogni volta che tornava a Torino, la casa dei Balbo l'attraeva con prepotenza: e tuttavia non era capace di dire a se stessa la verità; e dire: – Son miei amici e gli voglio bene e non me ne importa niente se le loro opinioni siano vere o false, non me ne importa niente che a lui gli piacciono tanto i preti –. Perché nella sua natura ingenua, tenera, infantile, le opinioni e le idee sue e degli altri germogliavano e ramificavano come grandi alberi fronzuti, nascondendo e coprendo al suo sguardo il chiaro specchio della sua stessa anima.

Mottura stava con Balbo cosí a lungo, che nella casa editrice era stato creato un verbo: « motturare ». – Cosa fa Balbo? Sta motturando! Naturalmente sta motturando! – dicevamo. Balbo, dopo aver conversato con Mottura, andava dall'editore a riferirgli le proposte che faceva Mottura riguardo alla collana scientifica, della quale lui, Balbo, non era affatto tenuto a occuparsi: ma usava mettere il naso nelle piú diverse collane, e dire la sua. Non aveva, Balbo, nessuna nozione scientifica, benché avesse fatto, prima d'iscriversi in legge e nel suo giovanile disorientamento, due anni di medicina; ma di quei due anni non conservava il minimo ricordo. Mottura era il solo scienziato che conosceva; a parte mio padre, col quale aveva dato, in quei lontani anni, l'esame di anatomia; ma si sentiva sollecitato, dai discorsi con Mottura, a cercare libri di scienza, che non leggeva, e nei quali metteva appena un attimo, qua e là, il suo naso rosso. Era tuttavia prontissimo nel cogliere a volo, conversando con Mottura, giudizi e idee. Parlava con Mottura per suo puro piacere, e non certo allo scopo di ottenerne giudizi e proposte; d'altronde non aveva mai uno scopo determinato nel parlare con la gente: e se anche lo aveva in partenza, lo dimenticava subito. Il suo parlare correva sul filo d'una ricerca disinteressata, pura e del tutto destituita di scopo. Ma usava far defluire alla casa editrice una parte di ciò che aveva appreso, come chi, cacando per pura necessità di cacare, è tuttavia consapevole di concimare un campo. La concezione che lui aveva del lavoro non sarebbe stata pensabile, né tollerata, in un luogo diverso da quella casa editrice. Imparò infatti, altrove e piú tardi, a lavorare in un altro modo. Ma allora lavorava cosí; e, fino alla sera, non s'accorgeva d'essere stanco, ma si sentiva, al momento di coricarsi, esausto. Allora scriveva anche un libro: e quando trovasse il tempo di scriverlo, non lo si capiva assolutamente: tuttavia lo scriveva, perché a un certo punto lo fece stampare: pregando altri di correggergli le bozze, che lui le bozze non sapeva correggerle, ci stava su dei mesi e non vedeva gli errori.

Io rimanevo a casa dei Balbo, la sera, fino a tardi. Dai Balbo in pianta stabile c'eran sempre tre suoi amici: uno piccolo coi baffetti, uno alto che rassomigliava un poco, nel viso, a Gramsci, e un altro roseo e ricciuto, che sorrideva sempre. Quello che sorrideva sempre, venne poi a lavorare nella casa editrice, ebbe l'incarico di occuparsi della collana scientifica: e sembrava una cosa ben strana, non risultando che lui si fosse mai occupato di alcuna forma di scienza; ma evidentemente riusciva ad occuparsene bene, perché conservò per anni quel posto, e anzi divenne poi il direttore di quella collana, sempre con quel suo sorriso mite, disarmato, triste, sempre spalancando le braccia e affermando di non sapere nulla di scienza; infine se ne andò e mise su una casa editrice di libri scientifici per conto suo.

Balbo, quando smetteva un momento di discutere con quei suoi amici, esponeva a Pavese e a me le sue idee sul nostro modo di scrivere. Pavese lo ascoltava seduto in poltrona, sotto il lume, fumando la pipa, con un sorriso maligno: e di tutte le cose che Balbo gli diceva, lui diceva che già le sapeva da lunghissimo tempo.

Ascoltava, tuttavia, con vivo piacere. Aveva sempre, nei rapporti con noi suoi amici, un fondo ironico, e usava, noi suoi amici, commentarci e conoscerci con ironia; e questa ironia, che era forse tra le cose piú belle che aveva, non sapeva mai portarla nelle cose che piú gli stavano a cuore, non nei suoi rapporti con le donne di cui s'innamorava, e non nei suoi libri: la portava soltanto nell'amicizia, perché l'amicizia era, in lui, un sentimento naturale e in qualche modo sbadato, era cioè qualcosa a cui non dava un'eccessiva importanza. Nell'amore, e anche nello scrivere, si buttava con tale stato d'animo di febbre e di calcolo, da non saperne mai ridere, e da non esser mai per intero se stesso: e a volte, quando io ora penso a lui, la sua ironia è la cosa di lui che piú ricordo e piango, perché non esiste piú: non ce n'è ombra nei suoi libri, e non è dato ritrovarla altrove che nel baleno di quel suo maligno sorriso.

Quanto a me, ero profondamente assetata di sentir parlare dei miei libri. Le parole di Balbo mi apparivano a volte d'una penetrazione folgorante. Sapevo tuttavia molto bene che usava leggere, dei libri, solo qualche riga. Non c'era, nelle sue giornate, né tempo né spazio per la lettura. Ma lui suppliva alla mancanza di tempo e di spazio con un prontissimo e acutissimo intuito, che lo portava a formarsi un giudizio col semplice soccorso di poche frasi. A distanza, mi accadeva a volte di odiare quel suo modo di formarsi un giudizio, e lo accusavo d'essere superficiale. Avevo però torto, perché lui era tutto fuorché generico e superficiale. Non avrebbe potuto trarre, da una attenta e prolungata lettura, un giudizio piú completo e profondo. Di generico e superficiale, nei suoi commenti sui libri o sulle persone, c'erano soltanto i consigli pratici: perché lui di consigli pratici non ne sapeva dare, né agli altri, né a se stesso. Il consiglio pratico che dava a me, quando commentava i miei libri o quando mi vedeva malinconica, era di frequentare piú attivamente le riunioni di cellula o di sezione del partito comunista, al quale io allora appartenevo. Quello gli sembrava, per me, un mezzo per aprirmi un valico nel mondo reale, da cui mi diceva distaccata; ed era d'altronde allora, negli anni del dopoguerra, opinione assai diffusa che gli scrittori dovessero, attraverso i partiti di sinistra, spezzare il loro cerchio d'ombra e mescolarsi alla viva realtà. Questo suo consiglio, io allora non ero in grado di dichiararlo sbagliato, ma semplicemente mi sentivo piú infelice, e del tutto disorientata: e tuttavia gli ubbidivo, e andavo a quelle riunioni, che trovavo, nell'intimità del mio spirito e senza essere in grado di confessarlo, tristi e noiose.

Capii piú tardi, che i suoi consigli pratici non bisognava in alcun modo seguirli. Era necessario liberare di ogni suggerimento pratico le sue parole. Spogliate d'ogni contenuto pratico, le sue parole erano indicative e feconde. Ma io allora mi sentivo spinta a seguirlo passo per passo, e a commettere, passo per passo, gli stessi errori che lui commetteva. Quanto a Pavese, commetteva altri errori per suo conto, ma non i medesimi, e incespicava su altre strade, dove camminava solo, con attitudine sprezzante e caparbia, e con animo dolente e mite.

Pavese commetteva errori piú gravi dei nostri. Perché i nostri errori erano generati da impulso, imprudenza, stupidità e candore; e invece gli errori di Pavese nascevano dalla prudenza, dall'astuzia, dal calcolo, e dall'intelligenza. Nulla è pericoloso come questa sorta di errori. Possono essere, come lo furono per lui, mortali; perché dalle strade che si sbagliano per astuzia, è difficile ritornare. Gli errori che si commettono per astuzia, ci avviluppano strettamente: l'astuzia mette in noi radici piú ferme che non l'avventatezza o l'imprudenza: come sciogliersi da quei legami cosí tenaci, cosí stretti, cosí profondi? La prudenza, il calcolo, l'astuzia hanno il volto della ragione: il volto, la voce amara della ragione, che argomenta con i suoi argomenti infallibili, ai quali non c'è nulla da rispondere, non c'è che assentire.

Pavese si uccise un'estate che non c'era, a Torino, nessuno di noi. Aveva preparato e calcolato le circostanze che riguardavano la sua morte, come uno che prepara e predispone il corso d'una passeggiata o d'una serata. Non amava vi fosse, nelle passeggiate e nelle serate, nulla d'imprevisto o di casuale. Quando andavamo, lui, io, i Balbo e l'editore, a far passeggiate in collina, s'irritava moltissimo se qualcosa deviava il corso da lui predisposto, se qualcuno arrivava tardi all'appuntamento, se cambiavamo all'improvviso il programma, se si aggiungeva a noi una persona imprevista, se una circostanza fortuita ci portava a mangiare, invece che nella trattoria che lui aveva prescelto, nella casa di qualche conoscente incontrato inaspettatamente per strada. L'imprevisto lo metteva a disagio. Non amava esser colto di sorpresa.

Aveva parlato, per anni, di uccidersi. Nessuno gli credette mai. Quando veniva da me e da Leone mangiando ciliege, e i tedeschi prendevano la Francia, già allora ne parlava. Non per la Francia, non per i tedeschi, non per la guerra che stava investendo l'Italia. Della guerra aveva paura, ma non abbastanza per uccidersi a motivo della guerra. Continuò tuttavia ad avere paura della guerra, anche dopo che la guerra era da gran tempo finita: come, del resto, noi tutti. Perché questo ci accadde, che appena finita la guerra ricominciammo subito ad aver paura di una nuova guerra, e a pensarci sempre. E lui temeva una nuova guerra piú di tutti noi. E in lui la paura era piú grande che in noi: era in lui, la paura, il vortice dell'imprevisto e dell'inconoscibile, che sembrava orrendo alla lucidità del suo pensiero; acque buie, vorticose e venefiche sulle rive spoglie della sua vita.

Non aveva, in fondo, per uccidersi, alcun motivo reale. Ma compose insieme piú motivi e ne calcolò la somma, con precisione fulminea, e ancora li compose insieme e ancora vide, assentendo col suo sorriso maligno, che il risultato era identico e quindi esatto. Guardò anche oltre la sua vita, nei nostri giorni futuri, guardò come si sarebbe comportata la gente, nei confronti dei suoi libri e della sua memoria. Guardò oltre la morte, come quelli che amano la vita e non sanno staccarsene, e pur pensando alla morte vanno immaginando non la morte, ma la vita. Lui tuttavia non amava la vita, e quel suo guardare oltre la sua propria morte non era amore per la vita, ma un pronto calcolo di circostanze, perché nulla, nemmeno dopo morto, potesse coglierlo di sorpresa.

Balbo andò a vivere a Roma, e lasciò la casa editrice. Poi annaspò per anni fra progetti assurdi ed errori. Infine ebbe un vero lavoro. Imparò a lavorare come l'altra gente: tuttavia si scordava sempre l'ora del pranzo, e di andarsene quando si vuotava l'ufficio, come gli accadeva un tempo alla casa editrice. Perciò lavorava di piú dell'altra gente, ma senza capirlo e accorgendosi con stupore d'essere esausto, la sera.

Ora i Balbo avevano tre bambini: e tentarono di diventare un vero padre e una vera madre, cosa di cui entrambi erano incapaci, e che gli pesava. Solevano accusarsi reciprocamente, ogni giorno, di questa incapacità. Nessuno dei due sosteneva di saper educare i bambini: ma ciascuno dei due chiedeva all'altro di essere quel che l'altro non era. Balbo cercava d'insegnare ai suoi figli una cosa che sapeva bene, e cioè la geografia: perché di tutte le altre materie che si studiano a scuola, non ricordava nulla, pur essendo stato, a quanto diceva, un ottimo scolaro.

Non toccava invece mai con loro argomenti storici, un poco

perché non sapeva la storia, e un poco perché aveva paura che s'insinuassero, nei fatti storici, giudizi e opinioni politiche: e lui non voleva offrire ai suoi figli giudizi già formulati: pensava dovesse farsi le loro opinioni e i loro giudizi da sé. E questo appariva strano in uno come lui che era stato per tanto tempo, con i suoi amici, aggressivo e invadente nel dare giudizi e opinioni: e aggressivo e invadente anche nel riceverne, cioè nel far sue le opinioni degli altri, nel fonderle e rimescolarle e nell'imprimervi il marchio del suo pensiero. Con i figli, si mostrava quanto mai cauto nel somministrare il cibo del suo pensiero.

Lola e suo marito dunque non parlavano mai di politica in presenza dei loro bambini: lei, perché aveva in odio il settarismo; lui, perché pensava bisognasse astenersi dal toccare, con i bambini, argomenti complessi. E siccome entrambi temevano di confondergli le idee e di ispirargli diffidenza e incertezza nei confronti dell'autorità costituita, in presenza dei figli non parlavano della storia della galera.

Quanto a Lola, usava foggiarsi un ideale di figli del tutto diversi da quelli che aveva, e confrontare ogni momento quell'ideale ai suoi propri figli pigri, disordinati e distratti. Perciò non faceva che rimbrottarli, nel suo modo ruvido e caotico, che non impauriva nessuno ma soltanto metteva in casa una sensazione confusa di disagio, di rumore e di caos. Contemporaneamente lei si foggiava anche un ideale di marito e di padre del tutto diverso da quello che Balbo era e mai poteva proporsi di essere, e lanciava di tanto in tanto all'indirizzo di suo marito e dei suoi figli un lungo strido gutturale ed esasperato, uguale a quello col quale un tempo si lamentava della gente che s'aggirava per casa.

Non c'era, nella loro casa di Roma, gente che andava e veniva, come in corso re Umberto a Torino. Anzi adesso avevano pochi amici, e contenuti in un giro di ore ragionevoli; e si trattava di persone a cui Balbo a volte non aveva nulla di speciale da dire, con le quali a tratti taceva o discorreva scherzando. S'era placato in lui l'antico e prepotente parlare. Indirizzava ora la propria intelligenza su fini precisi, la guidava verso persone precise e in momenti determinati del giorno, entrando poi nel silenzio come si chiude una serranda quando vien sera.

Ancora a volte, quando erano in viaggio da soli o quando avevano tutti i ragazzi in vacanza, Balbo e sua moglie si godevano le giornate e le sere nel modo usato, si riposavano liberi, andavano a zonzo per le strade e lui le faceva comprare i vestiti e le scarpe che lo divertivano, o se ne andavano a ballare ai night club.

Lola infine si prese anche lei un lavoro. Non lo scelse, ma piuttosto le cadde tra i piedi un momento che lei non ci pensava. Non era forse il lavoro che avrebbe scelto, se avesse potuto scegliere: e non assomigliava in nulla alla sua galera, cioè al momento che stimava migliore e piú alto della sua vita. Tuttavia quel lavoro riusciva a farlo bene, e a portarvi un poco della sua intelligenza: per quanto vi portasse insieme anche il suo disordine, la sua impazienza, la sua irrequietezza e la sua voglia di litigare. La sua voglia di litigare, la sfogava soprattutto davanti agli sportelli degli uffici postali, dove andava a volte a spedire, per quel suo lavoro, opuscoli e pacchi.

Lavorava con certi magistrati. Svolgeva il lavoro, di solito, fra le mura di casa; e intanto urlava ordini alla donna di servizio e ai bambini, telefonava alla suocera e alle sue amiche, e si misurava dei vestiti. Questo lavoro aggiunse caos al caos. Le toccava, a volte, fare dei pacchi; e allora decideva di colpo che dovevano farglieli i suoi figli, essendosi di colpo foggiata l'immagine di figli destri e abili nel fare i pacchi. Perciò urlava: – Luucaaa! – e Luca appariva, grosso, tutto macchiato d'inchiostro, perduto nelle nebbie dell'indolenza e lento e indifferente come un principe, e lei gli ordinava di fargli subito una ventina di pacchi. Luca, in vita sua, non aveva mai fatto un pacco. Lei gli metteva in mano un blocco di carta e un rotolo di spago. Luca errava per la casa con quello spago, assorto, immemore e indolente, muovendosi adagio e senza nessuno scopo, finché a un tratto lei lo copriva di urli e gli strappava di mano lo spago, e lui allora la guardava con i suoi occhi verdi, fieri, immobili, dalle distanze del suo regale silenzio.

Andavano sempre i Balbo, nell'inverno, in montagna a skiare. Si portavano dietro, ora, i figli. Dovevano però raggiungere il Nord: disprezzando le montagne basse, ventose e affollate dei dintorni di Roma. Andavano a Sestrières, o anche in Svizzera; e là, sui campi di neve, Lola era libera, dimentica dei suoi magistrati, dimentica degli studi dei suoi figli, della donna di servizio che forse consumava troppo olio, dei suoi malumori e dei suoi eterni risentimenti. Ma per conquistare quella libertà, c'erano prima, a Roma, giornate di caos totale, incoercibile, di valige fatte e disfatte, di golf smarriti e di urla, di corse a perdifiato per la città, di ordini dati e disdetti, in mezzo alla donna sgomenta e a Luca impenetrabile e macchiato d'inchiostro, squilli di telefono e appuntamenti con i magistrati.

Lola andava anche, d'estate, a fare i bagni a Ostia. Là andava sola, perché suo marito non amava molto il mare, e i suoi figli erano in genere, in quell'epoca, via da Roma, nei loro campeggi di boy-scouts. Andava là con gente occasionale, usata semplicemente per quello scopo, farsi venire a prendere in macchina e ricondurre a casa. Teneva, con queste persone occasionali, conversazioni che non l'annoiavano né la divertivano, essendovi nel suo temperamento un lato mondano, estraneo al divertimento e alla noia, legato di solito a un interesse immediato, essere accompagnata in automobile o ottenere indirizzi di tappezzieri. Usava complicare la sua vita pratica cercando tappezzieri lontani, falegnami che costavano poco e non avevano però il telefono, negozi di stoffe in capo al mondo dove poteva avere, grazie a quelle conoscenze occasionali, piccoli sconti. A Ostia tuttavia, in mare, se la godeva da sola, nuotando lontano, asciugandosi al sole e abbronzandosi in modo inverosimile, benché i medici le avessero consigliato di non stare troppo al sole, per quella malattia di cui aveva un tempo sofferto e di cui aveva sempre gran paura, ma non abbastanza da evitare il mare, il sole e la sabbia. Rientrava a pranzo alle quattro, e lanciava per la casa, rivolto al marito, il suo strido gutturale e tenero, sentendosi pacificata da quel mattino di libertà e di vacanza, e amando l'estate, il caldo e l'avere i figli al campeggio, e il girare per casa in costume da bagno e coi piedi scalzi.

Io, ancora, stavo a Torino; ma venivo a Roma spesso, e mi preparavo a venirci ad abitare definitivamente. Mi ero risposata, e mio marito insegnava a Roma; cercavamo casa, e io fra poco avrei portato giú i bambini, e ci saremmo installati a Roma per sempre.

Andavo a trovare i Balbo. Eravamo sempre amici, e parlavamo dei tempi d'una volta. Dicevo a Balbo: – Ti ricordi quando si faceva l'autocritica?

Era molto in uso fra noi fare l'autocritica, un tempo, negli anni del dopoguerra: cioè dopo aver commesso errori, analizzarli e sezionarli a voce alta. Intrecciavamo errori su errori; e l'autocritica veniva a sovrapporsi agli errori, si intrecciava e si confondeva con quegli stessi errori, al modo come la musica si confonde con le parole d'un'opera, ne oscura il senso e se le porta via nel suo ritmo di gloria.

Dicevo: – Ti ricordi quando facevamo i comizi?

Lola, ricordando i comizi del marito, gemeva ancora di pena, perché lo rivedeva là, piccolo sulle impalcature di legno, fra sventolii di bandiere, sopra alla piazza gremita di gente; e lui là dipanava frasi con la voce indecisa, grattandosi di tanto in tanto con l'indice la sommità della testa. Saliva il freddo e il buio della notte, e lui sempre dipanava frasi, assorto nell'inseguire la traccia tortuosa e cavillosa del suo pensiero, persuaso che la gente in ascolto camminasse dietro a lui lungo i serpeggiamenti pietrosi ed impervi dove s'era inoltrato. La gente aspettava invano le parole dai rintocchi squillanti ch'era solita udire e applaudire. Applaudiva tuttavia egualmente, forse per simpatia e incontrastata fiducia, o forse perché infine tacesse.

Anche mio padre aveva fatto una volta un comizio, in quegli anni. Gli avevano chiesto di mettere il suo nome nella lista dei candidati al Fronte popolare: ed era, il Fronte popolare, il contrassegno in cui si presentavano comunisti e socialisti insieme. Lui aveva accettato. Gli avevano detto che doveva fare almeno un comizio, uno solo. Lo invitarono a dire quello che gli pareva. Lo condussero in un teatro, lo fecero salire sul palco: e mio padre cominciò il suo comizio con queste parole:

— La scienza è la ricerca della verità.

Non parlò che della scienza, per una ventina di minuti: e la gente taceva, stupita. Disse, a un certo punto, che le ricerche scientifiche erano, in America, piú progredite che in Russia. La gente, sempre piú disorientata, taceva. Tuttavia nominò a un tratto, incidentalmente, Mussolini, che lui usava chiamare, disse, l'asino di Predappio. Scoppiò allora un fragoroso applauso: e mio padre si guardò attorno stupito, disorientato a sua volta. E questo fu il comizio di mio padre.

Balbo, che era stato presente a quel comizio, rideva nel ricordo. Mio padre gli piaceva molto: e ricordava, di quei due anni di medicina che aveva fatto, lui soltanto. C'era, sulla porta dell'istituto, all'inizio dell'anno scolastico, gazzarra e lotte con le matricole, e mio padre, Balbo raccontava, si buttava in mezzo a quella mischia a testa bassa, come un bufalo che si butta all'assalto di una mandria, per aprirsi un varco tra la folla e passare.

Mio padre, ricordavo, correva cosí a testa bassa, come un bufalo, quando, durante la guerra, lo coglievano i bombardamenti per strada. Mio padre non scendeva nei rifugi, e, quando suonava la sirena d'allarme, si metteva a correre, non al rifugio, ma in direzione di casa sua. Correva rasentando i muri, a testa bassa, nel rombo degli aeroplani e nel sibilo, felice nel pericolo, perché il pericolo era cosa che amava.

– Sempiezzi! – diceva piú tardi. – Figurati se vado nel rifugio! M'importa assai a me di morire!

Quando io dissi a mia madre che avrei lasciato Torino e sarei venuta a stare a Roma, mia madre ne ebbe un grande dispiacere. – Mi porti via i miei bambini! – disse. – Ma guarda che cagna che sei!

– Me li manderà in giro stracciati, – diceva con Miranda. – Me li manderà in giro senza bottoni! Col culo di fuori!

Si ricordava di quando mi veniva a trovare al confino, e io avevo là in cucina un cestino con tutta la roba da raggiustare, e non l'aggiustavo mai. Mi mettevo un momento a cucire, poi lasciavo stare e dicevo:

– Non posso piú cucire. Ho perso l'ago.

Da molti anni ormai, non avevo una casa per me, né un armadio con le lenzuola, né un cesto con la roba da aggiustare, che poi non aggiustavo. Da molti anni vivevo con mio padre e mia madre, ed era mia madre che pensava a tutto.

D'estate, eran loro, mio padre e mia madre, che pensavano a portare i bambini in montagna; e li portavano di solito a Perlotoa, dove prendevano in affitto la solita casa, con quel prato davanti. Io restavo sola in città; e non lasciavo la città che per pochi giorni, nel periodo che la casa editrice chiudeva.

– Andiamo a camminare! – diceva mio padre in montagna, al mattino presto, vestito della sua antica giacca color ruggine, coi calzettoni, le scarpe coi chiodi. – Su, avanti, andiamo a camminare! Non bisogna impigrirsi! Non voglió che state sempre sul prato!

Tornavano in settembre; e mia madre chiamava la Tersilla, a far calzoni e grembiali da scuola, pigiami e paltò.

– Io li voglio in ordine! I bambini a me mi piace tenerli in ordine! Che abbiano tutta a posto la sua robina! All'idea che stanno ben caldi, mi sento tutta riconfortata!

La sera, mia madre leggeva ai bambini *Senza famiglia*. – Com'è bello il *Senza famiglia*! – diceva sempre. – È uno dei libri piú belli che ci sono!

– Erano molto belli anche i libri della marchesa Colombi, – diceva. – Peccato che non si trovano piú in giro. Dovresti dire al tuo editore, – mi diceva, – di ristampare i libri della marchesa Colombi. Erano bellissimi!

Io ai bambini avevo regalato *Incompreso*. Me l'aveva letto, quand'ero piccola, la Paola, che amava a quel tempo le storie molto tristi, commoventi, che facevano piangere, che andavano a finir male. A mia madre non piaceva *Incompreso*. Lo trovava troppo triste. – È piú bello il *Senza famiglia*, – diceva, – non c'è confronto. *Incompreso* è troppo sentimentale. Non mi piace molto. E invece il *Senza famiglia*! Capi! il signor Vitali! Le belle fasce hanno mentito! Onora il padre e la madre! Le belle fasce hanno detto il vero! – E continuava a enumerare i personaggi di *Senza famiglia*, e i titoli dei capitoli, che sapeva a memoria, avendo letto quel libro piú volte ai suoi figli e leggendolo ora ai miei bambini, un capitolo per sera, sempre cadendo nel fascino di quelle vicende, che prendevano a tratti pieghe drammatiche, ma non andavano però a finir male; e cadendo nel fascino del cane Capi, per il quale, lei che amava molto i cani, aveva una gran simpatia. – Mi piacerebbe averlo io un cane cosí! Ma il papà, figurati se mi lascerebbe tenere un cane!

– Mi piacerebbe anche avere un bel leone! Mi piacciono
tanto i leoni! Tutte le bestie feroci! – diceva; e correva, appena poteva, al circo, prendendo la scusa di portarci i bambini.
– Mi dispiace che a Torino non c'è il giardino zoologico. Ci
andrei tutti i giorni. Ho sempre tanta voglia di veder la faccia
di qualche bella bestia feroce!

– *Incompreso* no, non è tanto bello, – diceva. – Piaceva
alla Paola quand'era ragazza, perché avevano, la Paola e Mario, la mania delle cose tristi. Adesso però per fortuna gli è
passata!

– Avevano fatto una gran lega loro due, Mario e la Paola,
da ragazzi, – diceva mio padre. – Ti ricordi quando stavano
sempre a ciuciottare, col povero Terni? Avevano la mania di
Proust, non parlavano d'altro. Adesso, la Paola e Mario sono
molto in freddo, non si guardano piú nemmeno in faccia. Lui
la trova borghese. Che asini!

– Quando esce la tua traduzione di Proust? – mi diceva
mia madre. – Io Proust non lo rileggo piú da tanto tempo. Però me lo ricordo, è bellissimo! Mi ricordo Madame Verdurin!
Odette! Swann! Madame Verdurin doveva essere un po' come
la Drusilla!

Quando mi risposai e me ne andai, dopo qualche tempo, a
vivere a Roma, mia madre dunque, per un poco, mi serbò rancore. Ma il rancore non metteva mai, nel suo animo, radici
molto amare e profonde. Io andavo e venivo, tra Roma e Torino. Mi preparavo a lasciare Torino per sempre.

Dicevo addio, nel mio cuore, alla casa editrice, alla città.
Mi proponevo di lavorare ancora alla casa editrice, nella sede
romana; ma pensavo che sarebbe stato molto diverso. Quella
che amavo, era la casa editrice che s'apriva sul corso re Umberto, a pochi metri dal caffè Platti, a pochi metri dalla casa

dove stavano i Balbo, quando abitavano ancora a Torino; e a pochi metri da quell'albergo sotto i portici, dov'era morto Pavese.

Amavo, nella casa editrice, i miei compagni di lavoro: quelli, e non altri. Pensavo che non avrei saputo lavorare in mezzo a altra gente. Difatti, quando poi fui a Roma, finii per lasciare la casa editrice, essendo incapace di lavorare, senza l'editore e quei miei antichi compagni.

Gabriele, mio marito, mi scriveva da Roma che mi sbrigassi a venir giú coi bambini. Era diventato amico dei Balbo, e li andava a trovare, la sera, quand'era solo.

– Però a Roma devi imparare a punciottare! – disse mia madre. – O sennò devi trovarti una donna che sia buona di punciottare! Trovati una sarta che venga in casa, un po' come la Tersilla. Chiedi alla Lola. La Lola ce l'avrà una sarta in giornata! Oppure chiedi all'Adele Rasetti. Vai a trovare l'Adele Rasetti, che è cosí simpatica! Mi piace tanto l'Adele!

– Scriviti l'indirizzo dell'Adele Rasetti, – disse mio padre. – Te lo scrivo io! Non perderlo! Ti scrivo anche l'indirizzo di mio cugino, il figlio del povero Ettore! È un bravissimo medico! Puoi chiamarlo!

– Guarda di andare subito a trovare l'Adele! – disse mio padre. – Guai a te se non ci vai! Non voglio che fai l'asina con l'Adele! Voialtri siete tutti degli asini. Meno Gino, siete tutti degli asini con la gente, voialtri! Mario è un asino. Dev'essere stato asinissimo con la Frances, quando è andata a Parigi a trovarli! Gli deve aver dato poco spago. E lei m'ha fatto capire che la casa era molto in disordine, al solito!

– Pensare che una volta era cosí ordinato Mario! – disse mia madre. – Era cosí meticoloso, noioso. Era come il Silvio!

– Ma adesso, – disse mio padre, – è cambiato. La Frances

m'ha fatto capire che c'era disordine. Siete dei gran disordinati voialtri!

— Io no. Io sono ordinata, – disse mia madre. – Guarda i miei armadi.

— Macché! tu sei una gran confusionaria! Non trovavi il mio vestito da inverno!

— Sí che lo trovavo! Lo sapevo benissimo dov'era! Ma l'avevo messo via per regalarlo, perché è vecchio, non lo puoi piú portare Beppino!

— Figurati se lo butto via! Non mi sogno neanche! Tanto muoio, figurati se mi faccio un vestito nuovo!

— Te l'eri fatto fare quando sei andato a Liegi! L'hai portato tutta la guerra! Ora son quasi dieci anni che lo porti!

— Cosa conta che l'ho portato? È un vestito ancora buonissimo! Io non butto via soldi come voialtri! Tutti megalomani siete voialtri!

— Anche mia mamma poveretta, – disse, – insisteva sempre che mi facessi vestiti. Non voleva che quando andavo dalla Vandea facessi cattiva figura! Il povero Ettorino, mio cugino, era molto elegante, e non voleva che sfigurassi vicino a Ettorino!

— Dalla Vandea, – disse, – c'erano pranzi di cinquanta, sessanta invitati. C'era tutto un corteo di carrozze. Serviva in tavola Bepo fachin. Una volta è cascato dalle scale e ha rotto una gran catasta di piatti! Mio fratello, il povero Cesare, quando si pesava dopo quei pranzi, era cresciuto di cinque o sei chili!

— Il povero Cesare, mio fratello, era troppo grasso. Mangiava troppo. Non vorrei che Alberto, che mangia tanto, diventasse grasso anche lui come il povero Cesare!

— Tutti mangiavano troppo. Si mangiava troppo a quel tempo. Mi ricordo la nonna Dolcetta, quanto mangiava!

— Mia mamma, poveretta, invece mangiava poco. Era magra. Poveretta, era molto bella mia mamma da giovane. Aveva

una bellissima testa. Lo dicevano tutti che aveva una bellissima testa. Anche lei dava pranzi di cinquanta, sessanta invitati.
C'era il gelato caldo, il gelato freddo. Si mangiava molto bene!

– Mia cugina Regina, a quei pranzi, era elegantissima. Era
bella, ah, era molto bella Regina!

– Ma no Beppino, – disse mia madre, – era una finta bella!

– Ah no ti sbagli, era molto bella! Mi piaceva molto. Anche al povero Cesare gli piaceva molto. Però da giovane era un
po' leggera. Era molto leggera! Anche mia mamma lo diceva
sempre, che Regina era molto leggera!

– Ci andava qualche volta anche mio zio il Demente, a quei
pranzi di tua mamma, – disse mia madre.

– Qualche volta. Uh, ma non sempre. Il Demente si dava
un po' di arie, trovava che era un ambiente troppo borghese,
reazionario. Si dava un po' di arie tuo zio.

– Era cosí simpatico! – disse mia madre. – Com'era simpatico il Demente, com'era spiritoso! Era come il Silvio! Il Silvio tirava da lui!

– Egregio signor Lipmann, – disse mia madre, – ti ricordi
come diceva? E poi diceva sempre « Beati gli orfani! » Diceva
che tanti matti erano matti per colpa dei loro genitori. Beati
gli orfani, diceva sempre. In fondo aveva capito la psicanalisi,
che ancora non era stata inventata!

– Egregio signor Lipmann, – disse mia madre. – Mi sembra
ancora di sentirlo!

– Mia mamma, poveretta, teneva carrozza, – disse mio padre. – Ogni giorno faceva la sua passeggiata in carrozza.

– Ci portava sempre Gino e Mario, in carrozza, – disse mia
madre. – E loro dopo un po' si mettevano a vomitare, perché
gli dava noia l'odore del cuoio, e sporcavano tutta la carrozza
e lei s'arrabbiava!

– Poveretta! – disse mio padre. – Le è dispiaciuto tanto
quando ha dovuto dar via la carrozza!

– Poveretta, – disse mio padre, – quando sono tornato dallo Spitzberg, che ero stato nel cranio della balena a cercare i gangli cerebro-spinali, avevo con me in un sacco i miei vestiti tutti sporchi di sangue di balena, e a lei le faceva schifo toccarli. Li ho portati in soffitta, e puzzavano in un modo terribile!

– Non li avevo mica trovati, i gangli cerebro-spinali, – disse mio padre. – Mia mamma diceva: « Ha sporcato dei vestiti buoni, per niente! »

– Forse non li avevi cercati bene Beppino! – disse mia madre. – Forse li dovevi cercare ancora!

– Macché! Sempia che non sei altro! Non era mica una cosa semplice! Sei subito pronta a buttarmi giú. Ma guarda che asina che sei!

– Io quand'ero nel mio collegio, – disse mia madre, – mi facevano anche a me studiare le balene. Insegnavano bene la storia naturale, a me mi piaceva molto. Ci portavano però, nel mio collegio, un po' troppo a messa. Bisognava sempre confessarsi. Noi certe volte non sapevamo che peccato confessare, e allora dicevamo: « Ho rubato la neve! »

– « Ho rubato la neve! » Ah com'era bello il mio collegio! Come mi son divertita!

– Tutte le domeniche, – disse, – andavo dal Barbison. Le sorelle del Barbison le chiamavano le Beate, perché erano molto bigotte. Il Barbison, il suo vero nome era Perego. I suoi amici gli avevano fatto questa poesia:

> Bello è veder di sera e di mattina
> Del Perego la cà e la cantina.

– Ah non cominciamo adesso col Barbison! – disse mio padre. – Quante volte l'ho sentita contare questa storia!

Cronistoria di «Lessico famigliare»
di Domenico Scarpa

1. Testimonianze d'autore.

Ho scritto il mio ultimo libro «Lessico famigliare» tra la metà di ottobre e la metà di dicembre. L'ho scritto rapidamente e, credo, senza fatica, come percorrendo una strada che già conoscevo. «Lessico famigliare» è un libro di memorie. Tuttavia io stessa vi sono ben poco presente: è piuttosto la storia della mia famiglia: fin dall'infanzia, pensavo a ritrarre in un libro le persone che vivevano, allora, intorno a me. Ma, per anni, non ne ho fatto nulla. Anzi, con gli anni, mi sentivo indotta a respingere da me tutti i miei ricordi infantili, a fuggirne quanto piú potevo lontano, a parlare un linguaggio diverso da quello che si parlava in casa mia, e a cercare, quando scrivevo, immagini e vicende che non rassomigliassero in nulla alle mie memorie. Credo tuttavia che cadevo nell'autobiografia, sempre e irrimediabilmente, ma in un'autobiografia nella quale veniva a mescolarsi l'invenzione, tanto che io sola potevo riconoscere, nei miei romanzi, gli elementi autobiografici. Ma, a grado a grado, mi sono accorta che amavo raccontare il vero, e che nel vero mi muovevo con maggior libertà di quando costruivo e inventavo. Cosí ho allontanato sempre piú da me l'invenzione. L'ultimo romanzo che ho scritto è tutto vero. È però un romanzo, perché vi manca l'obbiettività d'una cronaca, e perché non mi sono proposta, scrivendo, di dare un quadro obbiettivo e fedele della realtà, ma semplicemente di far rivivere la realtà a modo mio e come io volevo.

C'è una poesia di Giacomo Noventa, che ho sempre molto amato e che mi ripeto spesso. Dice cosí:

«*Par vardàr dentro i çieli sereni - Là sú sconti da nuvoli neri, - Gò lassà le me vali e i me orti, - Par andar su le çime dei monti. - Son rivà su le*

çime dei monti, - Gò vardà dentro i çieli sereni, - Vedarò le me vali e i me
orti, - Là zó sconti da nuvoli neri?»

Noi cerchiamo, nel corso della nostra vita, di raggiungere le cime,
cioè di salire quanto piú è possibile lontano dalla nostra fanciullezza. E
io pure ho fatto cosí. Ma «le me vali e i me orti», sono quello che ora
in verità cerco, aguzzando lo sguardo, «là zó sconti da nuvoli neri».

Natalia Ginzburg pubblicò questo brano, con il titolo *Rac-*
contare il vero, sul numero di maggio 1963 della rivista «Successo». Come tutti i suoi autocommenti, è un testo rivelatore, che
integra l'*Avvertenza* da lei premessa al romanzo e anticipa il suo
testo autocritico piú famoso e completo, la *Nota* (datata «Roma,
novembre 1964») che apre la raccolta dei *Cinque romanzi brevi*.
Rispetto ai due testi già noti, *Raccontare il vero* dice qualcosa in
piú grazie alla citazione della poesia di Noventa, che ci aiuta a riconoscere quale complicata dialettica di allontanamento e avvi-
cinamento, di sguardo infantile e sguardo adulto sulla realtà, abbia presieduto alla nascita del *Lessico*.

Un'altra testimonianza d'autore è questo brano tratto dalla
«Conversazione a piú voci» condotta nella primavera del 1990 da
Marino Sinibaldi e pubblicata da Einaudi nel 1999 a cura di Ce-
sare Garboli e Lisa Ginzburg col titolo *È difficile parlare di sé*:

Non avevo nessuna voglia di dire quello che sentivo da bambina,
ecco, non mi andava. Le sensazioni infantili: non lo scrivevo per questo. Lo scrivevo per raccontare loro, perché da piccola, quando li
guardavo, pensavo: «ma a me mi piacerebbe scrivere un libro dove ci
fossero tutti questi qui, con le cose che dicono». E avevo anche, credo molto da piccola, verso gli otto anni, scritto una commedia, dove
loro entravano e uscivano, dicevano le cose che dicevano sempre,
c'era mio fratello Alberto che diceva: «Mamma, dammi due lire!», e
le loro battute abituali. E questo dialogo – io lo avevo chiamato *Dia-*
logo – questo dialogo l'hanno letto in famiglia e ridevano; si erano divertiti, hanno detto che era carino.

L'origine prossima di *Lessico famigliare* va invece situata nei
mesi immediatamente precedenti alla stesura, come si evince da

questo brano apparso sul «Corriere della Sera» del 7 aprile 1963 (*Una domanda a Natalia Ginzburg*):

> Il mio libro, che sta per uscire, *Lessico famigliare*, non è nato da un ricordo o da una sensazione, è nato da una folla di ricordi.
>
> L'estate passata, pensai che desideravo scrivere un breve racconto, o meglio un breve saggio, dove fossero enumerate, su un tenue filo di ricordi d'infanzia, le frasi, le parole e le storie che avevo nell'infanzia udito, che nella mia infanzia usavano ripetere sempre: di simili frasi, parole e storie, ogni famiglia ha le sue proprie, e costituiscono il nucleo e il fondamento di ogni circolo familiare. Ma quando, nel tardo autunno, cominciai a scrivere, mi accorsi fin dalle prime pagine che avrei scritto non un piccolo racconto o saggio, ma un libro; perché sulla traccia di quelle frasi, parole e storie, m'era venuto l'impulso di ricercare e far rivivere sia l'atmosfera in cui venivano pronunciate, sia le persone che usavano pronunciarle: e cioè l'atmosfera di casa mia, e le figure dei miei genitori, dei miei fratelli, dei loro amici, e degli amici miei. Non desideravo molto soffermarmi sulle mie sensazioni infantili, e non l'ho fatto; e in genere, non avevo molta voglia di parlare di me. Desideravo invece parlare di tutti quelli che mi circondavano; ma non tanto in relazione a me, quanto in relazione ai miei genitori, i quali sono i veri protagonisti di questa storia.
>
> Ma pur essendo un libro fatto esclusivamente di cose vere, mi sembra che si configuri egualmente come un romanzo: e vorrei che fosse letto cosí. Perché come testimonianza o cronaca di una epoca passata, il suo valore è dubbio: difatti io mi sono attenuta a rievocare soltanto quello che sapevo e ricordavo con assoluta certezza; e anche di quanto ricordavo, non ho detto tutto, ma soltanto ciò che era in qualche modo penetrato fra le mura di casa nostra, o nel mondo della mia famiglia.

I testi riportati finora sono solo apparentemente ripetitivi. In realtà, ciascuno di essi aggiunge una sfumatura nuova all'immagine della propria opera che l'autrice custodisce e si propone di comunicare al pubblico.

Nei mesi immediatamente successivi alla stesura del *Lessico*,

Natalia Ginzburg viene intervistata da Andrea Barbato (*Le ciliege di Pavese*, «L'Espresso», 31 marzo 1963) e Oriana Fallaci (*Parole in famiglia*, «L'Europeo», 14 luglio 1963; poi, col titolo *Con
molto sentimento*, nel volume *Gli antipatici*, Rizzoli, Milano
1963). Ecco il ritratto della Fallaci:

> una donna non bella e non elegante, vestita di un golfino bluette e di
> una gonna bluette, l'aria un po' goffa di certe zie cui si ha sempre un
> favore da chiedere e di cui non si conosce l'età. Quaranta? Cin-
> quanta? I suoi capelli son neri, con qualche filo di grigio ma raro. Il
> suo corpo è sodo, diritto. Le sue gambe son solide, da camminatrice.
> Di rughe ne ha ma piú che rughe son pieghe che probabilmente esi-
> stevano anche quando era giovane. Colpisce, nella sua perpetua tri-
> stezza e nel suo non dimenticato timore, l'aspetto sano: robusto. È
> certamente una donna che dorme bene, che digerisce bene, porta va-
> ligie pesanti senza ansimare, non è mai stata ammalata, ha sempre
> partorito con facilità e per questo è sopravvissuta agli stenti e ai do-
> lori. (…) La sua voce è graziosa, una voce che hanno generalmente le
> donne fatali: stupisce come se fosse la voce di un'altra, ed affascina.

Poche battute, e si viene a parlare del *Lessico*:

> Ora le dico tutto di questo libro che è nato in due mesi, ecco, e
> prima non ci pensavo neanche, ecco. Avevo messo insieme *Le picco-
> le virtú* e pensavo di scrivere soltanto cinque o sei cartelle su come
> parlavano nella mia famiglia. E poi, poi niente. Poi è venuta fuori un
> mucchio di roba, insomma un libro. Il 15 ottobre si sposò mia figlia
> [la terzogenita Alessandra, *N. d. R.*], il 16 cominciai il libro, prima di
> Natale era fatto. Ecco. È che quando scrivo mi prende una gran ten-
> sione, ecco, mi sento come posseduta dal demonio, ecco, allo stesso
> tempo ho paura che mi succeda qualcosa per cui devo smettere: e va-
> do avanti di fretta, ecco. Lavoro soprattutto la notte, scrivo a mano
> perché a macchina non mi riesce e poi, poi niente. Ho scritto la sto-
> ria della mia famiglia.

In questo brano dove Oriana Fallaci ha voluto riprodurre pun-
tigliosamente la cadenza parlata della Ginzburg compare una data precisa. Ad Andrea Barbato, invece, l'autrice dichiara di aver

scritto il libro «fra ottobre e febbraio», includendo dunque, con tutta probabilità, anche l'ultima revisione e la correzione delle bozze: il «finito di stampare» reca infatti la data del 22 marzo 1963.

2. *Manoscritti, risvolti, recensioni.*

Il manoscritto, o uno dei manoscritti del *Lessico*, è stato donato dalla Ginzburg a Maria Corti e si trova oggi nel Fondo Manoscritti dell'Università di Pavia. Valeria Barani vi ha dedicato uno studio (*Il «Fondo Natalia Ginzburg»*, in «Autografo», vol. VIII, n.s., n. 23, giugno 1991) dal quale si evince che i 481 fogli o mezzi fogli «scritti a penna a sfera blu nel solo recto» corrispondono a una fase avanzata della lavorazione:

> L'autografo, scritto con mano regolare, ordinata, di facile interpretazione, appare verosimilmente come la trascrizione in pulito di un testo già maturo, sulla quale la Ginzburg realizza una paziente opera di rifinitura formale, correggendo nell'interlinea singoli termini o piccole porzioni di testo, per lo piú secondo la lezione definitiva. Risulta difficile individuare delle tendenze correttorie in cui inquadrare questi molteplici interventi, miranti a perfezionare il livello stilistico-lessicale piú che sintattico del romanzo.

Molte varianti ancora, avverte la Barani, si potranno riscontrare tra questo manoscritto e la versione definitiva a stampa: è questo, probabilmente, il lavoro che si protrae fino al febbraio 1963.

Il romanzo uscí accompagnato da un risvolto editoriale anonimo ma attribuibile con sicurezza a Italo Calvino:

> Una famiglia è anche – forse soprattutto – fatta di voci che s'intrecciano attraverso la tavola a pranzo e a cena, di rimbrotti, di scherzi, di battute slegate, di frasi che si ripetono a ogni data occasione; è un linguaggio comprensibile solo a chi lo pratica, una rete di ricordi

e richiami. Natalia Ginzburg, partita per rievocare il «lessico» della
sua famiglia, gli intercalari dei suoi genitori e dei suoi fratelli, si è accorta presto che ciò che stava inseguendo era il *quid* misterioso che
caratterizza e lega appunto quest'entità che chiamiamo «famiglia», il
senso e il ritmo che ci accompagna nelle nostre vite anche quando ci
siamo staccati dal tetto e dal desco della nostra fanciullezza.

Scrittrice di rapporti e cadenze familiari nei suoi romanzi (ricor-
diamo *Tutti i nostri ieri*, *Valentino*, *Le voci della sera*) Natalia Ginzburg qui ha abbandonato gli intrecci immaginari o trasfigurati per
l'autobiografia diretta; e s'è trovata a muoversi con un'inaspettata libertà, un'inesauribilità, un *allegro* che rappresentano la sua riuscita
piú felice (già preannunciata da alcuni capitoli delle *Piccole virtú*). La
capacità di registrazione visiva e auditiva che altre volte era potuta
apparire acuta fino alla spietatezza, si rivela ora come un'infinita par-
tecipazione d'affetto per le persone che esistono e che sono esistite.

E il libro vale per il lettore non solo come riscoperta di che cosa
vuol dire *la* famiglia, ma come scoperta d'*una* famiglia d'eccezione.
Eccezionali sono infatti le personalità dei componenti (il padre scienziato perpetuamente burbero e la madre perpetuamente gaia domi-
nano il libro con la loro irresistibile vitalità), l'ambiente che si muo-
ve intorno a loro (la Torino intellettuale e antifascista tra le due guer-
re), gli avvenimenti della storia italiana (a cominciare dalla fuga di
Turati «grande come un orso», nascosto in casa loro) che alla storia
familiare sono mescolati.

La Ginzburg stavolta ha voluto evitare ogni invenzione come ogni
indeterminatezza: i personaggi vi sono designati col nome e cognome
della loro vera identità; e se si facesse un «indice dei nomi» del libro
vi si vedrebbero allineate molte delle figure piú famose della vita politica, sociale, letteraria, universitaria, con lo stesso rilievo dei piú
oscuri parenti e conoscenti, nella prospettiva che loro tocca non nella Storia, ma nelle nostre storie private. Il libro acquista cosí anche
il valore d'una cronaca dell'antifascismo vista con gli occhi d'una
bambina – e poi d'una moglie e d'una madre –, per cui gli avvenimenti della cospirazione non si differenziano da quelli della quotidiana vita casalinga e dei rapporti d'amicizia.

Miracolo del libro, passioni e persecuzioni e sangue e tragedie
non riescono a incrinare la calda serenità della pagina; mai una paro-

la d'avversione viene pronunciata; eppure nulla viene ingentilito o addolcito; amore e dolore non potrebbero essere espressi meglio che dal riserbo che li tace.

Un libro unico, dunque, affollato come un gruppo fotografico che, vecchio appena di alcuni anni, già ci dà l'impressione del tempo trascorso nei visi curiosamente giovanili in cui riconosciamo fisionomie note: un ritratto di famiglia dell'Italia migliore.

Le recensioni si conteranno a centinaia (si veda l'elenco completo steso da Maria Luisa Quarsiti nel suo *Natalia Ginzburg. Bibliografia 1934-1992*, Giunti, Firenze 1996) e saranno tutte, quale più quale meno, in dialogo col testo calviniano.

Le più tempestive sono quelle di Franco Antonicelli, prima sulla «Stampa» del 27 marzo (*Natalia Ginzburg sulla tela dei ricordi dà vita di poesia al suo mondo torinese*), poi sul «Radiocorriere» del 7-13 aprile (*Un romanzo di ricordi*). Antonicelli confessa per prima cosa la difficoltà di valutare un romanzo ambientato in quella Torino antifascista di cui fa parte egli stesso. A svariati recensori capiterà di provare qualche disagio perché conoscono i personaggi del libro, e in questi casi serpeggia un tono limitativo, dovuto al fatto che lo sguardo del lettore di professione stenta ad accordarsi con quello della scrittrice.

Quanto ad Antonicelli, per lui il modo più elegante di cavarsela consiste nel rannodare il libro alla produzione già nota della Ginzburg, da lui presa più volte in esame:

anche questo lungo racconto va innanzi cosí, al modo dei precedenti, quasi fatto di cose inapparenti, di minutaglia (ma non mai inutile), solo con quelle insistenze, con quell'infantile e un po' ironico ribattere le stesse parole e immagini, accrescendole di volta in volta non di monotonia ma di verità abituale, di un suono che si fa familiarissimo; infine, tutto, luoghi e persone, vivono come svuotati appositamente di concretezza storica, sconfinando subito in un'aura di modesta leggenda. (...)

Ma questa storia della famiglia Levi e degli amici si sgrana sullo schermo di una memoria che è soprattutto morale: quel lievito di fa-

ceta ironia (che diventa persino scoppiante comicità), che già conoscevamo cosí bene in *Voci della sera*, qui meglio ancora è adatto a
dare risalto all'affettuosità pacata, alla modesta e rassegnata accetta-
zione della vita che è il genio morale della nostra scrittrice.

3. *Memoria o invenzione?*

Si potrebbero elencare e citare per esteso molte recensioni
empatiche eppure sottilmente perplesse come questa di Antonicelli, ma va dichiarato subito uno dei caratteri permanenti della
fortuna critica di *Lessico famigliare*: la sua natura di libro apparentemente semplice eppure indefinibile, un oggetto misterioso.
Romanzo? Libro di ricordi? Cronistoria? Autobiografia? I recensori dovranno cavarsela come possono; del loro imbarazzo ba-
sterà dare una sola testimonianza, un brano dell'articolo pubblicato da Teresa Buongiorno su «La fiera letteraria» (*L'ultima
Ginzburg*, 21 aprile 1963):

> Di qui [dalle frasi ricorrenti di cui è intessuto il libro, N. d. R.] an-
> che la difficoltà di definire con una formula il romanzo: libro di me-
> moria, ma privo di abbandoni autobiografici, di cedimenti senti-
> mentali, di presunzione cronachistica («perché la memoria è labile, e
> perché i libri tratti dalla realtà non sono spesso che esili barlumi e
> schegge di quanto abbiamo visto e udito...»): intriso di realtà e pur
> tale da immettere subito in un clima fantastico, in un alone lirico,
> scattante per barbagli dall'assommarsi di piccoli fatti minuti, di sto-
> rie narrate, di frasi ripetute, nel crescere, l'uno dopo l'altro, dei gior-
> ni, degli anni, trascorrendo dalla giovinezza alla vecchiaia.
> Cosí lo svolgersi del racconto risente di questo carattere insolito...

In realtà non era il libro a «risentire di quel carattere insoli-
to», bensí i suoi lettori: solo quelli professionali, però. Si è detto
spesso che *Lessico famigliare* è un'opera dalla fortuna lenta e invisibile, affidata al passaparola dei lettori comuni, un libro che ha
suscitato piú affetto e amore che stima, e che prestissimo, già a

partire dagli ultimi anni '60, comincia a lasciare traccia di sé nelle antologie per le scuole medie inferiori e superiori, e persino nei libri di lettura delle elementari.

In questo senso, la vera storia della «fortuna critica» del *Lessico* è una storia non scritta e forse non scrivibile, sottintesa com'è nelle 54 edizioni del libro uscite tra il 1963 e il 1998, e nelle 544 000 copie vendute nelle sole edizioni Einaudi.

A chiedersi le ragioni di questo qui pro quo, verrebbe da dare una risposta molto semplice: la critica implica una distanza dall'oggetto sul quale si esercita, laddove la peculiarità e il fascino del *Lessico* consistono nell'abolire, nel bruciare la distanza tra il lettore e l'opera, e addirittura tra la biografia di chi scrive e quella di chi legge: nel lettore si verifica ben presto un travaso biografico, un contagio di memorie altrui.

Questa singolare disposizione psicologica che si attiva nel lettore del *Lessico* è stata spiegata da Cesare Garboli nel saggio che introduce il primo volume delle *Opere* della Ginzburg («Meridiani» Mondadori, Milano 1986; il saggio sarà ristampato, con l'aggiunta di qualche annotazione, in *Scritti servili*, Einaudi, Torino 1989). Il testo di Garboli si apre con una esplicita dichiarazione di non essere in grado, per due motivi distinti e intrecciati tra loro, di affrontare l'opera della Ginzburg con gli strumenti del critico letterario: primo, perché egli è da anni un amico di lei, e «Non avendo mai distinto tra lo scrittore e la persona, l'opera letteraria della Ginzburg non è per me piú funzionale alla conoscenza di Natalia Ginzburg di quanto non lo sia il suono della sua voce nella cornetta o il suo modo di salire le scale». (A ben vedere, nelle parole di Garboli il rapporto tra vita e letteratura cosí com'era stato istituito centocinquant'anni fa da Sainte-Beuve si presenta rovesciato: non è la biografia dello scrittore la lente di cui il critico letterario si serve per interpretarne i libri, semmai l'esatto contrario). Ma è la seconda ragione del suo disagio a spiegare il cortocircuito che s'instaura tra il lettore e i libri della Ginzburg:

la loro musica, la loro cadenza, il loro ritmo si è cosí depositato nelle profondità disattente della mia vita che il ricordo di uno qualunque degli episodi di questi libri, il tempo che faceva quel giorno lungo il Tevere o i brutti quadri che vi dipingeva qualcuno, potrebbe riemergere a un tratto con la forza non dei fatti immaginari ma dei ricordi veri, come quegli oggetti che abbiamo sempre avuto sotto gli occhi in uno stesso punto e mai potremmo tollerare di non vederli là.

L'osmosi della memoria si attiva dunque con tutti i libri della Ginzburg, indistintamente. E il *Lessico*? Ecco cosa dice in proposito Garboli:

> Quando leggiamo un romanzo, percorriamo una strada opposta e speculare rispetto al tracciato che è stato necessario percorrere per scriverlo: un'esperienza del mondo viene riversata sopra un testo da parte di A che lo scrive; e una quantità piú o meno uguale di esperienza altrettanto reale si riaddossa sullo stesso testo da parte di B che lo legge. Cosí una realtà immaginaria si fa carico di due esperienze diverse, divise da una parete sottilissima, di una trasparenza tale da sembrare invisibile. Quando leggiamo un romanzo, scambiamo la nostra realtà con questa trasparenza, e ci illudiamo di abbattere la parete. Il fenomeno si riproduce a ogni lettura; non esiste *Guerra e pace*, ma tante realtà incommensurabili attaccate a una realtà immaginaria; tanti *Guerra e pace* e tanti *Don Chisciotte* quante sono le volte che li leggiamo. Nella loro docilità di epigoni, i ricordi di *Lessico famigliare* non smentiscono questa legge, ma la evitano e la aggirano: la parete non esiste; l'esperienza della realtà si riversa sul testo, da parte del lettore, inchiodata a una sola lettura, solo quella, proprio quella: il ricordo è diventato una fotografia. Tolti al vero, i ricordi della Ginzburg sono scritti e fatti camminare come se la Ginzburg, a sua volta, li leggesse con lo stesso occhio col quale il lettore risale il libro e ne rifà il percorso dall'altra parte, dal suo versante. Un romanzo può essere solo «letto»?

La difficoltà a leggere il *Lessico* dal di fuori, l'impaccio dei critici a ricreare artificialmente quella parete tra il lettore e l'opera scritta, non scompare certo nel '63, non si estingue con l'acquietarsi del tran tran recensorio. Cosí come nelle parole di Garboli il *Lessico* aggira l'immateriale linea Maginot che s'interpone tra chi scrive e chi legge, si può notare un'analoga manovra anche in molti saggi-bilancio dedicati all'opera della Ginzburg, nei quali si parla ben poco del *Lessico* quasi fosse un libro fin troppo noto, quasi potesse spiegarsi da sé in virtú della sua presunta trasparenza, o grazie a quanto viene detto sul resto, sul prima e sul dopo dell'opera ginzburghiana: fatto sta che in parecchi casi il *Lessico* viene praticamente saltato.

Fino al principio degli anni '60, Natalia Ginzburg non ha mai riscosso grandi successi di pubblico. È una scrittrice che gode di una stima moderata ma diffusa e di una sorta di affettuosa disattenzione, della quale troviamo una testimonianza nella recensione dedicata al *Lessico* da una persona pur scrupolosa come Pietro Bianchi (*Patetica testimonianza di un'Italia «diversa»*, in «Il Giorno», 10 aprile 1963). Bianchi descrive la Ginzburg come «un autore che sembrava destinato a rotture psicologiche, a sottili intrecci amorosi, ma poco inclinato all'humour, e alle dolcezze mnemoniche del patrimonio privato». Strano come siano sfuggite a un critico letterario e cinematografico della finezza di Bianchi due caratteri macroscopici della Ginzburg quali il piacere della memoria e la vibrazione dell'ironia, ma tant'è: l'immagine di questa scrittrice sarà messa pienamente a fuoco solo nel breve giro d'anni tra *Le voci della sera* (1961) e il *Lessico*.

Significativo anche l'atteggiamento della critica cattolica, sotto la cui lente *Lessico famigliare* diventa un inno ai buoni sentimenti. Ecco un brano dalla *Rassegna della narrativa* apparsa anonima sul numero di agosto 1963 di «Studi Cattolici»:

> Di un libro come *Lessico famigliare* si sentiva da tempo il bisogno: come di una boccata di aria, fra tanti rapporti spregiudicati, mimesi ambigue di noie e malesseri ambigui, fra tante proposte e sperimentalismi presuntuosi, soliloqui estraniati dalla vita e dalla realtà per troppo cerebrale ambizione di rispecchiarle.

Su «La Civiltà Cattolica» (*Quattro romanzi in vetrina*, a. 114,

vol. IV, quaderno 2720, n. 20, 19 ottobre 1963), Padre Ferdinando Castelli S. I. legge il romanzo della Ginzburg in contrasto
con *Un amore* di Dino Buzzati, additato come esempio del piú
squallido e disperato erotismo: ed è tutto un elogio della «bontà»,
della «comprensione», della «gioia» che animano il *Lessico*: «un
libro sano e pulito, che stilisticamente si legge con un gusto dello spirito, talmente è fresco e semplice».

Per il momento, si può concludere con un'interessante ipotesi sulle reazioni perplesse o tiepide seguite all'uscita del libro. Si
tratta della recensione anonima che il «Times Literary Supplement» dedica il 23 febbraio 1967 (a. 66, n. 3391) alla versione inglese dell'opera. Il titolo, *Un-Italian Activities*, ricalca ironica-
mente il capo d'accusa che durante gli anni della guerra fredda
pendeva sulle vittime del maccartismo: *Un-American activities*,
ovvero attività antiamericane. Quale sia l'attività antitaliana di
Natalia Ginzburg è presto spiegato: è la sua indifferenza alla «*bella figura*», in italiano nel testo. Mancare dell'istinto dell'appa-
renza, dice l'anonimo, significa essere autoironici e poco preten-
ziosi, significa praticare l'*understatement* in un paese che non lo
apprezza.

L'*understatement*, che è in verità una peculiare tecnica dell'omis-
sione e della sagace lacuna, è anche la qualità piú lampante di Natalia Ginzburg tra molte altre, troppo sconcertanti e originali perché le
si possa esattamente etichettare. Eccentrica e brillante, la Ginzburg
è quasi certamente il miglior scrittore donna dell'Italia di oggi, ma è
probabile che a causa del suo atteggiamento finisca per essere co-
stantemente sottovalutata nel proprio paese (o almeno, cosí sembra
a uno sguardo estraneo). Il suo stile, in un paese tanto preoccupato
delle forme, è un non-stile, e lo stesso si può dire del suo carattere,
del suo modo di guardare il mondo e del suo stile letterario in senso
proprio. La sua scrittura conversevole (altri direbbe che è pura chiacchiera), dalla facilità ingannevole, è in realtà densa e suggestiva; le cose che dice appaiono trasparenti, ma a scrutarle in profondità vi si coglie una ricchezza di sottintesi quasi inquietante. È in questa capacità
di significare molto dicendo poco – una sorta di compressione poeti-

ca o di propensione metaforica che si serve del linguaggio piú «anti-poetico» e disadorno – che consiste il suo pregio e soprattutto la sua originalità.

Quando *Lessico famigliare* apparve in Italia, circa quattro anni fa, i giudizi si divisero nettamente tra chi lo considerò puro pettegolez-zo e chi ci ritrovò molto di piú. La conquista dell'importante premio Strega parve dare ragione ai secondi, e certo la reputazione della si-gnora Ginzburg è andata crescendo in questi ultimi anni. Eppure, per il gusto italiano, questo libro smorza eccessivamente le proprie am-bizioni. Il suo raggio d'azione è ampio, e la riuscita nell'applicare al-la biografia e all'autobiografia le tecniche del racconto di finzione è magnifica; eppure, a descriverlo, ne verrebbe fuori un libro di remi-niscenze nostalgiche e di facezie familiari.

4. *L'io narrante*.

All'uscita di *Lessico famigliare*, tra le recensioni piú sfaccetta-te e calorose c'è quella di Giansiro Ferrata (*Ringraziamento a Na-talia Ginzburg*, «Rinascita», 27 aprile 1963):

La Ginzburg nel *Lessico famigliare* ha quasi sempre saputo trova-re il punto d'equilibrio esatto tra una specie d'adolescenza recupera-ta, o meglio risvegliata, con le sue inesauribili punte maliziose, i ri-cordi a getto continuo, i sentimenti illesi anche dai risentimenti, e una maturità pratica di sofferenze, limitazioni agli orizzonti giovanili, nuove forme di realtà.

Ferrata delinea la complessa impostazione del personaggio che dice «io» e della sua voce narrante, e il progredire e maturare del suo sguardo e del suo orecchio dall'infanzia alla maturità. Ma quello stesso io narrante suscita giudizi di segno opposto. Sen-tiamo Aldo Rossi (*Sei tesi per la stagione narrativa*, in «Paragone Letteratura», a. XIV, n. 164, agosto 1963):

Per mantenere un distacco cronachistico e per non venir meno al suo progetto di parlare il meno possibile di se stessa, la Ginzburg

mantiene talvolta il suo sguardo ad un livello che non si sa se definire infantile o ebete.

Ciò che risulta oscuro, in realtà, è il rapporto che il narratore
intrattiene con quei personaggi che sono anche genitori, parenti,
amici, figure dell'Italia pubblica: qual è l'atteggiamento della
narratrice nei loro confronti, e in che modo li giudica? Piero
De Tommaso (*Una scrittrice «geniale»*, in «Belfagor», a. XVIII,
n. 3, 31 maggio 1963) sviluppa un discorso che è tutto da me-
ditare:

> *Si parva licet*. Ricordate quello che il De Sanctis, in uno dei suoi
> saggi manzoniani, dice della genialità? Dice che questa consiste nel-
> la «volontà» e nel «piacere della produzione». Ora noi non dubite-
> remmo che il fare poetico di una scrittrice come Natalia Ginzburg va-
> da messo sotto il segno, appunto della genialità. (…) Soggiunge in-
> fatti il De Sanctis: «non è, come volgarmente si crede, la qualità
> superlativa dell'ingegno … è cosa *sui generis* che non ha nulla a che fa-
> re con l'ingegno. Non è la visione, il vedere l'oggetto, ma la volontà,
> il piacere di rifarlo e riprodurlo al di fuori. Perciò si dice d'uno che
> faccia qualche cosa: – Ha il genio di farla –; cioè la fa quasi per com-
> piere se stesso». Della Ginzburg, in special modo per i suoi due libri
> piú recenti (*Le piccole virtú* e *Lessico famigliare*, ed. Einaudi rispetti-
> vamente 1962 e 1963), crediamo che ben si possa dire che ha avuto
> il genio di farli. Forse anche perché in questi due libri particolar-
> mente propizia deve esserle riuscita la materia autobiografica.

Agli occhi di De Tommaso, però, il difetto del libro consiste
nell'aver appiattito e quasi abolito la prospettiva temporale e storica delle vicende, un'impostazione che si ripercuote anche sui
personaggi, anche sulle figure del padre e della madre:

> Era inevitabile che riproponendole nella luce di una guardatura
> ravvicinata, dovesse rinunciare a restituire il senso di un loro intimo
> sviluppo e dovesse appagarsi di farne delle figure di una certa fissità,
> di quella fissità, appunto, che è propria dei «caratteri». Figure ricche
> di rilievo, inquadrate con assai penetrazione, come abbiamo cercato
> di dire, ma piuttosto statiche cosí in riferimento all'evoluzione inte-

riore come agli addentellati intrinseci con il piú vasto panorama storico in cui s'inquadrano.

De Tommaso concede che la Ginzburg ha adottato questo espediente per non cadere nel patetico: ma il medesimo giudizio è convalidato, in senso peggiorativo, anche da Aldo Rossi («alcuni familiari assumono la fissità della maschera, anchilosati come sono nei loro *tics* verbali»).

Qualche anno piú tardi (1969), la questione sarà reimpostata su nuove basi da Raffaele Amaturo, nella prefazione alla ristampa del romanzo presso il Club degli Editori nella collana dedicata a «I premi Strega»:

> Se ci è lecito utilizzare una metafora, vorremmo dire che nell'atto di scrivere il suo libro, la Ginzburg ha inconsapevolmente risolto il teorema immaginario dell'identità e della differenza, per cui, se A è uguale ad A, proprio per questo A viene ad essere diverso da A. Quando l'adesione alla verità dei fatti – vogliamo dire – è tanto intensa e piena, tanto priva di sotterfugi e di ipocrisie, quando è sfidata e quasi ostentata, allora paradossalmente si produce un salto qualitativo: il vero fa aggio su se stesso, veste i panni della fantasia. Inventa spontaneamente il suo stile: nella peggiore delle ipotesi, non abbisogna che dell'additivo del ritmo, di una spinta al movimento.
>
> Ci si passi ancora, per concludere, una seconda metafora. Per aprire il congegno critico del *Lessico famigliare* è necessario premere due bottoni di una combinazione a doppio scatto. Si presti pure l'orecchio, ci si abbandoni pure all'estro brioso del linguaggio, all'affettuosa e ironica *trouvaille* del «lessico». Ma non si dimentichi che esso è filtro e schermo di una realtà amaramente sofferta: una realtà che ha talora le sembianze mitiche dell'infanzia, talora il volto mutevole e vario della vita, talora l'aspetto augusto della storia.

L'io narrante della Ginzburg, dice dunque Amaturo, opera nello spazio dischiuso tra due piani sovrapposti e sfalsati: le parole e le cose, l'infanzia e la maturità. I tempi sono ormai maturi perché prenda la parola Cesare Garboli, destinato a rivelarsi il migliore e il piú congeniale tra i critici ginzburghiani. Il primo articolo dedicato da Garboli alla Ginzburg è una recensione della raccolta di saggi *Mai devi domandarmi* (*Diario d'amore ossessionato dalla ricerca di un padre*, in «Il Giorno», 2 dicembre 1970), recensione in gran parte rifusa nell'introduzione a una ristampa del *Lessico* negli «Oscar» Mondadori (febbraio 1972, n. 339). Per prima cosa, Garboli dà grande risalto all'abito di riserbo e pudore con il quale la Ginzburg affronta una materia direttamente autobiografica, intrisa di strazio non cancellabile:

> Ma sarebbe inutile cercare tra i tanti volti, sotto il cono di luce dell'abat-jour, anche quello della goffa, pigra, svogliata e timida Natalia. Quel volto è tutto in penombra. Si nasconde, si ritira. Si restringe a due occhi neri e pungenti, mobilissimi, innamorati e impietosi (...).
>
> Prima di diventare adulta, la Ginzburg imparò esattamente il contrario della letteratura. Imparò la poesia, e apprese d'istinto che non c'è poesia senza reticenza. Appena le mosse della vita famigliare si confondono con le linee personali del suo destino, la Ginzburg smette improvvisamente di parlare. Appena la storia, il lutto, la morte arrivano a scomporre e a dissolvere le immagini del dagherrotipo di famiglia, allora la Ginzburg comincia a offuscare di proposito i ricordi. Li annebbia, si direbbe che li protegge. La narrazione cambia di ritmo, si disimpegna alla svelta, corre via distratta e veloce. Un sigillo di pietà religiosa, intensa quanto sbrigativa, chiude le ultime pagine del *Lessico*. È che dicendo continuamente «io», la Ginzburg sa parlare solo degli altri, come se solo agli altri, e non a lei, spetti il frivolo privilegio, il talento leggero e puerile di essere adulti.

Natalia Ginzburg, dunque, non fa altro che accendere e spegnere le luci della narrazione guidata da un'infallibile percezione d'autore, da una strategia tanto piú sapiente quanto piú implicita. I salti di tono, la diffrazione dell'io narrante, sono illusori. Il territorio dal quale giunge la sua voce è piuttosto una difficile terra di nessuno, come vede bene Giacinto Spagnoletti nel «Ritratto critico» eseguito per «Belfagor» (a. XXXIX, n. 1, 31 gennaio 1984). L'infanzia, dice Spagnoletti, non è che un «pun-

to di vista», ma il meglio della narrativa ginzburghiana nasce altrove:

> dallo stupore indefinito, dal modo di guardare la vita nel punto di di-
> staccarsi dall'infanzia ed entrare nell'età successiva, fatta di crude de-
> lusioni, di amari rimpianti. In quel momento, che parrebbe grigio e
> spento, Natalia Ginzburg comincia ad aprire gli occhi e abituare la
> sua penna a trascrivere la sorpresa di quanto viene scoprendo.

L'ultimo importante saggio sul *Lessico* (Giacomo Magrini,
«Lessico famigliare» di Natalia Ginzburg, in *Letteratura italiana.
Le Opere*, vol. IV, *Il Novecento*, tomo II, *La ricerca letteraria*, Einaudi, Torino 1996) si avvale dell'intero *corpus* di queste acqui-
sizioni critiche. Magrini s'interroga su quella che definisce
«un'oltranza di riserbo» da parte della Ginzburg, e dedica un denso paragrafo allo «sguardo della narratrice»:

> In *Lessico famigliare* non c'è, dunque, né uno sguardo coevo infe-
> riore (sguardo sottomesso, estatico, interrogante, frammentario) né
> uno sguardo postumo superiore (sguardo ordinatore, critico, razio-
> nalizzante, sintetico). Lo sguardo è sempre all'altezza dello stato di
> mondo con il quale viene a contatto. Questo è reso in larga parte
> possibile dalla presenza della madre, dalla sua collaborazione attiva,
> dall'ininterrotta alterna consegna, che avviene tra l'io e la madre,
> dello scettro ligneo del narrare.

È dunque uno sguardo fatto di altri sguardi amati e assenti quello della Ginzburg, una voce in cui risuonano voci che non possono
piú parlare. L'intuizione cui Magrini perviene è suggestiva:

> Leone sarebbe stato il vero occhio e la vera voce del romanzo,
> perché, ha scritto Garboli, «come lo sguardo dell'infanzia, anche lo
> sguardo di Dio non è tenuto a distinguere tra le cose futili e le cose
> importanti». (...)
> È in omaggio a Leone e come contraccolpo della sua assenza che
> sorge il doppio narratore di *Lessico famigliare* e, al tempo stesso, vie-
> ne cancellata qualsiasi centralità della stanza della narratrice. Anzi,
> questa stanza non esiste neppure.

5. *Lingua e stile*.

Al momento dell'uscita di *Lessico famigliare*, non tutti i lettori riescono a cogliere l'aspetto piú immediato del suo fascino: il tono e il ritmo di una lingua che, udita per la prima volta, ci si convince di conoscere da sempre e che da quel momento in poi prende stabile dimora nella memoria.

Nel 1963, Lorenzo Mondo è il primo a fornire una definizione luminosa dello stile di Natalia Ginzburg (*I Ginzburg ebbero la storia in salotto*, in «Gazzetta del Popolo», 17 aprile):

> prosa fluente cui la perentorietà delle brevi frasi paratattiche conferisce, per dissonanza, una sorta di agro e spoglio lirismo.

Le recensioni non sono la sede piú adatta per gli approfondimenti, e la pista del linguaggio viene battuta poco. Strano a dirsi, per molto tempo i contributi piú originali lungo questa direzione resteranno i titoli del libro, arbitrari ma intelligenti, nelle traduzioni inglese e francese: *Family Sayings*, *Les mots de la tribu*. Rispetto a quello italiano, il titolo inglese sottolinea con maggiore energia la carica proverbiale del frasario di famiglia, il tesoro di saggezza che vi è custodito, il sottinteso di un'eredità di affetti e memorie che sopravvivono a un mondo scomparso. Quanto al titolo francese, il prelievo-citazione dal *Tombeau d'Edgar Poe* di Stéphane Mallarmé – «*Donner un sens plus pur aux mots de la tribu*» – è tutt'altro che un compiacimento intellettualistico: quella «tribú» va letta, nel paese di Claude Lévi-Strauss, all'interno di una vasta trama di nessi antropologici: rispetto a Mallarmé, in un certo senso, è cambiato il segno algebrico che precede la parola «tribú», la quale si libera della sua connotazione ristretta, opaca, negativa.

Lo studio piú minuzioso dedicato al linguaggio del nostro romanzo è quello di Valeria Barani dal titolo *Il «latino» polifonico della famiglia Levi nel «Lessico famigliare» di Natalia Ginzburg*

(«Otto-Novecento», a. XIV, n. 6, novembre-dicembre 1990): ma proprio a causa della sua impostazione microscopica non è possibile estrarne citazioni.

Da sempre, il carattere della prosa ginzburghiana che piú colpisce il lettore è il suo uso dell'imperfetto, un tempo verbale su cui la scrittrice ha offerto pagine bellissime in un articolo raccolto in *Vita immaginaria* (1974) e dedicato al *Sillabario n. 1* di Goffredo Parise. Sulla combinazione tra indicativo imperfetto e trapassato prossimo nella pagina di Natalia Ginzburg, ascoltiamo Luigi Fontanella (*Natalia Ginzburg tra finzione e memoria. Una lettura di «Voci della sera» e «Lessico famigliare»*, in «Paragone», a. XLV, n. 536-538, ottobre-dicembre 1994):

> Il primo tempo (l'imperfetto), usato a piene mani, risulta efficace nel punteggiare la dinamica psicologica o proiettiva, ancorché inserita in una situazione *presente*, sia concomitante al tempo reale d'evento e relativa (tra)scrittura, sia come fase puramente immaginativa; mettiamo, quella che usano i bambini nei loro giochi, nell'àmbito di un presente figurato in cui l'azione sia però trasposta in una sorta di «passato» già codificabile (abitudinario, per cosí dire), tramite appunto la *finzione della rappresentazione* («tu *compravi* queste cose e le *portavi* da me; io *cucinavo* e poi *davamo* da mangiare a Sbrodolina») – l'ipotetico nome della bambola con cui le due bambine stanno giocando; che sta appunto a significare: «Tu *fai finta* di comprare queste cose e *fai finta* di portarle da me; io *faccio finta* di cucinare, ecc. ecc.».
>
> L'altro tempo (il trapassato prossimo) sta invece a indicare un ragionamento compiuto, o ancor piú un evento già inquadrato nella sua dimensione temporale: un dato di fatto su cui, però, si può ricamare mentalmente, ricamare (congetturare), cioè, su ciò che poteva essere se non fosse stato come poi è stato. (...)
>
> Tutte modalità sintattiche che tendono a intensificare l'aura e l'*allure* mnemonica del racconto, scandito, pertanto, e soprattutto, dall'imperfetto indicativo: sorta di incipit costante e prioritario al flusso memoriale. Nessun altro tempo potrebbe prestarsi con la stessa efficacia espressiva e ottenere gli stessi «medianici» risultati.

Sul trapassato prossimo, un'ulteriore postilla di Giacomo Magrini:

> A parità di materia, diventa pertinente il contrasto «tornò» *vs* «era tornato». [Magrini allude ai due diversi tempi verbali scelti dalla Ginzburg per narrare rispettivamente il ritorno di Leone Ginzburg dal penitenziario di Civitavecchia e il ritorno di Alberto Levi dal confino, *N. d. R.*]. Il primo veicola un peso di evento, quasi una luce di apparizione, ignoti al secondo, che registra l'azione quando già compiuta, non nel momento in cui si compie. (...)
>
> Si può dunque constatare la tendenza della narratrice a collocarsi in una posizione ulteriore, ricapitolante, della narrazione, quando l'azione o l'evento è già sedato. Avvolgendo l'aculeo del mutamento, o della crisi, o del trauma nella distanza di una voce arretrata, interrompendo talvolta e quasi risalendo l'inesorabilità consecutiva dei fatti, è come se si restituisse agli archivi della memoria ciò stesso di cui essa fa dono.

All'imperfetto, tempo della durata, si oppone dunque il perfetto, tempo dell'evento, dell'inchiodarsi o sciogliersi dei destini. Ce ne parla Maria Antonietta Grignani (*Un concerto di voci*, in *Natalia Ginzburg. La narratrice e i suoi testi*, La Nuova Italia Scientifica, Roma 1986):

> Il perfetto è riservato all'irrompere di eventi tragici, che incrinano la continuità del nucleo familiare, ma la loro resa è abilmente disseminata entro il tempo della durata di cui si è detto [si allude anche in questo caso all'imperfetto, *N. d. R.*]: il ritorno di Leone Ginzburg dalla carcerazione a Civitavecchia, il matrimonio, il trasferimento a Roma dopo il confino e la scomparsa di Ginzburg, l'ulteriore ricordo dell'arresto e della morte del marito non sono assemblati in un segmento unico, storia nella storia, ma lasciati cadere per accenni brevi e scontrosi entro la dominanza dell'imperfetto.

L'altra grande creazione del linguaggio ginzburghiano è quella che si potrebbe definire la sua immaginazione dialogica, la realtà che prende forma nel discorso e dal discorso. Sentiamo nuovamente Giacomo Magrini, ma stavolta sul finale del libro:

Alla narratrice che si prepara a partire per Roma, in *Lessico famigliare*, il padre e la madre dànno consigli, fanno raccomandazioni. Presto il discorso vacilla, devia dallo scopo iniziale e, alla svolta di una piccola fiammata di discordia, i due cominciano a scivolare nei ricordi: ventisei emissioni asimmetriche, un dialogo scazonte; piuttosto un duetto, un canto. E in tutta la sequenza non c'è una sola riga di narrato. Anche qui è visibile la funzione narrativa: cullare e addormentare il dolore della narratrice che si accinge a una nuova vita, ma in questo momento di passaggio non ha nulla, se non ciò che sta perdendo per sempre, Torino, la famiglia, la giovinezza. Ma il canto dei genitori, oltre a quella funzione, possiede una sua autonomia, fonte della sua particolare bellezza. Autonomia che vedrei cosí: non tanto viene commemorato l'oggetto dei ricordi, i contenuti, i fatti, gli avvenimenti; ciò che viene celebrato e cantato è il ricordare in se stesso (e la chiave musicale della sequenza, il passato remoto, il quasi ditirambico «disse», vi ha non piccola parte). La narratrice può partire per Roma, munita non di una valigia di ricordi, ma della certezza che il ricordare esiste; quella può andare smarrita, questa no. Se la mia impressione è giusta, tale registro di secondo grado appartiene alla dimensione saggistica.

Da questo «straordinario canto doppio finale», aggiunge Magrini, «capiamo meglio la natura bifronte del discorso diretto, che è fedele, per cosí dire incluso e conservato nell'ambra, e insieme non mimetico». La registrazione, dunque, assume sempre e comunque la forma della riesecuzione. Un ultimo chiarimento sul meccanismo che presiede a questa duplice strategia narrativa ce lo offre Enrico Testa in un importante volume dedicato a *Lo stile semplice. Discorso e romanzo* (Einaudi, Torino 1997):

l'italiano medio e parlato, rivissuto e stilizzato secondo le cadenze della memoria, è destinato all'espressione non dei soliti contenuti realistici, ma, ad un primo livello, alla messa in scena di una conversazione che resta, per quanto condotta nel quadro di una chiacchiera affettuosa e svagata, di tono colto (nel romanzo si parla pur bene di Proust e di Heine, di Verlaine e di Poussin, di Croce e di Baudelaire e di tanti altri); mentre, ad un livello piú profondo, la medesi-

ma lingua, media e parlata, è, per cosí dire, abilitata a svolgere un'o-
perazione dalla complessa trama antropologica: un rituale funerario
di ricongiungimento con le amate voci perdute nell'aldilà coinciden-
te con la ricostituzione dell'idioletto della propria tribú famigliare.

È questo doppio movimento, conclude Testa, a far spiccare al
libro il salto, la «fuoriuscita dal repertorio, tematico e linguistico,
del verosimile e del realistico». Ci avviciniamo cosí al tema della
memoria. Due citazioni renderanno piú saldo il ponte tra i due argomenti. La prima è da Francesca Sanvitale (*I temi della narrativa di Natalia Ginzburg: uno specchio della società italiana*, in *La
narratrice e i suoi testi*, cit.):

> Apparentemente anomalo e persino arido, se ci rifacciamo ai pa-
> radigmi della letteratura della memoria, *Lessico famigliare* contiene un
> risultato culturale di grandissima originalità e valore. Come sempre
> Natalia Ginzburg ha unito due contrari: una finalità minima, di-
> chiarata, che sembra scelta riduttivamente per esclusione. E il pre-
> supposto, taciuto, di un grande sentimento della vita e delle radici
> umane. In questo caso, la dimensione piú grande è l'importanza to-
> talizzante del linguaggio. La salvezza, per il singolo e la comunità,
> viene proprio dal difendere e tramandare il sistema di segni elabora-
> to, dal quale, per generazioni e generazioni, si potranno decodifica-
> re sentimenti, caratteri, segreti.

Il linguaggio, dunque, come *pietas*. Se questa è la morale per
cosí dire pubblica di Natalia Ginzburg, il lungo articolo che Gabriele Annan dedica a larga parte della produzione della scrittrice («The New York Review of Books», 7 novembre 1985) contiene un interessante affondo introspettivo. Il titolo è *The Force
of Habit*, la forza dell'abitudine:

> Dai due romanzi, entrambi autobiografici, che sono stati da poco
> ristampati [l'altro è *Tutti i nostri ieri*, N. d. R.], si ricava l'impressio-
> ne che tra i sette peccati capitali l'accidia sia quello che Natalia Ginz-
> burg capisce meglio di ogni altro, quello che la scopre piú spesso re-
> cidiva; un peccato grazie al quale si può spiegare persino il suo tono

di voce, dal momento che la Ginzburg è di quegli scrittori la cui voce si riconosce all'istante anche in traduzione. La sua voce possiede una cadenza funebre, una disillusione fatta di asciuttezza e distacco, che si accorda con la sua personalità quale lei stessa la descrive: inetta, disorganizzata, demoralizzata, timida, pigra, ritrosa e mantenuta a galla, si direbbe, soltanto dalla sua obbedienza alla verità e alla dirittura morale. Potrà sembrare una combinazione sconfortante, e lo è; ma esiste anche qualcosa che attrae irresistibilmente nella sua lotta per sollevarsi dalla debolezza alla rettitudine, specialmente quando la Ginzburg contempla la propria giovinezza con una sorta di comica deplorazione, come se tenesse un rospetto sul palmo della mano.

6. Il «Lessico» e Proust.

Fu una tentazione irresistibile nel 1963, di fronte a un libro di memorie che narrava tra le altre cose la scoperta di Proust, di fronte a un romanzo firmato dalla prima traduttrice italiana di *Du côté de chez Swann*, quella di convocare lo scrittore francese quale pietra di paragone. Aldo Rossi, nel «filone memoriale» della narrativa di quell'anno, individuò un movimento «anti-Proust»:

> Finora qualsiasi ricerca rispettabile intorno al tempo perduto era svolta sotto l'egida e la protezione della grande *summa* di Proust, sia che si svolgesse nella direzione di Bonsanti, sia in quella di Bassani: ora, invece, ci si sottrae alle grandi leggi della memoria, si lasciano le dimensioni del microscopio e del macroscopio per affidarsi all'occhio nudo (...).

Qualche anno piú tardi, nel 1969, sulle *madeleines* verbali della Ginzburg e sullo scarto rispetto al maestro si eserciteranno Piero De Tommaso (*Natalia Ginzburg*, in *Letteratura Italiana . I contemporanei*, Marzorati, Milano) e Raffaele Amaturo. Ascoltiamo De Tommaso:

> La riesumazione di un tale eloquio caratterizza un rammemorare

diverso dalla memoria proustiana. Infatti nella Ginzburg, di massima, risulta abolita la dimensione sentimentale della memoria; l'uso
del «lessico» è un mezzo per restituire il passato al presente, ma per
ciò stesso a un presente che implica la coscienza del suo essere passato
così irrimediabilmente, quasi che non alcuni decenni appena ma una
voragine di tempo si fosse chiusa su di esso: donde la metafora, non
casuale, del latino e dei geroglifici egiziani. In definitiva si tratta di
un'operazione linguistica conforme al pessimismo che la scrittrice
nutre sul senso della vita.

Il tempo perduto, dunque, sarebbe impossibile da ritrovare.
Anche Amaturo convalida le impressioni di Rossi (la realtà non è
proiettata in una dimensione mitica e nebbiosa ma osservata a occhio nudo nella sua nettezza di luci e ombre) e di De Tommaso,
ma approfondisce il discorso sul pessimismo abbozzato da quest'ultimo. La Ginzburg, dice Amaturo,

> Non crede, forse non ha mai creduto, nei verdi paradisi dell'in-
> fanzia. Forse una volta la vita inconsapevolmente l'ha offesa: come a
> un'amica che l'abbia crudelmente delusa, ella le ha ormai perdonato,
> intrattiene magari con essa cordiali rapporti quotidiani: ma non si
> fida di lei. Non le serba rancore: ma la giudica senza indulgenza e
> senza simpatia.

Il referto più ponderato sulla memoria della Ginzburg si potrà
leggere però qualche anno dopo, nell'introduzione scritta da Garboli per la ristampa del libro negli Oscar Mondadori. Come si
vedrà, partendo dalle medesime premesse dei suoi predecessori,
Garboli *busca el levante por el ponente*, recuperando il gene-Prou-
st dalle pieghe più recondite del Dna della Ginzburg:

> Il racconto della Ginzburg non nasce dal gusto o dalla gioia del ri-
> cordare. Nasce dalla precisione dei sentimenti infantili quando essi
> siano stati capaci di cogliere, con tutta incoscienza, con assoluta di-
> sinvoltura, sotto la buccia della «realtà», la realtà, e adesso chiedano
> con veemenza a una mente adulta la grazia di essere riconosciuti per
> essenziali, di essere risuscitati dall'oblío in cui di norma li lascia ca-
> dere la nostra presuntuosa e superficiale disattenzione. (...)

Nel suo versante tecnico, si è soliti iscrivere la letteratura della Ginzburg sotto il tradizionale cartellino della «memoria». È un rilievo esatto se si aggiunge che spesso ricordare non è rimpiangere, e che la «forma» del ricordare può spesso alienarsi da se stessa, prendere il connotato piú imprevisto. Niente è piú improbabile per la Ginzburg di un verde paradiso perduto. Niente le importerebbe cosí poco come il recuperarlo. Le piacciono, alla Ginzburg, non le menzogne dell'infanzia, ma le verità degli adulti. Le piace la vita degli adulti, ma cosí come essa potrebbe apparire a uno sguardo supremo, ipotetico, simile a uno smisurato occhio infantile (...).

Il passato non viene sentito o accettato come passato, ma, al contrario, viene inseguito come un futuro che non verrà mai, non esisterà mai, per il semplice fatto che è da sempre e per sempre avvenuto. E per quanto cammini di esperienza in esperienza, di saggezza in saggezza, la nostra vita resterà sempre indietro, sempre al di qua (e al di là) di quella soglia insuperabile, invalicabile, del cominciare a vivere. La nostra vita è un'«altra»: lo specchio, il paragone della vita. È stato il magistero di Proust.

Esiste in *Lessico famigliare* un'ulteriore qualità della memoria: una ostinata fedeltà anche ai propri errori di fatto, anche alle proprie involontarie deformazioni della realtà. Non tutti l'apprezzeranno: il tono già severo della recensione di Aldo Rossi diventa addirittura stizzito quando si vagliano i rapporti del romanzo con la verità cui l'autrice sostiene di essersi ispirata:

C'è un certo sospetto di corrività, che, anche se viene esercitata su una materia in gran parte privata, non dovrebbe giovare molto al livello del libro, che come «romanzo» viene ricevuto dal lettore. Il particolare inedito ed inaspettato su questa o quella personalità sempre fa piacere e colpisce l'immaginazione, ma talvolta si ha l'impressione che la Ginzburg non abbia fatto quello sforzo di memoria necessario per tradire quei frammenti del passato che sottrae all'oblio (...).

Svariati errori rimprovera Rossi alla Ginzburg: innanzitutto, la sua ignoranza sull'identità dell'attore che si ostina ad apostro-

fare come «Suess Aja Cawa», il quale non è altri che Sessue
Hayakawa, ancora attivo in quei primi anni '60 in film di successo come *Il ponte sul fiume Kwai*.

> Cosí nonna Dolcetta non avrà esclamato sulle uova che mangiava:
> «Il xè fresco», ma «El...», la madre non avrà usato l'esecrato neolo-
> gismo *contagiare* intransitivamente.

Aldo Rossi non sarà il solo a puntare il dito su sviste di questo
genere, ma altri reagiranno in modo piú cauto: per esempio, un
C.V. autore della recensione uscita su «Tempo Presente» (*Una
Ginzburg allegra*, giugno 1963): il quale registra il «curioso errore, per me inesplicabile» di chiamare lungo l'intero libro «Cafi»
il saggista Andrea Caffi (1887-1955), amico di Silone e Chiaromonte nonché collaboratore di quella stessa rivista. C.V. deve
aver intuito che quello sbaglio è la spia di qualcos'altro: forse di
una cocciuta e inflessibile fedeltà – una fedeltà da romanziere –
all'impronta acustica della propria memoria, necessaria e inelu-
dibile in ogni dettaglio proprio come la forza dell'ispirazione.
Quella di Natalia Ginzburg è una memoria fatta della stessa materia da cui Primo Levi trasse *Se questo è un uomo*: nessuna invenzione, per nessun motivo, ma una fiducia assoluta quanto priva di misticismo nel ricordo che s'incide una volta per sempre
nei sensi. Quella memoria accompagnerà Primo Levi per quarant'anni, e lo scrittore entrerà in crisi solo quando si renderà
conto che essa comincia a scemare, a sfocarsi. In una memoria cosí inesorabile anche gli errori sono in qualche modo preziosi, es-
senziali: da cui la decisione della Ginzburg, discutibile ma comprensibile, di non correggerli nelle edizioni successive del libro:
ancora oggi, per noi lettori, Cafi resta Cafi, e Suess Aja Cawa
resta Suess Aja Cawa.

7. *Memoria e storia.*

È la critica piú direttamente attiva sul fronte antifascista, e in particolare quella comunista, a entusiasmarsi per un libro che si presenta come il blasone dell'Italia laica, democratica e socialista. Eloquente il titolo della recensione di Michele Rago: *Una famiglia antifascista*, in «l'Unità», 10 aprile 1963, mentre Giancarlo Vigorelli («Tempo», Milano, 18 maggio 1963) definisce iperbolicamente il *Lessico* come «il romanzo piú antifascista che sia stato scritto sugli anni del fascismo». La lettura «storica» piú suggestiva del libro è però quella offerta da Giansiro Ferrata; il suo sguardo si ferma per prima cosa su

> tutte le persone che nel racconto vengono a formare come un gran banco di corallo invaso continuamente dalle onde marine – il mare in questo caso è il Tempo – che ne portano via alcuni pezzi, altri ne lasciano o ne aggiungono, unendoli a quelli di prima (...).
>
> In sostanza il racconto modula sulle loro variazioni e non variazioni [si allude ai dialoghi padre-madre, *N. d. R.*] anche una propria tematica piú estesa, fondata sul contrasto tra ciò che via via si trasforma e ciò che dura nell'atto stesso di rinnovarsi, legato appunto ai caratteri individuali e ai ricordi, alle usanze, ai miti d'una particolare famiglia, alla sua classe e tipo sociale, ai rapporti con le altre classi e gli altri gruppi (...).
>
> Dopo l'abuso che nel 1930-40 si finí col fare della letteratura «di memoria», è ancora ben difficile restituirle energia. La Ginzburg vi è riuscita secondo un metodo direttamente saggistico, tenendosi alle «cose vere» (...): ogni pagina tende a caratterizzare con segni leggeri, ma nell'intimo, un sistema di rapporti umani che mutano e di tentativi per fermarli, per non lasciarli mutare, tentativi a cui solo la memoria dà un lungo sostegno.

Ferrata stabilisce dunque un cortocircuito non tra gli individui e la storia, ma tra gli individui e due categorie filosofiche come la permanenza e la variazione, la continuità e la rottura: la sua resta ancor oggi una delle letture piú illuminanti.

È a questo punto che si leva la voce di dissenso piú netta contro il romanzo. Giunge anch'essa da sinistra: non dalla sinistra tradizionale però, ma da una sinistra detta «nuova» o «operaista». La componente del Psi che fa capo a Lelio Basso pubblica in quegli anni un settimanale dal titolo «mondo nuovo». Della critica letteraria si occupa il giovane Alberto Asor Rosa, che apre il suo articolo (*Antifascismo della borghesia. Natalia Ginzburg Premio Strega 1963*, in «Mondo Nuovo», a. V, n.s., n. 17, 14 luglio 1963) affermando che il nuovo libro della Ginzburg

mette in luce i limiti oltre i quali essa non riesce ad andare. Si scopre in queste pagine che la semplicità può essere radice di affettazione, che la grazia, perseguita pagina dopo pagina con accanimento degno di miglior causa, può diventare posa stucchevole e dolciastra. Quanta bravura, nel costruire il racconto attraverso il lento accumularsi di particolari banali, di osservazioni insignificanti. Ma anche quanta banalità, quanto disinteresse, in questo flusso lento di cose e fatti, a cui si pretende di dare un significato solo perché sono *ben narrati*: quanto artificio, nella manovra di ridurre i personaggi «storici» a dimensioni private, per farne scaturire meglio la semplicità, l'umanità, il colorito interno. Ci vuol poco per sorprendere l'ingenuo lettore, sciorinandogli dinanzi agli occhi con sapiente disinvoltura la quotidiana amichevole frequentazione con persone «vere» dagli atti semplici e dai nomi comunissimi, come l'Adriano (che è poi Adriano Olivetti), il Vittorio (che è Vittorio Foa), l'ingegner Camillo (fondatore della fortuna capitalistica degli Olivetti), Rasetti (il grande fisico Franco Rasetti) (...).
È noto che una delle componenti piú vistose dello «snobismo» intellettuale consiste nel mostrare al volgo (ma senza darlo troppo a vedere: cosí come viene, insomma) quanti e quali personaggi illustri si siano conosciuti nella propria vita, e come ci si possa considerare dei loro, per antica e pressoché fatale elezione. Ne nasce un quadro ben dosato di raffinata cultura e insieme di spontaneità, di vigore morale e di sprezzatura intellettuale. Tutto appare facile a questi uomini e a queste donne, per i quali la civiltà dei costumi e della mente è un fatto ereditario, o quanto meno assorbito fin dalla piú tenera età attraverso il rigore familiare, gli scambi di idee e di gusti fra *clan* e *clan*.

(...) Il suo *Lessico* è infatti, piú che la storia di una famiglia, di una casta intellettuale, rappresentata nei risvolti della vita privata. Il senso di solidarietà fa parte di questo atteggiamento chiuso, privilegiato, a cui i personaggi del *Lessico* aderiscono con estrema naturalezza. Tutti sono buoni, bravi, onesti, dignitosi, in questa cerchia ben determinata, al di là della quale il mondo, se c'è, può andare a farsi friggere.

Com'è prevedibile, nemmeno il gergo di questa casta si salva dalla requisitoria:

A questo punto il libro diviene scavo archeologico: e serve perlomeno a farci sentire come tutto questo sia fortunatamente lontano e non abbia probabilità alcuna di rivivere.

Da questo fondo ben concimato nasce poi l'antifascismo torinese: anche qui senza sforzo alcuno, dappoiché da una buona pianta non può nascere che il buon frutto. Il discorso della Ginzburg intorno a questi temi si fa interessante, perché senza volerlo ci mostra chiaramente la matrice di media e alta borghesia, da cui si svolge il fenomeno dell'opposizione al fascismo, con tutto l'insopportabile corredo di virtú ferite, di moralismi stuzzicati dalla «brutalità» grossolana della dittatura. I futuri quadri della «intellettualità di sinistra», resistenziale e post-resistenziale, si formano in un'atmosfera non diversa da quella che sovraintendeva alla loro *buona educazione* di sempre: la lotta contro il fascismo ci appare come la creazione della borghesia «sana» e «intelligente» contro la stupida rozzezza della borghesia «incolta» e «reazionaria». La «spontaneità» di tale reazione non può dunque stupirci: essa affonda le sue radici nella natura stessa della formazione storico-sociale da cui questi intellettuali e politici provengono: i quali sono esattamente antifascisti in quanto sono borghesi. Ancora una volta, è l'atteggiamento del gruppo, della casta, che viene in piena luce. E si chiami pur questo con il nome di tradizione culturale e di gusto: ciò non impedisce che vi si scorga dentro, magari attraverso la prosa «gentile» di Natalia Ginzburg, una sconfinata superbia intellettuale e una incoercibile mentalità di classe.

Tra i collaboratori di «mondo nuovo» c'era uno dei personaggi del romanzo citati da Asor Rosa nel suo articolo: Vittorio

Foa, che piú di vent'anni dopo (*Le due Natalie*, in «L'Indice», a.
III, n. 7, luglio 1986) rievocherà cosí l'episodio:

> Ricordo la rabbia che mi prese quando, nel 1963, Asor Rosa, su
> un bel settimanale che usciva allora, «Mondo Nuovo», accusò *Lessi-*
> *co famigliare* di snobismo perché esibiva la famigliarità dell'autrice
> con persone importanti. Fui tentato di mettermi a tavolino per ri-
> cordare al critico il paradigma dello snobismo nel citare personaggi
> importanti per vergognarsi di frequentarli, come Swann in casa Ver-
> durin. In Natalia, al contrario, non vi è ombra di snobismo. Nel *Les-*
> *sico famigliare*, come in *Tutti i nostri ieri*, come nelle *Voci della sera*, le
> persone con nome e cognome oppure introdottesi travestite nel rac-
> conto, sono famigliari, parenti, amici o conoscenti le cui vicende per-
> sonali si intrecciano con le vicende pubbliche in una creazione che
> non è una somma di eventi sovrapposti ma una unità. Per cui lo sfon-
> do cessa di essere tale, è una componente decisiva del racconto, in-
> sieme colle gioie, con le delusioni, con le tragedie dei personaggi.

Ma il giudizio di Asor Rosa è destinato a produrre effetti di
lungo periodo: non per nulla Cesare Garboli, nella *Fortuna criti-*
ca che chiude il secondo «Meridiano» delle *Opere* ginzburghiane
(1987), lo pone convenzionalmente quale tappa d'inizio della «insofferenza» o «animosità» che comincia a serpeggiare contro la
Ginzburg proprio nel momento del suo primo grande successo
commerciale. Sui neonati «Quaderni piacentini» (n. 11, luglio-
agosto 1963) intorno ai quali si raccolgono i giovanissimi Pier-
giorgio Bellocchio, Grazia Cherchi e Goffredo Fofi il referto di
Asor Rosa viene ripreso e sottoscritto – «unica voce dissidente
dal coro di elogi» – in una nota non firmata dal titolo *Élites fa-*
miliari, nota che comincia prendendosela con la «chiacchiera» e
col «gergo cifrato e inaccessibile ai piú» della famiglia Levi:

> che è a suo modo esemplare come lo è in particolar modo la Ginz-
> burg, tipica rappresentante di una certa élite borghese italiana, radi-
> cale e cosmopolita, ferocemente, nonostante le apparenze, chiusa in
> se stessa. Continuamente facendo sfoggio di umanità e comprensio-
> ne, soffermandosi preferibilmente sulle piccole cose (o sulle piccole

virtú, per citare un suo libro poco felice) ammiccando però di continuo alle «grandi cose», *Lessico famigliare* è importante solo in quanto ci fa capire di quale stoffa sia stato certo antifascismo italiano.

Sul *Lessico* e sulla Ginzburg, il giudizio degli intellettuali di
«quaderni piacentini» resterà immutato, anche se sull'avversione
per la scrittrice andrà innestandosi una sorta d'indispettito rispetto derivante dalla consapevolezza della sua statura. Nel 1979,
recensendo *Se una notte d'inverno un viaggiatore* (l'articolo è raccolto in *Strade maestre. Ritratti di scrittori italiani*, Donzelli, Roma
1996), Fofi valuta cosí l'operazione pedagogico-culturale che Calvino si sarebbe proposto:

> Gli succede come tanti anni fa era successo alla Ginzburg col *Les-*
> *sico famigliare*, che una borghesia di tradizione bigotta e clerico-fa-
> scista e parassitaria aveva assunto, all'avvento del boom, come falsa
> coscienza di un suo passato inesistente, protestante ebraico illumi-
> nato resistenziale.

Parole in cui sembra di cogliere una dissociazione di responsabilità tra il libro in sé e le sue letture politicamente interessate.
Piú dura invece, ma anche piú empatica, Grazia Cherchi in questa intervista di Silvia Del Pozzo (*Cari amici, vi scrivo*, in «Panorama», 24 dicembre 1984):

> Sí, non amo la sua falsa ingenuità e goffaggine. Dico falsa perché
> dietro c'è una mente dura, anche intollerante, coperta da un saio di
> poverella di Dio. Le sue opere piú riuscite sono quelle in cui abban-
> dona la maschera da sonnambula, come se il disegno generale le sfug-
> gisse, e dà voce a quelle luci stoiche che la accendono interiormente
> in modo autentico.

Sull'intreccio tra storia, memoria e vicende personali è incentrato un ottimo saggio scritto da una studiosa dell'Università del
Colorado, Giuliana Minghelli: *Ricordando il quotidiano. «Lessico*
famigliare» o l'arte del cantastorie, «Italica», vol. 72, n. 2, Summer
1995. Il celebre testo di Walter Benjamin su Leskov narratore
ispira alla Minghelli queste considerazioni d'ordine generale:

Ma che cos'è una storia? Nel termine coesistono i due sensi resi nell'inglese da *history* e *story*, due sensi che l'avvertenza [premessa al *Lessico*, N. d. R.] ha già accantonato: il testo non è una storia nel senso di cronaca a causa delle lacune che lo caratterizzano, e non è neppure un racconto perché nulla che contiene è fittizio. Penso che in questo caso il termine «storia» vada letto nel suo significato piú antico, un significato che va fatto risalire alla tradizione medievale dei cantastorie del *Novellino*. La storia della famiglia Levi è una storia fatta di storie, una storia scandita da un'operazione di raccontar storie che lungi dal rispettare un qualsiasi svolgimento temporale (una trama con inizio, centro e fine) segue capricciosamente, ma dovremmo aggiungere anche inesorabilmente, il suo proprio ritmo segreto ritornando piú volte su se stessa e riraccontandosi all'infinito. Queste storie narrate, nella migliore tradizione dei cantastorie, «per ammazzare il tempo», finiscono per catturarlo, vale a dire rappresentarlo.

L'immagine-chiave del «narratore» di Benjamin – un uomo di esperienza, un «uomo di consiglio» che offre a chiunque sia disposto ad ascoltarlo la saggezza di un mondo che non esiste piú: un tramite grazie al quale continua a parlare al nostro orecchio la voce dei morti – questa immagine illumina il riserbo con il quale la Ginzburg rievoca in due righe la scomparsa di suo marito Leone:

> Il ritratto di Leone è la descrizione di una foto, la sua morte è la registrazione di una data e di un luogo. Il trauma personale è incorniciato e letteralmente contenuto nel racconto di modo che non possa contaminare col suo contenuto soggettivo il prosieguo della storia. (…)
>
> L'autobiografia, se ancora di autobiografia si vuole parlare, è quindi scritta attraverso un'operazione di sottrazione, è creata attraverso la definizione di ciò che in disegno è chiamato spazio negativo, lo spazio che imprigiona la figura nel mondo.

Quello spazio è fatto di parole. Non è vero, sostiene la Minghelli, ciò che ha detto Montale, ossia che il tempo sarebbe «il grande assente della presente cronaca»: la costante consapevolezza della morte lo introduce continuamente nella trama del racconto, lo insinua nelle ripetizioni di cui è intessuto.

Alla ripetizione è legata la trasmissibilità della storia, ma, come ricorda Benjamin, una storia non può essere trasmessa senza il marchio di autorità che la morte le concede. *Lessico famigliare* è ugualmente costruito sulle storie e sulle fratture che le inframmezzano, anfratti della memoria dove il ricordo precipita, perigliosi confini dell'oralità. (...)

Natalia Ginzburg nel suo libro ha rappresentato una perdita non solo personale ma collettiva: la memoria è dissociata dal presente e dal futuro, la vita trova il suo centro in un trauma, attorno a cui le macerie della casa assumono un ordine provvisorio. Ricordare non significa piú ricostruire, ma semplicemente razzolare tra le macerie, salvando diversi oggetti di una civilizzazione ormai scomparsa, senza tuttavia avere un luogo dove riordinarli. Della geografia del quotidiano, un vitale e concreto spazio esistenziale, solo la grafia è rimasta. *Lessico famigliare* è l'epica di un passato perduto e di un modo di vivere tempo e spazio scomparsi, o, piú precisamente, sempre piú invisibili e trascurabili. A una poetica del quotidiano si è sostituita una poetica del trauma, dell'accidentale, del bizzarro.

8. *Ebraismo e umorismo.*

La coppia ebraismo-umorismo si può considerare uno dei caratteri di fondo del Novecento letterario italiano, a partire almeno da Italo Svevo e Umberto Saba. Il nome di Svevo, che ebbe a definire *La coscienza di Zeno* «un'autobiografia, e non la mia» fu fatto, al momento dell'uscita del libro, da Luigi Baldacci (*Con la Ginzburg alla ricerca delle parole perdute*, in «Epoca», 28 aprile 1963). Silenzio completo invece su Saba, che pochi anni prima (1956) aveva pubblicato un libro il cui titolo, *Ricordi-Racconti*, avrebbe potuto tranquillamente sostituirsi a *Lessico famigliare*; e anche lí si trattava di storie ebraiche, di vicende di famiglia rivissute tra saggezza senile e crudeltà adolescenziale, tra incanto e allegria della memoria e consapevolezza pietrosa della vita e del dolore.

Natalia Ginzburg ha detto piú di una volta che essere ebrei significa avere una virgola nel sangue: un *quid* invisibile e indefinibile ma reale, che si esprime forse in quell'allegria satirico-maliziosa e in quella capacità di stilizzare su cui pongono l'accento Giansiro Ferrata e Maria Antonietta Grignani in articoli e saggi già citati in precedenza. Nella Ginzburg l'ebraismo è un elemento cosí intimo e profondo da esprimersi ovunque e in nessun luogo, in un'intonazione e in una cadenza umoristica, e da non aver bisogno di appoggiarsi a una tradizione né tantomeno di esibirla. L'ebraismo della Ginzburg è cosa vissuta e saputa, che non ha bisogno di essere anche conosciuta e documentata: ma proprio a causa di questa confidenza, la scrittrice incorre in qualche errore (per esempio confonde i sefarditi con gli ashkenaziti: si parla della mitica «bruttezza» di Leone Ginzburg) o si mostra alquanto ignorante delle proprie radici, come rileveranno Paolo Milano su «L'Espresso» (*Una famiglia come romanzo*, 14 aprile 1963) e Riccardo Curiel sulla «Rassegna Mensile di Israel» (*Un'autobiografia senza protagonista*, luglio-agosto 1963), che improvvisano entrambi una breve lezione sull'epiteto di «negro». Sentiamo Milano:

> Natalia Ginzburg si meraviglierebbe, immagino, se qualcuno le dicesse che questo termine di «negro», che ha esatti equivalenti nel vernacolo giudeo-tedesco e giudeo-spagnolo, è uno dei cardini della psicologia ebraica dei tempi andati (il «negro» è l'incapace di destreggiarsi, come l'ebreo invece deve per sopravvivere), e che il «negro» piú tipico e famoso di tutti i tempi è lo Charlot della *Febbre dell'oro*.

Forse chi seppe cogliere meglio di ogni altro (pur senza connotarlo esplicitamente) il carattere «ebraico» della Ginzburg fu l'anonimo recensore del «Times Literary Supplement» (a. 62, n. 3198, 14 giugno 1963), in un articolo intitolato *Spartans and Sufferers*:

> è la vitalità della famiglia, che vi si riflette in tutto il suo fascino e in

tutto il suo tedio (doveva esserci abbondanza di entrambi), a trasportare il libro: una specie di forza vitale che, a dispetto dei caratteri aggrondati e degli eventi tristi se non tragici, lo spinge in avanti con un brio da commedia.

La coloritura «ebraica» di quest'annotazione risulterà evidente non appena si sarà detto che il «TLS» recensisce il *Lessico* insieme con *La tregua* di Primo Levi, uscito in quegli stessi mesi: un accostamento al quale nel '63, salvo errore, non pensa nessun altro (ma i due libri parteciperanno insieme al premio Strega). Il nome di Levi è il piú adatto per concludere questo *excursus* sull'ebraismo, perché il suo *Argon*, cioè il racconto con cui si apre la raccolta *Il sistema periodico* (1975), si può considerare a buon diritto come una delle principali tappe della fortuna critica di *Lessico famigliare*: anche *Argon* infatti è un racconto-saggio incentrato su una tribú ormai estinta e sul suo linguaggio. Del resto, uno dei racconti piú belli di quel libro, *Ferro*, si chiude sulla constatazione tragica e insieme lenitiva che non è possibile tradurre un uomo in parole, ma che pure delle persone care scomparse non restano altro che parole. Ogni qualvolta si coglie in un narratore (in questo caso Primo Levi) un elemento d'intertestualità, un'influenza di altro narratore, è legittimo considerare i suoi racconti non solo come racconti, ma anche come veri e propri saggi critici sullo scrittore di riferimento, che in questo caso sarà Natalia Ginzburg. *Argon* si può leggere dunque come saggio critico su *Lessico famigliare*: un saggio critico *in re*, svolto adoperando gli stessi strumenti del suo modello.

Che le cose stiano cosí finisce per riconoscerlo implicitamente anche la Ginzburg allorché recensisce *Il sistema periodico* sul «Corriere della Sera» (*Fra guerra e razzismo*, 25 maggio 1975; l'articolo è stato ripubblicato in «Riga» n. 13, *Primo Levi*, a cura di Marco Belpoliti, Marcos y Marcos, Milano 1997). A ben vedere, la Ginzburg non recensisce *Il sistema periodico*, ma essenzialmente il «bellissimo per me» *Argon*:

Ciò che rende queste memorie famigliari ancora piú patetiche e preziose, ciò che le rende care al nostro cuore e strazianti, è la sensazione costante che circola in tutto il racconto, di avere illuminato un mondo scomparso dalla terra per sempre: non soltanto perché le creature di questo mondo non esistono piú, ma perché i campi di concentramento tedeschi ne hanno inghiottite tante di simili a loro, di altrettanto vecchie, fragili, bizzarre, sprovvedute e semplici; cosí che non riusciamo a dimenticare, percorrendo questa galleria di ritratti, che quella particolare ingenuità e ironia e stravaganza e semplicità, un genocidio l'ha spazzata via dalla terra e ne ha distrutto anche il seme, cosí che non potrà piú rinascere in nessun luogo.

Come *Argon*, anche il *Lessico* è la memoria e la trascrizione in parole di un mondo e di un popolo scomparsi: durante la sua vita, è capitato piú volte a Natalia Ginzburg di leggersi in anticipo (gli amati grandi romanzi russi nei quali si specchiava da ragazza, ma anche libri minori e dimenticati come *Un matrimonio in provincia* della Marchesa Colombi) o, come in questo caso, di ritrovare se stessa nelle pagine di qualcuno venuto dopo di lei. Il cerchio si chiude: il romanzo-saggio della Ginzburg ispira un racconto che è anche un saggio sul suo romanzo-saggio, e a questo saggio in forma di racconto la Ginzburg dedica a sua volta un breve saggio, un pensoso atto d'amore.

9. Il «Lessico» e Montale.

Al principio di questa nota si è parlato di *Lessico famigliare* come di un oggetto misterioso, che lascia la critica tanto ammirata quanto sconcertata: ma c'è da avvertire il lettore che in queste pagine l'ammirazione è rimasta alquanto in ombra, e si è data per forza di cose un'evidenza sproporzionata alle poche voci di dissenso, e alle perplessità che si colgono in quelle favorevoli. Si è detto ancora che dapprincipio il libro viene letto alla luce delle opere ginzburghiane che lo hanno immediatamente preceduto; potremmo ripartire di qui, ritornando sulla già citata recensione di Luigi Baldacci, il quale apre il suo articolo confrontando la breve nota che precede *Le voci della sera* con l'*Avvertenza* che accompagna il nuovo libro. Riportiamo quelle poche righe:

In questo racconto, i luoghi e i personaggi sono immaginari. Gli uni non si trovano sulla carta geografica, gli altri non vivono, né sono mai vissuti, in nessuna parte del mondo. E mi dispiace dirlo, avendoli amati come fossero veri.

Commenta Baldacci che il passaggio dalle *Voci* al *Lessico* è stato «non dico facile, ma necessario»; con un giudizio identico si apre anche la recensione di Paolo Milano, e varie altre. Ma a parte le *Voci* e *Le piccole virtú*, nel corso degli anni un po' tutta l'opera ginzburghiana sarà convocata al ruolo di antesignana di *Lessico famigliare*. Piú d'uno, per esempio, rileggerà *Tutti i nostri ieri* come «prima stesura» del nuovo libro, vedi il profilo complessivo della scrittrice (1969) firmato da Piero De Tommaso. Quindici anni dopo, Giovanni Tesio (*Natalia Ginzburg*, in «Studi Piemontesi», vol. XIII, fasc. 2, novembre 1984) gli disegnerà una genealogia piú mossa a partire dal personaggio di Elsa, protagonista e io narrante delle *Voci della sera*:

Rispetto a *Lessico famigliare*, Elsa ricopre il ruolo che, con minori responsabilità costruttive, ricopre la «pura, nuda, scoperta e dichiarata memoria» della Ginzburg stessa nel romanzo della sua famiglia. Il felice nucleo di condensazione narrativa rappresentato dalle consuetudini lessicali e comportamentali (accanto alle parole si svolgono gesti e comportamenti fissi) trova già in *Le voci della sera* una prima via d'uscita. Anche in questa direzione il romanzo non può andare disgiunto da *Lessico famigliare* almeno riguardo a un comune terreno di ispirazione. La caratterizzazione dei personaggi si fonda già su una convenzione che il testo stesso s'incarica di fissare: già i personaggi appaiono *figés dans une attitude*, in un atteggiamento tipico, attraverso la voce diretta, l'intercalare consueto, la fissazione idiomatica. La distanza della memoria opera anche sul livello linguistico e favorisce un recupero di vitalità in direzione dialettale, un dialetto d'uso, diremmo cosí, memoriale, che non ha nulla a che vedere con la mimèsi. Esso si sviluppa secondo la prospettiva sbriciolata ma non casuale del ricordo. E la strada, a ben vedere, era già stata aperta con *Sagittario*.

A ripercorrere l'intero arco della fortuna critica di *Lessico famigliare* si nota uno strano fenomeno: al momento della pubblicazione, il riflesso spontaneo dei recensori è di spiegare la natura ignota di questo *unicum* alla luce degli oggetti già noti (o almeno, cosí si crede) che lo hanno preceduto. Ma non appena *Lessico famigliare* diventa un libro per l'appunto famigliare, non appena entra nel novero delle cose che sembrano trovarsi lí da sempre, tutta l'opera della Ginzburg, giovanile o matura che sia, si riduce a un preludio o postludio del *Lessico*, a una sua immensa chiosa. Si finisce, per esempio, con l'enfatizzare piú del dovuto il senso di «liberazione» che Natalia Ginzburg provò quando lo scrisse. Anche in questo caso, può soccorrerci un'annotazione di Cesare Garboli, che nel suo saggio introduttivo alle *Opere* avverte per prima cosa che

> quest'opera si fa strada, si direbbe, senza continuità, anche se non evita di ripetersi: si rompe e ricomincia, si sparge in rivoli vorticosi, riparte da zero, cambia aspetto a ogni curva insieme al paesaggio, e si presenta, nella sua crescita, come se fosse sempre «nata ieri», come se inaugurasse, a ogni nuovo libro, un nuovo ciclo di gravidanza (...).

A ben vedere, la Ginzburg parla di liberazione non già a proposito del *Lessico*, ma delle *Voci della sera*, come si evince chiaramente dalla *Nota 1964* ai *Cinque romanzi brevi*. Non da un senso di liberazione nasce il *Lessico*, ma da una stabile, energetica, appassionata condizione di «assoluta libertà»: non una vetta ma un altipiano.

Punto focale di tutta l'opera della Ginzburg, *Lessico famigliare* viene anche letto, però, come un punto di non ritorno, un'esperienza estrema cui non potrà che seguire una metamorfosi. Tutti coloro che nel '63 colgono l'intensità dell'esperienza di verità e libertà dalla quale nasce il libro si domandano (varie recensioni si concludono in questo modo) che cosa potrà esserci oltre l'autobiografia, il saggio, la memoria, e come Natalia Ginzburg potrà tornare a scrivere. Sentono la perfezione e l'assoluta padronanza del mestiere, e paventano il blocco creativo o la maniera.

È venuto il momento di trascrivere per intero la recensione che Eugenio Montale dedicò al *Lessico* qualche mese dopo la sua pubblicazione, all'indomani della conquista del premio Strega (*«Lessico famigliare» crudele con dolcezza*, in «Corriere della Sera», 7 luglio 1963, ora in *Il secondo mestiere. Prose 1920-1979*, due tomi a cura di Giorgio Zampa, «Meridiani» Mondadori, Milano 1996). La lettura di queste pagine vorrebbe essere il culmine del discorso svolto finora, perché vi s'intrecciano tutti i temi che abbiamo toccato. Questo articolo, di gran lunga il piú bello dedicato al *Lessico* al momento della sua uscita, è, oltre che una recensione, un breve regesto della fortuna critica ginzburghiana dagli esordi alla maturità, un saggio-bilancio e una ipotesi sul futuro.

Quando Natalia Ginzburg era ancora alle prime armi – firmò dapprima come Natalia Levi e dopo come Alessandra Tornimparte – Silvio Benco rilevava che nella prosa di lei si avvertiva sempre «la pulsazione del vero». Ma, si badi, non piú che il batter del polso. Dopo i primi suoi libri, questo carattere, che è anche stilistico ma presuppone tutto un modo di apprendere e comunicare la realtà, andò sempre piú confermandosi e trovò forse la sua migliore espressione nel breve romanzo *Le voci della sera*. In seguito, alla Ginzburg, trovata la perfetta accordatura del suo strumento, non restava che di restar fedele a una materia del tutto congrua a quella che è la sua semplice vocalità. Direi che ogni pagina della Ginzburg sia riconoscibile anche senza firma per la delicatezza e quasi l'insignificanza del tocco, per l'arte sua di mimare non tanto la voce di chi discorre, ma la cadenza del suo chiacchiericcio.

Questa tecnica era piú che mai idonea a quello «spaccato» della sua vita di famiglia che Natalia ha intitolato *Lessico famigliare*, non senza un'allusione al fatto che nella famiglia Levi l'uso della nostra

lingua doveva esser tutt'altro che ortodosso. Se esiste un gergo spe-
cifico in ogni gruppo familiare, si può credere che nella casa del
professor Giuseppe Levi, detto Pomodoro forse perché era rossolio-
nato di capelli, il gergo fosse anche uno dei cementi affettivi di quel
gruppo.

Comunque sia il linguaggio di *Lessico famigliare* sta addirittura al
disotto del livello medio del nostro *standard* di conversazione. È un
sapiente parlato che resta terra terra e guadagna in immediatezza
quanto perderebbe se investisse una materia a piú dimensioni, in cui
contasse qualcosa il fluire del tempo. Ma non per nulla il tempo resta il grande assente della presente cronaca. La narrazione copre almeno quarant'anni – il prefascismo, il fascismo e il postfascismo visti da un punto d'osservazione strettamente individuale, quasi che
tutto fosse favola piú che ricordo cocente – livella tutto al minimo
denominatore di un gesto rimasto nella memoria, il colore di uno
sguardo o di un vestito e spoglia tutto (uomini e cose) della loro gra-
vità per renderle quasi irreali. Il mondo non ha peso per Natalia, che
si confessa annoiata e incompetente in fatto di musica, di pittura e di
tutto che non sia poesia, e soprattutto incapace di vivere una vita che
non sia *in* poesia.

Semiaddormentata, apparentemente assente, Natalia riesce con
poche parole anche a delineare personaggi che abbiamo conosciuti e
amati; ma li riduce tutti alle medesime proporzioni. Tutto importa,
nulla importa a Natalia, all'infuori della pigra dolcezza di lasciarsi
vivere. Di qui l'esatta ma quasi ingiusta riduzione dei suoi personaggi. Ecco Adriano Olivetti: «Adriano aveva allora la barba, una
barba incolta e ricciuta, di color fulvo; e aveva lunghi capelli che si arricciolavano sulla nuca, ed era grasso e pallido... Aveva un'aria molto malinconica, forse perché non gli piaceva niente fare il soldato; era
timido e silenzioso; ma quando parlava, allora parlava a lungo e a voce bassissima, e diceva cose confuse ed oscure, fissando il vuoto coi
piccoli occhi celesti, ch'erano insieme freddi e sognanti».

Forse il personaggio meglio delineato attraverso le sue stramberie
gergali è proprio quello del padre; e metterei subito dopo quello del
fratello Mario, anche perché è quello che ho conosciuto meglio.
Quando parla di lui Natalia diventa addirittura icastica, dimentica la
deliberata umiliazione del tono e quasi scolpisce. Non fa sempre al-

trettanto con l'eroico suo primo marito, Leone Ginzburg, e con Cesare Pavese, suo amico indimenticabile sebbene egli dicesse che è bene dimenticare i morti. Tuttavia di Pavese la Ginzburg ci ha dato un bellissimo ritratto in altro suo libro, *Le piccole virtú*. Ma oltre ai fratelli, alla sorella, ai parenti e agli amici del tempo delle «cospirazioni» c'è tutta una folla in questa cronaca di una vita, una folla di gente che fu viva ed ora vive solo nei suoi tic, nei suoi difetti, e non prevedeva che sarebbe balzata un giorno dalla memoria di Natalia come da una scatola a sorpresa. Cosí deve succedere in punto di morte; certo allora ricorderemo il volto di qualche persona che non ci importava per nulla e dimenticheremo di dire quelle parole che ci assicurerebbero un miglior ricordo dai nostri discendenti.

Forse c'è qualcosa di spietato nell'arte di Natalia, il desiderio di esser dolcemente crudele come solo può esserlo una donna. Ma crudele con un certo languore, con una parvenza di semi-irresponsabilità. Tutto sommato, in lei, alla superficie, la dolcezza prevale; e questo spiega perché l'arte sua piaccia tanto agli uomini che alle donne. Il giorno in cui Natalia ci darà un libro tutto per gli uomini vorrà dire che qualcosa del suo equilibrio sarà andato perduto. Non so se con perdita o con profitto; e non so nemmeno se dobbiamo augurarle quel giorno, tanto singolare ci appare quest'arte, anche nei luoghi in cui, come in *Lessico famigliare*, la disadorna ma sapiente negligenza del tratto suggerisce il pericolo del manierismo.

Molto opportunamente Garboli, nella *Fortuna critica* che chiude il secondo volume delle *Opere*, dà grande risalto a questo scritto di Montale, sottolineando il fascino che su quest'ultimo la prosa della Ginzburg esercita quasi suo malgrado. Quella definizione del linguaggio ginzburghiano, quell'esatta ponderazione del «mondo senza peso» di Natalia, permettono a Garboli di cogliere, nella «simpatia» di Montale, nelle sue «parole affettuose», «un piccolo gesto d'insofferenza. (…) Sembra che Montale sia infastidito da uno specchio, da una gibigianna».

Nelle pagine della *Fortuna critica*, Garboli lascia cadere un accenno a Montale quale critico «quasi parente» della Ginzburg. Ed è proprio cosí, dal momento che Silvia Tanzi, madre di Na-

talia Levi, era sorella di Drusilla Tanzi, che per trentacinque anni fu la compagna e infine, negli ultimi mesi di vita, la moglie di
Eugenio Montale. Nel *Lessico*, la zia Drusilla compare qua e là come colei che da bambina rompeva sempre gli occhiali, e una volta la sentiamo parlare – con una vocina che s'intuisce insistente
–, per dire che lei, ce l'aveva anche lei «la sua robina».

Durante la già citata intervista radiofonica del 1990 viene letta anche la recensione di Montale, e il conduttore Marino Sinibaldi la commenta cosí:

MARINO SINIBALDI   Ho l'impressione che sotto delle concessioni –
    gli piaceva, il libro – però avesse delle riserve forti: è vero?
NATALIA GINZBURG   Eh, perché uno di questi «personaggi amati»
    era mia zia Drusilla, che era poi «la Mosca». No, non voglio dire
    che questo abbia influito...
MARINO SINIBALDI   «La Mosca», ispiratrice di Montale...
NATALIA GINZBURG   ...No, non voglio dire che fosse influenzato da
    questo; ma però forse, un poco – lui trovava che l'avevo resa un
    po' una macchietta, mentre invece era molto importante per lui.
    Infatti io non è che ho fatto un ritratto vero della «Mosca»; era,
    cosí, come la vedevo io da bambina, questa zia Drusilla che...
MARINO SINIBALDI   Piú uno schizzo, che un ritratto.
NATALIA GINZBURG   Sí, sí.

«Caro piccolo insetto/ che chiamavano mosca non so perché»... La Mosca *alias* Drusilla Tanzi è la protagonista delle poesie montaliane della cosiddetta «seconda maniera», quelle che
Montale riprende a scrivere negli anni '60 dopo un silenzio quasi decennale. Ma si può essere piú precisi: le prime cinque poesie
dedicate alla moglie morta da pochi mesi (20 ottobre 1963) vedono la luce il 10 aprile 1964, primo nucleo delle due serie degli
Xenia che confluiranno nel quarto libro poetico di Montale, *Satura*, pubblicato nel 1971. Forse tanto puntiglio cronologico non
è inutile, dal momento che le brevi poesie montaliane in morte
della Mosca sembrano conservare l'aura di quella recensione, se
non direttamente del romanzo che la ispira. Ritroviamo anzi, in

quelle poesie (quattordici per ciascuna serie degli *Xenia*, piú molte altre che s'incontrano nel corpo del volume), altri due personaggi di *Lessico famigliare*: Silvio, il fratello maggiore di Drusilla, lo zio mai conosciuto da Natalia, il misterioso zio musicista che si uccise a trent'anni sparandosi alla tempia su una panchina dei giardini pubblici di Milano, e ancora, lo zio Demente, cosí chiamato perché faceva il medico dei matti.

Un'influenza di Natalia Ginzburg su Montale? A prima vista si direbbe un'ipotesi infondata, anche se già Maria Antonietta Grignani suggeriva che «sarebbe interessante poter accertare il debito di Montale» nei confronti del *Lessico*. A pensarci bene, cos'è la dolcezza crudele di Natalia se non la «dolcezza e orrore in una sola musica» che è la cifra della presenza di Mosca (*Xenia*, II, 4)? E che cos'è la flebile pulsazione del vero se non il medesimo suono prodotto dal «quartetto/ di cannucce» diretto dalla Musa scheletrica che assiste Montale in quegli anni? E poi, il colloquio con i morti: «Avevamo studiato per l'aldilà/ un fischio, un segno di riconoscimento./ Mi provo a modularlo nella speranza/ che tutti siamo già morti senza saperlo» (*Xenia*, I, 4). Che cos'è quel «segno» se non un linguaggio privato, un codice segreto della vita affettiva? E reciprocamente, quando della sua lingua di famiglia la Ginzburg dice che «Una di quelle frasi o parole, ci farebbe riconoscere l'uno con l'altro, noi fratelli, nel buio d'una grotta, fra milioni di persone», cos'è quella grotta se non una Valle di Giosafat appena dissimulata?

Ma nella recensione del *Lessico* si può trovare persino una corrispondenza testuale con la poesia di *Xenia*: è in quella riflessione – Montale si è spinto per un attimo fuori tema – sul momento della morte in cui «ricorderemo il volto di qualche persona che non ci interessava per nulla». La poesia trascritta qui di seguito è del 1968, e occupa attualmente la penultima posizione del volume *Satura*. In un primo momento era stata inclusa in due edizioni a tiratura limitata (1968 e 1970) degli *Xenia*:

Il grillo di Strasburgo notturno col suo trapano

in una crepa della cattedrale;
la Maison Rouge e il barman tuo instillatore di basco,
Ruggero zoppicante e un poco alticcio;
Striggio d'incerta patria, beccatore
di notizie e antipasti, tradito da una turca
(arrubinato il naso di pudore
ove ne fosse cenno, occhio distorto
da non piú differibile addition)
ti riapparvero *allora*? Forse nugae
anche minori. Ma tu dicesti solo
«prendi il sonnifero», l'ultima
tua parola – e per me.

Nota bibliografica.

La prima edizione di *Lessico famigliare* esce nei «Supercoralli»
Einaudi (finito di stampare 22 marzo 1963); nel 1972 viene ap-
prontata un'edizione scolastica («Letture per la scuola media», n.
23) con note di Dora Cimara, accresciuta nel 1986 di un apparato didattico a cura di Carlo Minoia e Fiorella Folladori; del 1978
è una ristampa in brossura nei «Supercoralli nuova serie», e del
1986 quella negli «Struzzi» (n. 307). Di *Lessico famigliare* si sono
stampate varie edizioni speciali o su licenza temporanea: nella
collana «I premi Strega» del Club degli Editori (Milano 1969)
con prefazione di Raffaele Amaturo; negli «Oscar Mondadori»
(n. 339, Milano 1972) con apparato introduttivo di Cesare Garboli; presso l'Euroclub (Bergamo 1980), nella collana «I grandi
bestsellers» della Mondadori-De Agostini (Novara 1986) e infine,
in abbinamento con *Le piccole virtú*, presso il Club degli Editori
(Milano 1992). *Lessico famigliare* si può anche leggere, ovvia-
mente, nel primo volume delle *Opere* raccolte e ordinate dal-
l'Autore a cura di Cesare Garboli, «Meridiani» Mondadori, Milano 1986.

Altre monografie e saggi critici di carattere generale che contengono riferimenti utili a *Lessico famigliare*. Maria Corti, *Metodi e fantasmi*, Feltrinelli, Milano 1969; Elena Clementelli, *Invito alla lettura di NG*, Mursia, Milano 1972; Luciana Marchionne Picchione, *NG*, Firenze, La Nuova Italia («Il Castoro» n. 137), Firenze 1978; Alan Bullock, *Maternità e infanzia nell'opera di NG*, «Critica Letteraria», a. VII, fasc. III, n. 24/1979; Olga Lombardi, *NG*, in *Letteratura Italiana. I contemporanei*, vol. VIII, Marzorati, Milano 1979; Antonio Russi, *NG*, in *Letteratura Italiana Contemporanea*, diretta da Gaetano Mariani e Mario Petrucciani, vol. III/2, Lucarini, Roma 1982; Antonia Mazza, *NG*, «Letture», a. 38, quad. 395, marzo 1983; Geno Pampaloni, *Modelli ed esperienze della prosa contemporanea*, in *Storia della Letteratura Italiana* diretta da Emilio Cecchi e Natalino Sapegno, *Il Novecento*, tomo II, Garzanti, Milano 1987; Alan Bullock, *Some Thoughts on Internal and External Monologue in the Writings of NG*, in Judith Bryce e Doug Thompson (a cura di), *Moving in Measure. Essays in honour of Brian Moloney*, Hull University Press, Hull 1989; Vittorio Coletti, *Storia dell'italiano letterario. Dalle origini al Novecento*, Einaudi, Torino 1993; Cesare Garboli, *Introduzione* a NG, *Cinque romanzi brevi*, Einaudi, Torino 1993.

Altre testimonianze biografiche. Severino Cesari, *Colloquio con Giulio Einaudi*, Theoria, Roma-Napoli 1991; Giulio Einaudi, *Frammenti di memoria*, Rizzoli, Milano 1988; Vittorio Foa, *Il Cavallo e la Torre. Riflessioni su una vita*, Einaudi, Torino 1991; Gino Martínoli, *Un secolo da non dimenticare*, Mondadori 1996; Maja Pflug, *Natalia Ginzburg. Arditamente timida* [1995], trad. it. La Tartaruga, Milano 1997.

Altre recensioni (in ordine cronologico) di *Lessico famigliare*. Piero Dallamano, *Famiglia che vai parole che trovi*, «Paese Sera», 29 marzo 1963; g.c.f. [Gian Carlo Ferretti], *La storia di una famiglia antifascista*, «Il calendario del popolo», aprile-maggio 1963;

Carlo Salinari, *Un romanzo chiamato Ginzburg*, «Vie Nuove», 18 aprile 1963; Leonardo Vergani, *Un diario di famiglia*, «Corriere Lombardo», 18-19 aprile 1963; Ernesto Travi, «L'Italia», 19 aprile 1963; Domenico Zucaro, *Un «Gattopardo» della Torino clandestina*, «Avanti!».», 25 aprile 1963; Giulio Cattaneo, «L'Approdo», 6 maggio 1963; G., «Corriere della Sera»; 12 maggio 1963; Tommaso Fiore, *Lessico famigliare*, «Gazzetta del Mezzogiorno», 17 maggio 1963; Giuliano Gramigna, *I personaggi veri della Ginzburg*, «Amica», 19 maggio 1963; Isa Tutino, «Noi Donne», 25 maggio 1963; f.d.p., *Una strada che va al romanzo*, «Il Discanto», giugno 1963; Giorgio Romano, «Rassegna Mensile di Israel», giugno 1963; Adolfo Ricci, *Il tema che le è caro*, «La Nuova Sardegna», 11 giugno 1963; Ferdinando Virdia, *Lessico familiare* [sic], «La Voce Repubblicana», 14 giugno 1963; Vittorio Lugli, *Cronaca domestica*, «Il Resto del Carlino», 18 giugno 1963; Pasquino Crupi, *Il lessico della storia*, «Umanità Nova», 30 giugno 1963; Andrea Barbato, *Scrive con la fretta di lasciare un incubo*, «Il Giorno», 11 luglio 1963; Vittorio Vettori, *Il patetico moralismo di NG*, «Il Piccolo», 11 luglio 1963; Francesco Fiumara, «Gazzetta del Sud», 13 luglio 1963; Mario Cattafesta, *Lessico famigliare*, «Gazzetta di Parma», 23 luglio 1963; Giovanna Finocchiaro Chimirri, «Ricerca», 1° agosto 1963; Giannino Zanelli, «Corriere del Ticino», 9 agosto 1963; Luigi Bini, «Letture», agosto-settembre 1963; Giorgio Pullini, «Comunità», agosto-settembre 1963; Valerio Volpini, «Humanitas», a. XVIII, n. 9-10, settembre-ottobre 1963; Gian Paolo Biasin, *A Family Portrait*, «Italian Quarterly», a. VII, n. 27-28, Fall-Winter 1963; Amalia Zambaldi, *NG*, «Studium», novembre 1963; Giuliano Gramigna, *The Italian Jewish Novelist NG*, «Jewish Affairs», novembre 1963; Giovanni Orioli, *Lunga stagione di confessioni*, «Elsinore», a. I, n. 1, dicembre 1963; Vincenzo Perna, *NG*, «Palaestra», novembre-dicembre 1963; Sergio Pacifici, «Books Abroad», inverno 1964; Elio Filippo Accrocca, «Avanti!».», 30 aprile 1964; Raymond Mortimer, *Memoirs of a Once Restricted*

Resident, «The Sunday Times», 12 febbraio 1967; W. Trevor, *Remembering Well*, «The Listener», 2 marzo 1967; R. Rosenthal, *The Oldest Story*, «The New Leader» (New York), 13 marzo 1967; Anon., *Nothing but the Truth*, «The Economist», 15 aprile 1967; G. Ewart, *Life with Father*, «London Magazine», maggio 1967; Filiberto Mazzoleni, *Il libro «torinese» di NG*, «Persona», gennaio-febbraio 1969; Nicholas Spice, *Ashes*, «London Review of Books», 19 dicembre 1985; Alice Vollenweider, postfazione a *Familienlexicon*, Berlin 1993; Anna Nozzoli, *«Lessico famigliare» e altre storie torinesi (in appendice la novella «Settembre»)*, «La Rassegna della Letteratura Italiana», a. 98, serie VIII, n. 1-2, gennaio-agosto 1994.

Un brevissimo ragguaglio sulla vittoria della Ginzburg al premio Strega 1963. Il suo libro fu presentato da Alberto Moravia ed ebbe come padrini, alla votazione finale che si svolse il 4 luglio al Ninfeo di Villa Giulia, Eugenio Montale ed Elsa Morante. Votarono 379 «Amici della Domenica» sui 405 aventi diritto. Alla lavagna, la conta definitiva segnerà 125 voti per il *Lessico*, 105 per *Rien va* di Tommaso Landolfi, 61 per *La tregua* di Primo Levi, 40 per *La dura spina* di Renzo Rosso, 24 per *Un giorno di fuoco* di Beppe Fenoglio, 23 per *Il Papa* di Giorgio Saviane, piú una scheda bianca.

Tra le testimonianze: Franco Antonicelli, *Libri a tenzone*, «Radiocorriere», 14 luglio 1963; Andrea Barbato, *Il dopo-Strega*, «L'Espresso», 14 luglio 1963; Maria Bellonci, *Io e il premio Strega* [1969], Mondadori, Milano 1987; Adele Cambria, *La Ginzburg precede Landolfi tra i favoriti del «premio Strega»*, «La Stampa», 19 giugno 1963; Ead., *I libri concorrenti al Premio Strega presentati al pubblico con battute polemiche*, «La Stampa», 28 giugno 1963; Ead., *A NG il premio «Strega» per il suo volume «Lessico famigliare»*, «La Stampa», 5 luglio 1963; Paolo Spriano, *A NG il Premio Strega '63*, «l'Unità», 5 luglio 1963.

Indice

Stampato per conto della Casa editrice Einaudi
presso Mondadori Printing S.p.A., Stabilimento N.S.M., Cles (Trento)

C.L. 15168

.Edizione							Anno			
6	7	8	9	10	11		2003	2004	2005	2006